O PACTO DE TRÊS GRACES

TÍTULO ORIGINAL *Strange Grace*

Plataforma21 é o selo jovem da VR Editora

DIREÇÃO EDITORIAL Marco Garcia
EDIÇÃO Thaíse Costa Macêdo
EDITORA-ASSISTENTE Natália Chagas Máximo
PREPARAÇÃO Flávia Yacubian
REVISÃO Juliana Bormio de Sousa
DIAGRAMAÇÃO Pamella Destefi
CAPA Kako

Dados Internacionais de Catalogação na Publicação (CIP)
(Câmara Brasileira do Livro, SP, Brasil)

Gratton, Tessa
O pacto de Três Graces / Tessa Gratton; tradução Lavínia Fávero. – São Paulo: Plataforma21, 2020.

Título original: Strange Grace
ISBN 978-65-5008-035-8

1. Ficção juvenil 2. Ficção de fantasia I. Título.

20-33899 CDD-028.5

Índices para catálogo sistemático:
1. Ficção : Literatura juvenil 028.5
Maria Alice Ferreira - Bibliotecária – CRB-8/7964

VR EDITORA S.A.
Rua Cel. Lisboa, 989 | Vila Mariana
CEP 04020-041 | São Paulo | SP
Tel. | Fax: (+55 11) 4612-2866
plataforma21.com.br | plataforma21@vreditoras.com.br

TESSA GRATTON

O PACTO DE TRÊS GRACES

TRADUÇÃO
Lavínia Fávero

Para todas as bruxas, harpias, santas e irmãs
que tornaram a minha vida espetacular.

À noite, a floresta é cheia de fantásticos seres.
Se prestar atenção, conseguirá ouvir seu brado:
O amor é estranho e nos impele a estranhos afazeres.
— Luke Hankins

DEZ ANOS ATRÁS

Galhos arranham o rosto dele, sedentos por seu sangue. De olhos arregalados, o rapaz empurra com mais força, chacoalhando as folhagens secas e pontiagudas, pisando firme na vegetação e nas folhas mortas. As árvores antigas são um emaranhado de armadilhas, uma teia de braços, dedos e garras que querem pegá-lo.

Atrás do rapaz, o demônio bate os dentes.

NO VALE ATRÁS DA FLORESTA, UMA FOGUEIRA ARDE NO ALTO DE um morro: um farol laranja que contrasta com a lua prateada, as chamas bruxuleiam e vibram, como se pulsassem. Agora, este é o coração do vale, cercado por um povo cansado, que fica de vigília até o amanhecer. Homens, mulheres e crianças também: de mãos dadas, vagam em círculos em sentido solar, oram e entoam os nomes de todos os santos que vieram antes deste rapaz. "*Bran Argall. Alun Crewe. Powell Ellis. John Heir. Col Sayer. Ian Pugh. Marc Argall. Mac Priddy. Stefan Argall. Marc Howell. John Couch. Tom Ellis. Trevor Pugh. Yale Sayer. Arthur Bowen. Owen Heir. Bran Upjohn. Evan Priddy. Griffin Sayer. Powell Parry. Taffy Sayer. Rhun Ellis. Ny Howell. Rhys Jones. Carey Morgan.*" E então repetem o nome do rapaz, sem parar, em uma evocação: "*Baeddan Sayer. Baeddan Sayer. Baeddan Sayer*".

Por causa dele, e de todos os santos que vieram antes, nenhuma peste assola o vale; o sol e a lua compartilham o céu, em perfeito respeito um pelo outro e pelos campos verdejantes; a morte chega tranquilamente, na idade avançada; o parto é tão difícil e perigoso quanto tirar leite de pedra, mas ninguém por aqui precisa tirar leite de pedra. Fizeram o seguinte pacto com o demônio: a cada sete anos, o melhor dos rapazes é enviado para a floresta, onde fica do pôr do sol até o sol raiar, na noite da Lua do Abate. Ele pode viver ou morrer, dependendo de suas próprias habilidades, e, em troca do sacrifício, o demônio abençoa Três Graces.

MAIRWEN GRACE TEM SEIS ANOS. ESTÁ NA COMPANHIA DA MÃE, a bruxa, trançando ramos de sorbus para fazer uma boneca para Haf, sua amiga, que estava amedrontada demais para acompanhar a vigília dos adultos. Mas, como Mairwen também é filha de santo, um jovem que morreu na floresta antes da menina nascer, ela não tem medo. Mantém seus olhos castanhos de gavião fixos na mata, naquele muro de escuridão que conhece tão bem. Sua brincadeira preferida é ir correndo até o último limite, ficar parada ali, onde seus dedos dos pés descalços roçam na primeira sombra. E é lá que fica à espera, na linha que separa o vale da escuridão, enquanto as sombras estremecem e mudam de posição, e a menina consegue ouvir o delicado bater dos dentes, os sussurros dos fantasmas e, às vezes – às vezes! –, a risada do demônio.

A menina se imagina gritando para eles, se apresentando, mas sua mãe a faz jurar que não fará isso, que jamais deve dizer seu nome quando estiver onde a floresta for capaz de ouvir. "Uma bruxa do clã Grace deu início a esse pacto, entregando seu coração", diz a mãe. "E seu coração pode dar um fim nele.". É por isso que Mairwen fica em silêncio, ouvindo – saber ouvir: é a primeira habilidade de uma bruxa – as vozes dos mortos e dos que foram descartados.

Um dia, pensa ela, enquanto confecciona a boneca. Um dia, vai entrar na floresta e localizar os ossos de seu pai.

ARTHUR COUCH TEM SETE ANOS, E UMA RAIVA INCOMPREENSÍVEL o mantém irritado e acordado, olhando fixamente, enquanto o menino ao lado sucumbe aos delírios do sono. Durante os seis primeiros anos de sua vida, a mãe de Arthur o criou como menina, o chamava de Lyn, o fazia usar vestidos, trançava seus longos cabelos loiros, para salvá-lo daquele destino do demônio, para escondê-lo. Ele não sabia de nada – ninguém sabia – até que, um dia, no início do verão, foi brincar no córrego perto do campo de ossos. Todas as meninas tiraram a roupa e caíram na água, dando risada, até que uma gritou que Arthur era diferente.

Ninguém pôs a culpa em Arthur, que foi morar com o clã Sayer e escolheu um nome novo, da lista de santos. Sua mãe fugiu do vale, gritando que odiava a Floresta do Demônio, o pacto e que ter um filho em Três Graces era viver em terrível e constante medo. "Era melhor você já ter morrido", disse ela, para Arthur, antes de ir embora para sempre. Se Arthur olha feio para a floresta é porque não pode olhar feio para os homens de Três Graces, que riram dele no dia anterior, quando o menino tão pequeno se apresentou, candidatando-se à santidade. "Sou pequeno, rápido e capaz de vencer", insistiu. "Não sou covarde." E os homens, gentilmente, lhe disseram para esperar mais sete anos – ou talvez quatorze. Mas o lorde, que desce do palacete para a Lua do Abate, pousou a mão no ombro esquelético de Arthur e falou: "Se quer ser santo, Arthur Couch, aprenda a ser o melhor. O melhor entre os rapazes não desperdiça sua vida por causa da vergonha de outra pessoa, por raiva nem para provar coisa nenhuma".

Um dia, pensa Arthur, encarando a floresta com seus olhos azuis em chamas. Um dia, vai entrar correndo naquela floresta e oferecer o coração ao demônio.

RHUN SAYER É O PRIMO MAIS NOVO DO NOVO SANTO E BOCEJA AO colocar o braço moreno por cima do ombro de Arthur Couch. Não está preocupado, porque esta vigília é igual a todas as vigílias sobre as quais sua mãe, seu pai, seus tios, tias, primos de segundo grau, o lorde Sy Vaughn, as irmãs Pugh, Braith Bowen, o ferreiro e todas as demais pessoas já lhe contaram a respeito. Além do mais, seu primo Baeddan Sayer é o melhor *de todos*. É o quarto integrante do clã Sayer a se tornar santo – mais do que qualquer outro clã, desde que o pacto teve início. É algo que corre nas veias dos Sayer. Dois santos do clã já tinham saído da floresta se arrastando pela manhã, dois dos quatro únicos sobreviventes em mais de duzentos anos.

Isso incomoda Arthur e Mairwen, que é amiga dele também. Mas Rhun sabe que a floresta, o sacrifício e os sete anos de saúde e riqueza são coisas da vida. Esta noite é terrível, mas nenhuma das demais é.

E, em todas as demais noites, a lua e as estrelas iluminam o vale onde vivem, com seus raios prateados, e os rapazes e os meninos podem correr, apostar corrida, brincar e caçar sem medo. Dedos quebrados cicatrizam em poucos dias, o sangue nunca jorra, infecções se esgotam ao nascer do sol, e ninguém perde os pais ou primos ainda bebês, nem mesmo os filhotes de cachorro peludos morrem tão cedo. Rhun entende que tudo o que há de bom no vale faz o sacrifício valer a pena. Lembra-se de Baeddan dando risada no dia anterior, com as bochechas vermelhas de tanto beber cerveja e dançar, as pétalas de flores caindo do cabelo castanho-escuro, assim como caem da coroa do santo. Baeddan se abaixou, segurou o rosto de Rhun com as duas mãos e exclamou: "Olhe tudo o que eu tenho! É tão bom viver aqui".

OS OLHOS DE RHUN SE FECHAM, APESAR DE ELE SABER QUE DEVE continuar observando, esperando pelo rosado nascer do sol, pela primeira risada triunfante do primo. Arthur sacode os ombros para se livrar do braço de Rhun, que passa o braço inteiro em seu amigo esquentado. Então, sorri e dá um beijo no meio das sobrancelhas claras de Arthur.

Um dia, pensa. Um dia, será o quinto santo do clã Sayer, não daqui a sete anos, mas talvez daqui a quatorze. E, até lá, vai amar tudo o que possui.

A LUA SE ESPALHA PELO CÉU, AS ESTRELAS PISCAM COMO SE FOSSEM uma saia que roda lentamente. Ela percorre um arco que vai do leste até o oeste, marcando as horas. As pessoas alimentam a fogueira.

O vento remexe as folhas negras da floresta. Sibila e sussurra, como em todas as florestas, até que um grito estridente se liberta. Já passa da meia-noite, são as piores horas, e o berro arrepia a espinha de todos os adultos e gela o sangue de todas as crianças. Todos se aproximam da fogueira, suas preces se tornam mais altas, tomadas pelo desespero.

Outro grito, inumano, depois mais um.

Seguido pela risada gélida que treme, partindo das raízes da floresta, congelando a grama seca do inverno.

NO ALTO DO MORRO, MAIRWEN SEGURA A BONECA DE SORBUS com tanta força que um dos bracinhos se parte. Sua mãe canta baixinho, uma canção de ninar, e Mairwen se pergunta se a mãe está pensando na última vigília, que aconteceu há sete anos, quando Carey Morgan entrou na floresta correndo, sem saber que iria ser pai, e nunca mais saiu.

PERTO DA FOGUEIRA, O PEITO DE ARTHUR SOBE E DESCE, ARFANDO, feito o de um corredor. Ele se afasta do calor, se afasta dos amigos e dos primos, e se aproxima da floresta sombria e ofegante.

RHUN SE ENCOLHE AO SENTIR O PRIMEIRO RAIO DE SOL. MAS SE DÁ conta do que isso significa e fica de queixo caído. Outros também perceberam: seu pai e sua mãe, Aderyn Grace, a bruxa, as irmãs Pugh e o lorde Vaughn. O nome vai passando de boca em boca: "Baeddan Sayer. Baeddan Sayer".

As pessoas de Três Graces ficam à espera, mesmo que seja tarde demais. A bruxa do clã Grace murmura: "E, então, a Lua do Abate passou, e temos mais sete anos". Ninguém alimenta mais a fogueira, que irá se consumir sozinha, e as cinzas serão utilizadas como adubo nos jardins, durante o inverno, e para fazer sabão.

À medida que o sol se levanta sobre as montanhas, tingindo o céu com um tom de sangue desbotado, Mairwen Grace vai lentamente até a entrada da floresta. Sua mãe estica o braço para detê-la, mas sabe que não pode pronunciar o nome da filha enquanto o demônio puder ouvir.

Mairwen para, sozinha, bem no ponto em que a luz da aurora cutuca as primeiras árvores.

Olha para a escuridão e sussurra o nome do santo.

Nada acontece, e Mairwen atira a boneca de sorbus o mais longe que pode, bem no meio da Floresta do Demônio.

POUCO DEPOIS, QUANDO O SOL TOMA CONTA DO VALE, UMA SOMbra se sacode. É uma coisa sinuosa, poderosa e faminta. Levanta os dedos, feitos de ossos e raízes, do chão da floresta e segura a boneca minúscula.

A PRIMEIRA NOITE

É um dia tranquilo e agradável, como qualquer outro em Três Graces, a não ser pelo fato de que um dos cavalos está doente.

Mairwen Grace toca os lábios aveludados do animal e coça seu queixo. Estava vindo do campo de ossos, dando uma volta ampla pelo morro do pasto – uma provocação que faz consigo mesma, por causa das sombras que ultrapassam a Floresta do Demônio –, quando viu o garanhão cinzento tremer e baixar a cabeça até tocar a grama rígida do outono. Ele não arrancou folhas para comer, não a cutucou com o focinho nem ergueu a cabeça de novo. Só ficou com a cabeça baixa e deu uma bela e incômoda tossida.

Ela jamais havia ouvido um cavalo tossir nem pensara que seria possível. Os flancos do animal estavam escuros, de tanto suor, e a vida se esvaíra de seus olhos castanhos. Uma preocupação visceral tomou conta da menina: Mairwen conhecia aquele plantel há dezesseis anos, e nunca um dos cavalos pequenos e atarracados fora algo que não o mais perfeito exemplo de saúde.

Por causa do pacto, ninguém adoece em Três Graces.

Mair franze o cenho, encosta o ombro no pescoço do cavalo e fica balbuciando baixinho para acalmar o animal e a si mesma. Dirige o olhar para a floresta. Naquele momento, tão perto do inverno, as folhas estão retorcidas, em tons de amarelo e laranja, até onde a vista alcança, até as encostas longínquas das montanhas e o céu azul enevoado. Ainda há trechos verdes, de abetos e carvalhos frondosos, cujas raízes são profundas. Nenhum som ecoa na floresta, nem de pássaros nem de outros animais.

É uma floresta silenciosa e estranha, um quarto crescente de sombras escuras e árvores ancestrais que abraçam o vilarejo de Três Graces, como se fosse uma pérola na boca de uma ostra.

E, no coração da floresta, a Árvore de Osso se ergue mais alta do que todas, com galhos desfolhados, cinza como um fantasma. A cada sete anos, um punhado de folhas brota, bem no alto, e se tornam vermelhas, como se um gigante do céu tivesse deixado pingar algumas gotas de sangue. Um aviso de que a próxima lua será a Lua do Abate, e um dos rapazes se tornará santo. Se o povo não oferecer um rapaz em sacrifício, a magia abundante que garante a saúde e a força do vale irá se desfazer. E *aí* a doença vai chegar, as plantações vão secar, e os bebês vão morrer.

Mas só se passaram três anos desde a última Lua do Abate.

O incômodo aperta seus dedos em volta da espinha de Mairwen. E a arrasta, como se fosse um peixe no anzol, na direção da floresta. O braço da menina escorrega do pescoço do cavalo, e ela põe no chão sua cesta de ossos alvejados pelo sol.

Suas botas fazem barulho ao roçar na grama, à medida que desce o longo declive que serve de pasto e se dirige à floresta, com olhos fixos nos vãos escuros depois da primeira fileira de árvores. Sua respiração fica mais rasa, e o coração bate mais rápido.

A própria Mairwen nunca ficou doente, apesar de já ter sentido náuseas. Ela pensa nas carcaças penduradas nas gaiolas do campo de ossos, nos baldes de esqueletos macerados, tudo parte da limpeza dos ossos para fazer amuletos, botões e pentes. Pensa nos tendões, no sangue, nas fezes, nos resíduos nojentos e na gordura, que fazem parte do seu trabalho. Às vezes, o fedor de podre a deixa com ânsia de vômito. Às vezes, penetra no lenço amarrado que tapa seu rosto e revira seu estômago. Mas esse tipo de mal-estar sempre passa quando ela termina de trocar a água do balde.

Aquilo é diferente.

Filha da bruxa do clã Grace com o vigésimo-quinto santo de Três Graces, Mair foi criada para acreditar que é invencível. Ou, no mínimo, especial. Uma bênção e um amuleto. Mas um vilarejo como este em que mora raramente precisa de bênçãos adicionais ou de sorte, já que o pacto garante que tudo o que existe fique bem e com saúde. Assim sendo, Mairwen enfrenta tudo. Enfia as mãos na floresta e se cerca de ossos. Por mais que Aderyn, sua mãe, se dê ao trabalho de lhe ensinar os costumes das bruxas do clã Grace, Mairwen se interessa mais pela estranheza. Por amuletos feitos de ossos e locais sombrios, por corvos e ratazanas de hábitos noturnos. Em tudo aquilo que a primeira bruxa do clã Grace conhecia bem e amava. "A primeira aprendeu a língua dos morcegos e dos besouros, cantava com os sapos, à meia-noite", costumava sussurrar a mãe de Mairwen, tarde da noite, quando Mair subia na cama dela para ouvir histórias da longa linhagem de bruxas do clã.

Ao ver o último raio de sol, Mairwen para.

A escuridão corre seus dedos pelas árvores, sombras que não deveriam estar ali, movendo-se de modo que nenhuma sombra deveria se mover. Ela passa a língua nos lábios para sentir com mais intensidade o gosto da brisa oca e pousa o dedo mais comprido no tronco gelado de um carvalho bem alto. Remexe os dedos dos pés, dentro das botas, e dá um passo à frente, ficando meio na luz, meio na sombra. Seu avental se torna cinzento à sombra, ao mesmo tempo em que o sol continua aquecendo seu cabelo emaranhado cor de casca de cerejeira.

– Olá – diz ela, baixinho. Mas a voz alcança apenas os primeiros metros inócuos da floresta.

O vento sopra, sussurrando para ela, do alto das copas. Ali embaixo, Mair consegue enxergar as fileiras irregulares de árvores: algumas carvalhos; outras, pinheiros; outras, castanheiras, crê, e outras são árvores frondosas, orgulhosas, com folhas retorcidas em tons de laranja e dourado, feito o fogo. O chão está coberto de folhas e agulhas de pinheiro, todas meio cinzentas e amarronzadas, porque estão apodrecendo. Não há vegetação rasteira em um longo trecho que termina em um emaranhado de sorbus, espinheiros e sebes cheias de ervas daninhas.

Mair tem vontade de adentrar na floresta. Anseia por explorá-la, por descobrir seus segredos. Mas sua mãe disse, repetidas vezes: "As bruxas do clã Grace, quando entram na floresta, nunca mais retornam. Todas nós ouvimos o chamado, uma hora ou outra, e entramos nela para não mais voltar. Foi assim com a minha mãe, e com a mãe dela. Você nasceu com esse chamado, meu passarinho, por causa de seu pai, e precisa resistir a ele".

Mairwen entrelaça as mãos. Não lhe parece certo ignorar esse anseio, mas sua mãe prometeu: "Um dia, um dia, meu passarinho".

A menina presta atenção aos ruídos – saber ouvir é a primeira lição que uma bruxa aprende, também segundo sua mãe. Uma folha cai, marrom e retorcida. Um amontoado de flores brancas estremece em cima de uma raiz, minúsculas como um punhado de dentes de bebê.

Mairwen cerra os próprios dentes, de leve. Certas noites e em algumas auroras, consegue ouvir as criaturas da floresta rangendo os dentes. Mair já as viu: esquilos pretos e minúsculos, de olhar vazio; pássaros com asas e bicos ensanguentados; vastas sombras em formato de gente ou de puma; sombras transparentes, que mudam de forma. "Monstruosas, porque a magia do pacto assim as tornou", explica Aderyn. Quando o sol se põe ou nasce, pintando o céu com cores suaves, fica impossível ver esta fronteira, e Mairwen gosta de ir ali e encontrá-la pelo tato, com a pele, a boca e o bater inquieto de suas pestanas. Então consegue ouvir as criaturas, os *cléc*s e os *pssss*, as risadas roucas que, até no verão, lembram os galhos e ossos descarnados do inverno.

Mas não agora, quando o sol está a pino acima dela.

Agora, a floresta está tensa, silenciosa. Promete.

Mairwen pensava que sabia exatamente o que a floresta prometia. Mas um dos cavalos está doente. Algo está errado. Algo *mudou*.

Uma risada escapa de seus lábios, entrecortada e surpreendente. Nada muda em Três Graces, não dessa maneira.

Ela sobe o morro correndo e rodopiando, indo ao encontro do pobre cavalo. Tira da cesta um osso fino e curvado, amarelo e duro. Uma costela de raposa, do comprimento do seu indicador. Prende-o na crina do cavalo com uma trança, sussurrando uma canção de alegria e saúde. Cabelo, osso e sopro: vida e morte entrelaçadas e um amuletozinho abençoado e perfeito. E então parte em direção à casa de sua mãe.

A grama dourada do pasto não oferece resistência sob suas botas pesadas, mas algumas folhas ficam grudadas na bainha curta das saias. Ela cresceu um palmo no último ano, e suas roupas de verão deixam óbvio. As mangas também estão curtas, mostrando os pulsos, e o que antes um dia fora um corpete de um azul bem vivo agora está desbotado e gasto. Pelo menos, o xale quadrado que herdou da mãe ainda serve: é difícil crescer a ponto de um xale não servir mais. Mairwen puxou à mãe, Aderyn Grace, em quase tudo: os ombros fortes, os quadris voluptuosos e as mãos hábeis; o rosto corado, mais interessante do que belo, mas com um narizinho arredondado e lábios bem desenhados; olhos tão castanhos quanto as penas de um pardal, sob as sobrancelhas retas; cabelo da cor da casca da cerejeira, que se retorce e incomoda como um espinheiro.

Mairwen chega ao muro do pasto e sobe nele para andar um tanto, postergando a hora de chegar em casa. Vai contar para mãe o que descobriu. Esse não vai mais ser um segredo só seu. Vai se espalhar por todo o vale. Rhun ficará sabendo.

Se há alguma coisa de errado com o pacto, o que poderá acontecer a Rhun?

As pedras do muro são presas apenas por encaixe, por isso Mairwen sobe com cuidado, para evitar que tudo desmorone. Proibiram-na de fazer essa brincadeira vezes demais, ainda mais depois que sua amiga Haf caiu e quebrou o pulso, quando as duas tinham seis anos. Os ossos cicatrizaram em menos de uma semana, claro. Agora, as pedras ásperas balançam e tremem debaixo dos seus pés, mas Mair não consegue criar coragem para descer. Está alvoroçada demais, apavorada demais e também confusa. "Será que foi assim que a primeira bruxa do clã Grace se sentiu", pergunta-se a menina, "quando encontrou o próprio demônio e lhe entregou seu coração?"

Um vento frio sopra pelos campos, agitando a grama. Quando fica mais parada, Mair consegue ouvir o ruído do martelo de forja de Braith Bowen, mas nenhum outro som produzido em Três Graces chega aos seus ouvidos. Ainda de costas para o lado norte da Floresta do Demônio, olha para o sul, para o leve declive que leva à cidade, com suas choupanas cinzentas e brancas, com telhado de sapê e entradas enlameadas. A praça central é coberta do tom dourado do feno solto, mas os jardins externos comuns e os pastos menores, para as cabras, estão verdejantes. Vastas extensões de terra pululam com figuras minúsculas, seus amigos e primos, com as saias levantadas ou sem túnica, ceifando a última colheita. É ali que o riacho brota, das colinas, e o moinho gira com força total. Atrás de tudo, os rebanhos de ovelhas se espalham pela montanha, pastoreados por crianças e cães magrelos. A fumaça serpenteia das chaminés do vilarejo e também das poucas sedes de fazenda, mais espalhadas. Cachos compridos de fumaça marcam as residências dos clãs Sayer e Upjohn, escondidas atrás da floresta mais amena, mais gentil, da montanha.

E, ainda mais para cima, o palacete de pedra de Sy Vaughn se prende à montanha, como uma ave de rapina agarra sua presa.

Era para isso que ela subia no muro quando criança: ver Três Graces mapeada diante de seus olhos, sentir o calor da familiaridade enchendo seus pulmões. Para ver sua terra natal, com sua beleza imutável, e se imaginar fazendo parte dela e não algo à parte, por ser filha de bruxa com santo. Um meio-termo entre o vilarejo e a floresta, atraída nas duas direções, sem jamais conseguir sossegar.

Mair já subiu no muro tantas vezes com Rhun, Haf e Arthur. Rhun grita de alegria e abre os braços, como se quisesse envolver todo o vilarejo; Haf fica se equilibrando com extrema cautela, para compensar o medo que tem de cair de novo; Arthur caminha com segurança, de nariz empinado, fingindo que não presta atenção aos passos, como se aquilo fosse algo natural para ele, como se fosse o melhor de todos.

"Onde será que os três estão?", pergunta-se Mair. Haf, com as irmãs, lavando fraldas, trançando cestos, cabelos ou ambos, correndo atrás das galinhas. Rhun em um dos campos, por causa da colheita, sem dúvida, no centro das atenções, dando aquela sua risada alta e sincera, que faz os demais terem vontade de rir também. Arthur – "sozinho", presume ela, com um belo sorrisinho de deboche –, caçando nas montanhas mais para o sul, determinado a trazer um cervo por conta própria ou mais coelhos do que qualquer outro caçador.

Ou, já que há um cavalo doente, talvez tudo tenha mudado, e Mair não sabe nada do paradeiro de seus amigos.

Se há algo de errado com o pacto, isso significa que seu pai morreu em vão? E Baeddan Sayer e...

Mairwen pula no chão e apoia a mão na terra para se equilibrar.

A casa de sua mãe é a última, bem ao norte, fora do vilarejo. Rodeada por uma cerca de troncos e pedras, a casa do clã Grace tem dois andares de formato irregular, com uma ala comprida para o cultivo de ervas e um local de trabalho separado, de um cômodo só. É uma das moradias mais antigas. Tem um borralho feito de uma única pedra cinza, do comprimento de um homem, instalado há duzentos anos pelos primeiros integrantes do clã Grace que se encontraram perto da Floresta do Demônio. O andar de cima já foi feito duas vezes, uma para os netos e outra depois de ter pegado fogo, no tempo da tataravó de Mairwen. No pátio, criam galinhas e três cabras leiteiras, e a horta de ervas da mãe da menina toma conta do quintal atrás. Um monte de arbustos de groselha se esparrama pelo muro que fica perto da porta da frente.

Mair espera que Aderyn esteja no quintal, de onde vem um cheiro de ervas queimadas, mexendo o caldeirão de metal para fazer sabão ou amuletos ou talvez apenas lavando roupa. Mas, em vez disso, um vapor furioso sibila, em ondas, por cima do caldeirão abandonado que transbordou.

E é aí que um grito corta o rumor agradável do vento. Vindo de dentro da casa.

Ela sai correndo.

Seus ossos estalam a cada passo que dá, descendo o declive a toda velocidade, com as saias que se enroscam nos tornozelos, até que ela resolve segurá-las e atravessa correndo o portão que dá acesso ao pátio. A porta da casa se escancara, e Mair entra voando, mas para abruptamente na entrada mal-iluminada.

O térreo é formado por um único cômodo, de reboco claro e madeira escura, dominado pelo borralho e pela cozinha, e costuma estar repleto de vizinhos, a qualquer hora do dia. Mas, naquele momento, todas as cadeiras e bancos foram arrastados, apressadamente, para as laterais e empilhados sobre a pesada mesa de jantar, deixando um amplo espaço livre, só com tapetes de tear. No meio do recinto, Aderyn Grace e sua melhor amiga, Hetty Pugh, amparam Rhos Priddy, grávida, no meio das duas, e a jovem futura mãe cerra os dentes e geme. As três mulheres andam em círculos pelo tapete, com passos lerdos. Rhos está ofegante e resiste às duas mulheres mais velhas, que a seguram. Aderyn diz:

– Você precisa continuar se movimentando, se puder, e vamos ajudá-la a passar por isso e lhe dar um chá.

Hetty Pugh tira o cabelo negro do rosto.

– Um pé depois o outro, meu botão de rosa.

Rhos, que tem quatro anos a mais do que Mairwen, está grávida do primeiro filho, de apenas sete meses. Balança a cabeça loucamente, com as bochechas vermelhas, o suor escurecendo cachos dourados que emolduram seu rosto. Como o suor que torna negro o garanhão cinza.

Mairwen fica sem ação, com uma mão no batente da porta, e lembra que dar à luz é difícil, mesmo em Três Graces. Já ouviu os gritos, ferveu água, limpou sangue. Isso acontece ali com frequência, porque o legado do clã Grace torna a sua casa, com seu borralho de pedra ancestral, um lugar auspicioso para nascer. Mas é cedo demais.

– Mãe? – chama, por fim, ao ver que a respiração de Rhos voltou ao normal, e a moça esmorece. Tanto Aderyn quanto Hetty se viram bruscamente.

– Mair! – exclama Hetty. – Encontre Nona Sayer e peça para que venha. Ela pode saber algo de fora do vale que pode ajudar.

– O que está acontecendo? – pergunta Mairwen, ainda parada.

A mãe da menina passa o braço na barriga volumosa de Rhos e leva a moça até uma das cadeiras de balanço mais baixas.

– Rhos está tendo algumas contrações, só isso – diz Aderyn, baixinho.

Então, ela cruza o olhar com a filha. Mair sente a mentira se assentar no seu estômago. Mas a mentira foi dirigida a Rhos, não a ela. Aderyn tranquiliza Rhos acariciando suavemente os cabelos da moça. Mais uma vez, Mairwen é obrigada a se lembrar do cavalo cinzento e de suas próprias medidas para acalmá-lo.

Sem a mesma certeza inabalável de Aderyn, Hetty está furiosa. Suas sardas ainda mais evidentes do que o normal, contrastando com a pele branca e exangue, fazendo a mulher de trinta e poucos anos envelhecer mais alguns.

Mair fala com toda a calma possível:

– Mãe, preciso conversar com a senhora.

Aderyn imediatamente entrega Rhos para Hetty e leva Mairwen para o quintal.

– Um dos cavalos está doente – conta Mair, de um fôlego só. – E agora isso! O que significa?

– Ainda não tenho como saber. Talvez não seja nada demais – responde Aderyn, limpando a testa. – Vá buscar Nona, depois suba a montanha e descubra se o lorde Sy já voltou das andanças de verão. Conte tudo para ele e traga-o aqui para baixo.

Mairwen sai rodopiando as saias, se enroscando no medo.

RHUN SAYER PÕE A FOICE NO CHÃO E SE AGACHA NO MEIO DA CEVAda recém-cortada. O sol bate em seus ombros largos e desnudos, e o suor se mistura à poeira do campo e pedaços de sementes, dando coceira nas costas, atrás das orelhas e no ponto em que os botões da calça roçam a barriga. Ao seu redor, homens e mulheres resmungam e cantam "*corte, criança, corte*" para manter o ritmo constante. Aquela névoa cintilante aparece no fim da tarde dos dias de colheita, quando o sol que se põe fica no ângulo exato que ilumina a poeira que se ergue de seu trabalho.

Todo mundo espera que Rhun fique de pé, orgulhoso, solte um suspiro de felicidade, sorria e declare que aquele foi um bom dia e talvez comece a cantar outra canção, mais rápida e alegre. Que diga um trava-língua ou proponha uma adivinha. É isso que ele normalmente faz, inspirado pelo trabalho duro e pela promessa de descanso, carne quente e cerveja no jantar, com os primos e vizinhos, animados, sob o brilho do sol no horizonte.

Só que Rhun não está prestando muita atenção à névoa ou ao canto. Concentra o olhar naquele canteiro de cevada dobrada e escura que ceifou pela metade. Os caules salpicados de manchas claras, circuladas pelo marrom que já preteja. Nunca viu nada parecido, mas sabe, por instinto, que é ferrugem. Não é algo que possa ser atribuído a besouros ou gafanhotos, mas à doença. Como a varicela, que de vez em quando se alastra pelo vale, deixando cicatrizes temporárias nos jovens e nos idosos, deixando um rastro de alívio quando passa, porque ali ninguém morre desse tipo de coisa.

Mas parte desta cevada, pensa Rhun, *está morta*.

Um improvável esgar de preocupação repuxa seus lábios. O incômodo transparece por trás dele, e Rhun bufa. Precisa contar para alguém, mesmo que seja apenas um único canteiro discrepante.

– Tudo bem, Rhun? – Quem pergunta é Judith Heir, uma mulher cinco anos mais velha, que, como os demais, não está acostumada a ver um esgar de preocupação nos lábios de Rhun Sayer Filho.

Rhun sabe disso e dá um sorriso. É um rapaz belo, de dezessete anos, ombros largos e nariz aquilino, que puxou do pai. A pele morena e as estranhas pintas carmesins nos olhos são da mãe, a pragmática e mal-humorada Nona. Tirando isso, é pura simetria e altura, veste qualquer coisa que lhe sirva e seja adequada à tarefa do dia, prende os cachos negros e crespos em rabos de cavalo ou coques, sem jamais esconder o rosto.

– Tudo, só me deu uma cãibra no ombro – responde. Para enfatizar, gira o ombro direito, se encolhendo de dor de um jeito dramático. – Acho que vou pedir um unguento para Aderyn Grace.

– Claro – responde Judith. Que, em seguida, seca a testa com a manga e torna a empunhar a foice.

Rapidamente, Rhun fecha a mão em torno de alguns pés de cevada manchados e os arranca da terra. Pendura a foice em uma estaca e se dirige à casa da bruxa, batendo as raízes da cevada na perna ao longo do caminho, para tirar a terra.

Se tem uma coisa de que Rhun não gosta nem um pouco são segredos, porque contaminam tudo com um misto espinhoso de esperança e medo. Mas tem certeza de que, pelo menos por ora, é melhor manter a descoberta em silêncio. Encontrará Mair e mostrará para ela, ouvirá sua opinião. Permitirá que a amiga fique fascinada, como sempre fica com tudo o que é raro e diferente, e que o contagie com seu entusiasmo.

Só de pensar nela, Rhun já se acalma: Mairwen Grace, a pessoa que ele ama e que tem permissão para amar.

Um vento norte sopra na Floresta do Demônio. Rhun lança um olhar para a escuridão que se aninha ali, um horizonte de árvores negras ondulando sob o vento, feito um mar revolto, com as montanhas longínquas por trás. Para por um instante. A cevada que segura faz sua mão coçar, ou talvez seja o incômodo que irrita sua pele, o impulso de sair correndo, correndo, correndo.

Um dia.

Rhun Sayer dá um sorriso discreto, secreto, não para os outros, mas só para si mesmo, ao pensar na certeza de seu futuro: um dia, ficará no alto do morro do pasto, ao lado de todos os moradores do vilarejo, ao lado da fogueira, usando uma coroa de santo. E, quando o sol se puser e a Lua do Abate surgir no céu, ele é que se embrenhará na floresta, como seu primo, e vai correr – e provavelmente morrer – pelo vale. Por tudo o que há de bom nele.

Essa certeza o tranquiliza, assim como pensar em Mairwen.

Mas o vento o alcança, gelando o suor no peito, e Rhun se dá conta de que deixou a túnica dobrada em cima do carrinho de mão, no canto do campo de cevada. Constrangido de bater à porta de Aderyn Grace sem ela, muda de rumo e se dirige à própria casa.

EM UMA CLAREIRA DE ÁRVORES TINGIDAS PELO OUTONO, SOB O SOL da tarde que parece uma tranquilizante fogueira em família, Arthur Couch segura as faixas de pelo entre seus dedos, bem nos cortes que fez nos tornozelos traseiros, e, com um puxão firme, arranca a pele inteira do coelho que caiu em sua armadilha e ficou enforcado.

O ruído da pele rasgando o satisfaz, e o couro permanece inteiro o suficiente para servir a diversos usos. O coelho morreu rápido, sob sua faca, sem quebrar o pescoço na armadilha, como muitos. Sendo assim, os minúsculos ossos do pescoço devem estar intactos, para Mairwen.

Uma onda de calor sobe pelas orelhas alvas de Arthur, deixando-as vermelhas, ao se lembrar da última vez que levou ossos para a menina. Que os jogou dentro de um barril fedorento, cheio d'água e outros esqueletos de pequenos animais, como se aqueles ossos não fossem um presente, como se não tivesse a menor importância para ela o fato de ter sido Arthur quem os trouxe. O rapaz supõe que não seja algo profundamente especial para uma bruxa receber coisas mortas.

O vento sopra mais forte, de repente, acima de sua cabeça, curvando as árvores, que se debruçam sobre ele como amigos interessados, mas Arthur mal as nota.

O problema é que o rapaz quer que seu gesto tenha importância, ainda quer ser especial para Mair. Antes era. Mairwen costumava dar risada de suas alfinetadas e piadas maldosas; os olhos da menina costumavam brilhar quando os deles ardiam; Mairwen costumava apostar corrida com Arthur e se importar tanto quanto ele com quem vencia. Rhun jamais se importava – Rhun jamais *precisou* se importar. Tem tanta certeza de que é o melhor entre os rapazes, mesmo que perca uma corrida para Arthur Couch. Mas Mairwen se importava de um modo passional. Resmungava quando perdia. Desafiava Arthur a encostar a mão na floresta. Até dava um sorrisinho de deboche quando ele se recusava.

Há quase três anos não se sentem à vontade para ser maldosos um com o outro, e Arthur sente falta. Sente falta de Mair com uma dor simples, que o acorda no meio da noite. Não sabe se está apaixonado por ela ou se quer tacar fogo na menina.

Só sabe *por que* Mair parou de lhe dar atenção, há três anos. Por que o clima está tenso com Rhun. Por que se sente ainda mais desajustado do que antes.

Só que a resposta é um segredo de Rhun, e Arthur tenta enterrá-lo bem fundo.

Mas a única outra coisa que deixa Arthur com a pulga atrás da orelha é a próxima Lua do Abate. Dali a quatro anos. Faltam mais quatro anos para poder provar a todos, ao vale inteiro, o vilarejo inteiro, que não é um tolo qualquer estragado pela mãe, que não é mentiroso, fraco nem mole. Que pode ser tão bom quanto Rhun. Ele pode ser o melhor.

Arthur olha para o norte, para a Floresta do Demônio, apesar de não conseguir enxergá-la. Seu coração bate forte, e seus punhos se cerram. Arthur é um rapaz alto, de pele tão clara que se queima ao sol. É magro e forte, tem um cabelo loiro que arranca, aos tufos, sempre que perde a calma. Não passa da altura do maxilar desde que tinha onze anos, e seu aspecto desleixado estraga os belos traços do rosto, exatamente como ele deseja. Essa raiva que faz seu sangue ferver o mantém magro por mais que coma, encova suas bochechas, tornando os olhos azuis grandes demais, frios demais. Sempre carrega consigo facas suficientes para enfrentar um monstro de sete mãos, bem como um machado de lenhador.

Subitamente, Rhun se afasta da trilha que leva a Três Graces e se dirige à residência do clã Sayer. Rhun vê Arthur e congela. Cada centímetro de seu corpo seminu se torna sem jeito, imóvel como pedra. E relaxa em seguida, dando um sorriso forçado que não parece forçado.

Mas Arthur consegue notar. Perceber e admirar o esforço, feliz por, pelo menos, continuarem amigos.

– Arthur! Vou pegar uma túnica e ir até a casa da Mair. Quer ir comigo?

Arthur aponta para a carcaça de coelho e responde:

– Preciso tirar a melhor parte da carne e enterrar isso primeiro.

Rhun faz careta. É caçador, claro, mas prefere assar criaturas pequenas como aquela inteiras, mesmo que isso estrague os ossos.

– Vou pegar a túnica e encontro você lá.

Só que Arthur repara no punhado de cevada moribunda.

– Para quê isso?

Rhun bate as raízes na perna de novo, então estende a mão que segura a cevada para o amigo.

Arthur fica só olhando, não pega.

– O que tem de errado?

– Alguma doença, acho. – Rhun inclina o vegetal, para mostrar os pontos enegrecidos. – Toda uma moita assim.

Arthur respira fundo, deixando os dentes à mostra.

– Uma ferrugem momentânea, *talvez*? Algo que vai passar?

– Normalmente, surge e desaparece da noite para o dia e não mata as plantas. A gente até encontra uns pés encharcados ou quebrados, mas as folhas sempre levantam de novo quando o sol fica a pino. Hoje foi um dia bom. Quase não choveu.

– Então isso é diferente – murmura Arthur.

– Novo – diz Rhun, baixinho, hesitando entre a admiração e o medo.

Sem conseguir esconder os dentes, Arthur dá um raro sorriso de orelha a orelha.

– Gosto de coisas novas.

– Gosta, é?

A provocação corta o sorriso de Arthur, faz a energia que corria entre os dois se esvair. Arthur dá as costas e se afasta. Gira os ombros, tentando soltar os nós que tensionam a coluna.

Para compensar, Rhun põe as mãos nas costas de Arthur, firme e amigável, um gesto que poderia ocorrer entre quaisquer dois rapazes. Sem sinal da ternura que Arthur tanto teme.

Arthur balança a cabeça e se vira, aceitando a desculpa silenciosa. Juntos, examinam a cevada. Arthur encosta nos pelos amarelos e duros, que brotam das fileiras de sementes, mas mal consegue senti-los com os dedos calejados. Coisas novas não são muito comuns em Três Graces. Diferente é pior – ele sabe por experiência própria. Por causa dos meninos que ainda atiram flores nele, perguntando se a mamãe levou embora todas as saias de Arthur quando fugiu.

– Deve haver algo de errado com o pacto – declara Arthur, saboreando as palavras.

Faz dez anos que espera uma falha evidente.

Todos os músculos do rosto de Rhun ficam tensos.

– Você acha? Eu estava indo mostrar para Mair.

– Se não é uma ferrugem temporária, e você acha que não é, só pode ser um problema com o demônio.

Rhun coça a nuca e olha para Floresta do Demônio, para as fileiras de árvores tão simpáticas.

– Será que é por causa do que aconteceu da última vez?

Os dois rapazes lembram claramente da última Lua do Abate, que ocorreu há três anos. Foi a vez de John Upjohn receber a benção de todos, ser seguido pelos campos, em uma dança serpenteante. John, alto, magro e rápido; John, que ficaram observando até desaparecer na floresta escura. Os rapazes lembram as horas de vigília, os uivos da floresta, a observação de tudo a uma distância segura, e Lace Upjohn, que apertava a minúscula túnica cerimonial do filho contra o peito, como se fosse um amuleto de proteção, enquanto rezava com Aderyn Grace e as irmãs Pugh. Lembram-se de Mairwen, uma força estática entre os dois, na ponta dos pés, como se fosse conseguir ver mais longe se ficasse da mesma altura de Rhun e Arthur. Apoiando-se nos ombros ora de um, ora de outro, sem parar. Arthur se irritou com a energia da menina, cerrou os dentes, impaciente. Rhun passou o braço na cintura dela, para segurá-la, para se tranquilizar.

Havia passado tempo demais desde o duro amanhece rosado, e John Upjohn não havia saído da floresta.

Foi Mair quem deu o primeiro passo à frente quando percebeu uma sombra alongada se esticando das árvores. E depois Rhun a viu, e Arthur também. A esperança surgiu no peito de Arthur, brotando, doentia, enquanto observava John, então com dezessete anos, se arrastar para fora da floresta, livre, sem uma das mãos, que foi arrancada.

– Nunca pensei muito nisso – diz Rhun, abruptamente, evitando o olhar de Arthur. Arthur sabe por quê: os dois amigos não se preocuparam muito com Upjohn por causa do que aconteceu entre eles pouco depois.

– Nem eu – admite Arthur. – Mas todo mundo vai pensar agora, se isso for... – completa, apontando para a cevada.

Rhun respira fundo. Arthur sente que o amigo quer tocá-lo de novo, como tocaria em Mair, se ela estivesse presente. Para se consolar, para se tranquilizar. Só porque tem vontade. Rhun é do tipo que precisa ter contato físico com as pessoas que ama, mas evita fazer isso quando está com Arthur. Bastaria um sinal para que isso mudasse, mas o amigo não lhe dá esse sinal.

Segurando os pés de cevada com as duas mãos, Rhun fala:

– Não pode ser rompido. O pacto, quer dizer. Precisamos dele.

– Quer dizer que você precisa dele.

– Não, eu...

Arthur bufa e responde:

– Você não terá como cumprir seu destino se o pacto não existir.

– Não é por isso. Eu... não quero que os problemas que existem fora do nosso vale cheguem aqui. O que fazemos vale a pena. É assim que nos mantemos bem e em segurança.

– Menos você – argumenta Arthur. – Vai morrer ou ficará tão mudado depois que irá embora, como todos os santos que sobreviveram.

Rhun dá de ombros, constrangido.

– Talvez eu não seja o escolhido.

– Você será o escolhido – retruca Arthur, com um tom de amargura.

O silêncio que se estabelece entre os dois mais parece um espinheiro.

– A menos que... – declara Arthur lentamente –, a menos que algo esteja errado, realmente errado, e haja uma chance de mudar tudo.

Essa ideia se acende na base da coluna de Arthur. E em seus olhos, surge uma paixão que não costuma permitir que Rhun veja.

Rhun fica olhando para os olhos de Arthur, depois para a boca, então desvia o olhar de repente.

– E se pudéssemos mudar tudo? – insiste Arthur, ignorando o significado daquele olhar.

– Isso não passa de um único canteiro de cevada doente – insiste Rhun.

Arthur lhe lança um olhar de descrença.

– Um único canteiro – repete, torcendo para que talvez, talvez, naquela brecha repentina no pacto, exista um espaço para suas ambições.

– A gente deveria levar essas plantas para Mair – diz Rhun.

– Sim.

Arthur bate no ombro à mostra de Rhun e sai correndo, esquecendo a carcaça sem pele do animal pendurada na árvore.

RHUN VAI ATRÁS DELE E FICA OBSERVANDO OS PASSOS HESITANtes de Arthur, os movimentos bruscos de seu braço, tirando os galhos do caminho. Seu amigo é arisco, feito um gato, e tão orgulhoso, perigoso e belo quanto. Como sempre, Rhun gostaria de convencer Arthur de que ele é capaz de fazer qualquer coisa. Conhece o amigo a vida toda – assim como conhece todo mundo que vive em Três Graces –, gostava dele quando era menina e gostou ainda mais depois que o segredo foi pelos ares, e Arthur se tornou todo indócil, letal e determinado a provar que era o mais macho dos homens, com seus sorrisos de desdém, sua solidão, carregando uma arma em cada mão. Em qualquer outro vale, Arthur seria agressivo demais para o gosto das pessoas. Ali, era tolerado, porque ninguém teme que sua agressividade possa lhes fazer mal.

Se isso é um rompimento do pacto, e o vale estava perdendo a magia que garante a sua segurança, Rhun precisa encontrar um jeito de consertar, para que nada de mal possa acontecer a Arthur. Ou a qualquer outra pessoa. Ele dará um jeito. É para isso que os Sayer servem: garantir a segurança de todos. Rhun sabe quem é e o que quer, por isso jamais questiona por que quase todos acham que ele é o melhor entre os rapazes. E Rhun sabe que Arthur jamais será escolhido para correr, jamais será capaz de competir, porque Arthur não sabe nada a respeito de si mesmo, a não ser o que *não* é. "O melhor dos homens não pode ser definido pelo que não é", disse para Arthur um dia. O que não caiu nada bem.

À medida que avançam pela trilha estreita em direção à residência do clã Sayer, o sol vai baixando, e faz o ar passar de laranja vivo a um cor-de-rosa suave, salpicado por sombras sutis e pelo primeiro cantar dos pássaros noturnos. Fumaça de madeira chega ao nariz de Rhun, e ele não consegue mais se deixar limitar pelo medo. A estação está mudando, e ele adora isso. Também adora o verão, a primavera e o inverno, porque cada estação traz tarefas diferentes e motivos para dar risada. Solta um suspiro longo e feliz, alto a ponto de Arthur ouvir e olhar para trás.

O amigo reconhece a expressão no rosto de Rhun e dá uma risada.

– Você é bobo – diz com carinho.

– Tudo vai ficar bem – fala Rhun. – Exatamente como deve ser. Você vai ver só.

– Se estivesse de túnica, eu lhe levaria mais a sério.

Apesar de seu instinto de brincar com Arthur, falando do quanto seus ombros e peito são bonitos, Rhun resiste. Em vez disso, sorri e dá de ombros.

Arthur espreme os olhos, balança a cabeça e volta a andar na frente. Está esfriando e a noite *realmente* está bonita, mas nada disso importa, porque há um ar preocupante de incerteza que se traduz na cevada doente. É incrível que Rhun, tão gregário e com um coração tão grande, possa ser tão facilmente distraído apenas com o belo crepúsculo de outono.

A residência do clã Sayer consiste em três construções de pedra: a casa, um celeiro e uma segunda moradia, que nessa geração serve mais de cozinha e de despensa. A casa principal tem dois andares bem divididos, em vez de peças únicas, mais comuns no vale, e telhado firme de ardósia. Mas as outras duas construções têm telhado de sapê, como as choupanas lá embaixo, no vale. Um gramado cercado serve de alimento para as cabras e de lugar para as galinhas circularem, mas todos os cavalos da família ficam lá no vale, com os demais, até o inverno se instalar. O local está em silêncio, pois a maioria dos integrantes do clã Sayer está ajudando na colheita. Apenas uma fina faixa de fumaça escapa pela chaminé, que se esvai quando Arthur e Rhun chegam.

Juntos, saem da floresta e pisam no quintal plano bem na hora em que uma menina sai correndo pela porta, se dirige aos fundos e some em seguida no meio das árvores, subindo a montanha.

– Por acaso aquela era a Mairwen? – pergunta Arthur.

– Pelo cabelo, parecia – responde Rhun, decepcionado por Mair não tê-los visto e parado para conversar.

Começa a andar de novo, mas Arthur fica parado, olhando em frente, à procura de Mairwen. Mais acima na montanha, acima da residência do clã Sayer, só tem a área de caça e a casa do lorde Sy Vaughn. Mair não é caçadora.

Rhun estende a mão para abrir a porta, mas sua mãe a abre primeiro. Leva um susto ao vê-lo e desvia em seguida.

– Vá para a cidade. Veja se precisam de você – ordena Nona Sayer.

Nona é alta, como os homens do clã Sayer. Passou para Rhun sua pele morena e o cabelo encaracolado. Para seu filho mais novo também, além do nariz reto. Foi a primeira pessoa de fora a se instalar no vale na última geração. Mas, como o pacto a recebeu de braços abertos, fazendo os machucados de sua viagem pelas montanhas sararem depressa e matando sua fome, os moradores fizeram a mesma coisa. Ela olha feio para Arthur, a quem acolheu quando a mãe dele fugiu e o pai o rejeitou.

– Você também, rapaz.

– O que aconteceu? Qual é o problema? – pergunta Arthur, com mais educação do que perguntaria para qualquer outra pessoa, porque Nona sempre o trata da mesma maneira que trata seus filhos desordeiros.

Nona faz uma careta para ele, depois para o próprio filho, olhando os dois de cima abaixo.

– Rhos Priddy entrou em trabalho de parto prematuro, e Mairwen Grace diz que um dos cavalos lá no pasto está doente.

O entusiasmo toma conta de Arthur. Mas, em Rhun, a notícia se assenta devagar e firmemente, em seu estômago.

– É o demônio? Fizemos alguma coisa errada? – indaga Rhun.

"Como eu posso consertar isso, mamãe?", é o que fica claramente subentendido.

Nona sacode a cabeça e responde:

– Você certamente não, Rhun. Vá para a cidade e tranquilize as pessoas. Vou para a casa de Aderyn, ajudar no parto, e daremos notícias assim que possível. Mairwen foi buscar o lorde Vaughn.

– E eu? – pergunta Arthur. – Eu não sei acalmar as pessoas.

– Tente se esforçar mais – responde Nona. E encerra o assunto, colocando o cesto no braço e saindo em disparada para a parte norte do vale, onde fica a casa do clã Grace, apenas a um morro de distância da Floresta do Demônio.

– Bom, que desgraça – murmura Rhun.

– Tente se esforçar mais – retruca Arthur.

Rhun deixa a cevada cair da sua mão. As plantas se espalham pela grama verde do quintal, como a própria ferrugem.

MAIRWEN GRACE SOBE CORRENDO A TRILHA MAIS ÍNGREME que leva ao palacete do lorde Vaughn, porque é a mais curta.

Conhece o caminho, como todos, mas poucos têm motivo para visitá-lo. Os lordes do clã Vaughn têm o costume de se ausentar do vale e sempre retornam para a Lua do Abate. E, às vezes, passam o inverno inteiro ali, trazendo baús de livros e coisas caras do mundo exterior. O atual lorde, Sy, tem quase trinta anos e é solteiro. Mair ouviu boatos de que o homem tem uma amante na cidade mais próxima, mas que ela não se interessa em casar porque isso a obrigaria a sair do mundo sofisticado onde vive para ir morar naquele vale primitivo. *Vaughn deveria encontrar outra pessoa*, pensa Mair, *ou se casar com alguém de Três Graces*. Como o lorde anterior morreu pouco antes da corrida de John Upjohn, essa foi a única cerimônia que Sy presidiu, e Mairwen não sabe ao certo se ele tem experiência suficiente para ajudar caso haja algo de errado com o pacto.

Mair se agarra às raízes e às saliências de rocha para manter o equilíbrio. Suas mãos estão esfoladas, os braços doem, e a respiração está ofegante, gelando sua garganta. A menina levanta e desloca uma árvore que bloqueia a trilha íngreme. Chegou à parte plana, onde o palacete foi construído dentro da montanha – ou tirado da montanha, aparentemente, porque os blocos de pedra cinza foram cortados direto do pico do penhasco, logo acima.

Mair limpa as mãos na saia e bate o salto da bota na frente do outro pé, para tirar o excesso de terra. Ao se aproximar da ampla porta, com portão de ferro, lembra-se de três anos atrás, daquela noite em que se sentou com John Upjohn enquanto ele tinha pesadelos e suava e, antes de o sol nascer, Sy Vaughn veio buscá-lo.

John tinha apenas dezoito anos, e ela, treze. Era pequena e desengonçada, estava fascinada e entusiasmada de segurar a cabeça e o braço do santo, enquanto a mãe tentava estancar o lento sangramento do pulso dele. Amarraram um torniquete acima do cotovelo do rapaz e sussurraram, juntas, um cântico de cura rápido e encorajador, mas que não passava de uma benzedura. Aderyn limpou e enfaixou o cotoco, e então atou o braço inteiro junto ao peito trêmulo de John, para que a mão perdida ficasse acima do coração, que batia acelerado. Passaram o dia inteiro com ele, pingando água e brodo em seus lábios, cantando baixinho para o santo, traçando símbolos encantados em seu braço. John dormiu a tarde toda e a noite também. Mairwen o abraçou por horas, encolhida junto a ele em um ninho de cobertores, perto do amplo borralho, olhando fixamente para o corpo do santo, como se pudesse enxergar a marca das lembranças em sua pele esfolada, ouvir a risada do demônio em sua respiração rasa, sentir o arrepio de medo e euforia. Estava desesperada para saber o que John havia visto. Será que vira os ossos de seu pai? Será que entendera coisas a respeito da floresta que ela não conseguia entender? Será que tinha respostas para suas perguntas? Mair ansiava por sussurrar seus pensamentos no ouvido do santo e esperar pela resposta, qualquer que fosse.

O corpo forte do rapaz tremia com os pesadelos; ele chorou lágrimas quentes e meladas; agarrou-se a Mairwen com a mão que lhe restava, apertando suas costelas ou enroscando os dedos no cabelo emaranhado da menina. Ela pegou no sono, finalmente, com o rosto encostado no ombro de John. Mair até pode ter dormido um sono sem sonhos, um sono da mais pura exaustão, mas o sono de John foi terrível. Seus pés se remexiam, como se jamais tivesse parado de correr, e estava muito ofegante.

A porta da casa do clã Grace se escancarou, e um vulto escuro entrou. John Upjohn acordou dando um grito, e Mairwen se atirou em cima dele, ficando entre o santo e aquela nova ameaça.

O vulto usava uma capa preta que arrastava no chão, com o capuz tapando o rosto – se é que tinha rosto –, e ficou parado, inclinado para o lado, com uma das mãos enluvadas apoiada na ponta enegrecida do cajado que reluzia à luz do luar, feito uma faca.

Mairwen disse:

– Você não irá levar o resto dele também, demônio!

O silêncio se espalhou pela casa, e os raios prateados do luar tornavam tudo cinzento, com exceção do sangue que encharcava o curativo da mão arrancada.

O vulto tirou o capuz, revelando um rosto anguloso e pálido, um cabelo cacheado castanho. E falou:

– Sou eu, Sy Vaughn, menina corajosa.

Mairwen relaxou um pouco, mas ficou diante de John Upjohn feito um espírito guardião.

– O senhor tampouco pode levá-lo.

E Sy Vaughn sorriu, achando graça. Ficou observando Mairwen Grace, de treze anos, magricela e baixinha, debruçada sobre o santo ferido, olhando para ele com os mesmos olhos castanhos da mãe. O lorde se aproximou, então se abaixou ao lado dela. Tirou a luva para tocar seu rosto cheio de sardas e dirigiu o olhar ao santo.

John Upjohn levantou o queixo, com seu último fio de coragem, e declarou:

– Eu sobrevivi.

– Sobreviveu, sim, John. E quero que saiba: minha família deu dinheiro a todos os sobreviventes, se deseja ir embora do vale, se achar que é muito difícil continuar vivendo tão perto da floresta.

Mairwen sabia disso. Fora sua mãe quem contara, e sabia que todos os quatros sobreviventes, nos últimos duzentos anos, tinham aceitado a oferta e ido embora de Três Graces. Como se, depois que um rapaz atravessa a Floresta do Demônio, não possa mais ser contido pelo vale.

– Não. Você não pode ir embora – sussurrou ela.

E John concordou:

– Eu arrastaria a floresta comigo aonde quer que fosse. Eu a sinto... forte demais.

– Aqui – disse Aderyn Grace, baixinho, parada na porta do quarto –, você jamais conseguirá ser feliz. As lembranças, os pesadelos...

– Eu sei – falou John.

– Isso não é verdade. – Mair se virou e pousou as mãos no rosto do santo. – Existe cura para os pesadelos, e você é o melhor, John.

– Eu era.

A menina ficou de joelhos.

– Você é o santo e sempre será. Meu pai... – Não conseguiu dizer mais nada. Mas, pelo jeito, John Upjohn entendeu.

– Vou tentar – prometeu ele, exausto. – Pela filha de Carey Morgan.

– Ninguém que tenha sobrevivido continuou vivendo aqui – declarou o lorde, observando não John, mas Mairwen. Que também o observou, ficou olhando para o seu rosto, caloroso e radiante, mesmo naquela penumbra.

– Por favor – insistiu a menina, – deixe-o ficar aqui.

Sem dizer uma palavra, o lorde levantou e se aproximou de Aderyn. Vaughn encostou nas costas da mão da bruxa.

– Então o mantenha vivo, bruxa do clã Grace – disse ele e foi logo saindo.

Mairwen não tornou a dormir naquela noite, ainda que sua mãe tenha se recusado a reconhecer que algo de estranho ocorrera, e John tenha se encolhido mais uma vez no ninho de cobertores, com a cabeça nos braços calorosos de Mairwen.

A menina não consegue parar de pensar nisso agora, empurrando o portão de ferro do palacete com todo o seu peso, porque se passaram três anos desde a última Lua do Abate, e o pacto está perdendo a força. A única mudança de que tem conhecimento é o fato de John Upjohn ter sobrevivido e continuado ali.

Porque ela pediu. Porque suplicou.

E é possível que Rhun Sayer pague o preço. Talvez antes da hora.

O portão de ferro se abre, rangendo, e ela bate na porta de madeira fria com o punho cerrado.

– Lorde Vaughn! – berra. – O senhor está aqui? Precisamos do senhor! Minha mãe, Aderyn Grace, me pediu para vir buscá-lo!

Suas palavras ecoam pelo arco de pedra. Mair espera, com as costas apoiadas na porta. O palacete a abriga do vento, e ela consegue enxergar o pôr do sol contra a encosta da montanha, e, bem além, a próxima montanha, verdejante, cheia de sombras, e o pico branco, como um raio de luz. Além disso tudo, imagina uma sucessão de picos, uma extensa cordilheira. Ou, se pensar ainda mais longe, as planícies da fazenda que, dizem, levam a um vasto rio e à primeira das grandes cidades. Às vezes, na primavera, uma carroça, com seu cavalo, consegue passar pelos vãos estreitos entre essas montanhas e chegar ao vale onde vivem, guiados por um comerciante que conhece lorde Vaughn pelo nome. E então contam histórias das cidades, dos reis e do amplo governo da igreja. Com menos frequência, uma pessoa chega a Três Graces por acaso e fica, como a mãe de Rhun. Refugiados, órfãos ou cidadãos comuns, em busca de algo que não sabem exatamente o que é, até pararem ali. Ainda mais raramente, alguém vai embora para nunca mais voltar.

A mãe de Mairwen diz que, um dia, Arthur Couch irá embora, porque é ambicioso demais para ficar em Três Graces. Mas Mair suspeita que Arthur seja ambicioso demais para qualquer lugar do mundo. Consegue imaginá-lo, contudo, bem longe dali, depois daquelas grandes montanhas, cercado por outras pessoas com quem lutar.

Pensar em Arthur indo embora deixa um gosto amargo na sua boca.

Surpreende-se com o fato de ser tão silencioso ali, no palacete do lorde: diferente de cada passo que dá no vale, onde se ouvem pássaros cantando ou o tinir do martelo e da bigorna de Braith Bowen, ou as ovelhas, balindo o tempo todo. Mesmo à noite, parece que o vento não para de tagarelar.

Mas, ali em cima, reina o silêncio.

Talvez Vaughn ainda não tenha voltado para casa, porque aquele não deveria ser um ano de santo. Talvez esteja esparramado em uma casa elegante na cidade, com laranjas e vinhos finos, com a tal amante, lendo um livro, sem sequer pensar que precisam dele ali, com quatro anos de antecedência. Mas não: Mair viu fumaça saindo da chaminé do lorde naquela mesma tarde.

Encostada na base da sua coluna, a maçaneta se move – alguém do outro lado está destrancando a porta.

A menina se vira e já está pronta para entrar quando a porta se abre e o lorde aparece, elegante e vestido de preto, com o rosto descoberto virado para o sol. Que fica refletido em seus olhos, um de cada cor, fazendo-os parecer transparentes como o vidro.

Vaughn se afasta para que Mairwen possa entrar no pequeno saguão. Mair entra, e ele vai logo fechando a porta, encerrando-os na escuridão. A única luz vem do corredor à esquerda da menina, um leve bruxulear do borralho.

– Lorde Vaughn – diz ela, fazendo uma reverência desajeitada.

– Mairwen Grace – diz ele, tranquilo e à vontade. – Seja bem-vinda à minha casa.

O homem passa pela menina e a leva na direção do fogo.

O corredor é largo o suficiente para que os dois passem lado a lado. Não tem janelas, e os vãos destinados às velas estão vazios. Algumas tapeçarias enfeitam as paredes, com padronagens florais escuras e chamativas. Vaughn a faz passar por duas portas fechadas, depois descer três lances estreitos de escada, até chegar em um cômodo quente com vigas de madeira e paredes caiadas. As venezianas dos dois janelões estão fechadas, mas o enorme borralho, que a menina recorda das vezes que esteve ali com Aderyn, está aceso. Perto dele, uma poltrona, rodeada por pilhas de livros, e a menina repara em uma pequena escrivaninha e em uma prateleira cheia de frascos de tinta e canetas.

– Sente-se, se quiser – sugere o lorde, apontando para uma banqueta com três pés e assento de veludo, depois para um pequeno sofá, com pés dourados, em forma de garras de ave de rapina. Mair se senta na banqueta, com as mãos nos joelhos, feliz por não se sentir constrangida nem estranha naquele cômodo tão encantador.

Vaughn se senta na poltrona e fica olhando para Mairwen. É um homem bonito, apesar de ter um olho de cada cor: um castanho escuro; e o outro, cinzento. Apoia os dedos compridos nos braços da poltrona, adornados por um único anel: uma aliança de prata, com três pedras negras.

Mairwen respira fundo e diz:

– Um dos cavalos do pasto está doente, e Rhos Priddy entrou em trabalho de parto antes da hora. Minha mãe pediu para eu vir buscá-lo, porque parece que há algo de errado com o pacto.

O lorde balança a cabeça e se recosta. Metade de seu rosto desaparece sob a sombra do espaldar da cadeira. O fogo crepita, e Mair, de repente, sente sua pulsação latejando em seus ouvidos, mas é só isso.

– O senhor não ficou surpreso! Por acaso já sabia? É por isso que voltou este ano?

– Venho para casa quase todos os anos. É difícil ficar longe daqui, sabendo que fora do vale qualquer coisa pode acontecer comigo e não poderei me curar.

– Ah. – Mairwen tenta se acalmar. Quase chega a perguntar como é que são as coisas fora do vale, mas isso é o que Arthur perguntaria. Se ela realmente quisesse saber, teria perguntado para Nona Sayer, anos antes. Mairwen só se importa com o que existe nas profundezas do vale.

Vaughn solta um suspiro. E declara:

– Mas não estou surpreso. Não completamente.

A excitação obriga Mair a se inclinar para a frente.

– Por quê?

– Por causa de John.

– Ele atendeu às exigências do pacto.

– Até onde sabemos. Nenhum santo jamais fizera aquilo: sobreviver, mas deixar uma parte de seu corpo na floresta.

– Posso entrar na floresta, senhor, e descobrir o que há de errado.

O lorde levanta a sobrancelha e dá um sorriso, o que faz suas bochechas ficarem saltadas, fazendo Mairwen lembrar-se de alguém, mas não consegue dizer quem.

– Eu não tenho medo – insiste ela. E então cerra os punhos, em cima dos joelhos. – Não. Tenho sim, mas tenho mais coragem, o suficiente para entrar na floresta. E estou disposta.

Vaughn estica o braço até a pilha de livros mais próxima, sem tirar os olhos de Mairwen, e abre o livro de cima da pilha, revelando um oco cortado em seu interior. Dentro dele, um cachimbo pequeno e curvado. O lorde tira e o encaixa na boca, mas não o enche nem acende.

– O fato de ser bruxa não significa que será bem-recebida e não despedaçada antes mesmo de passar uma hora lá dentro.

Mairwen declara:

– Sou filha de Carey Morgan, o santo de dezessete anos atrás. Isso há de me proteger.

O lorde abre a boca, e o cachimbo para de tamborilar.

– Do demônio?

– Não corro o risco de perder meu coração, como a primeira Grace.

– Meu Deus, você é uma figura – diz Vaughn, impaciente.

Mairwen levanta o queixo, sentindo uma impaciência semelhante.

– Sou filha de santo com uma bruxa do clã Grace. Quem tem mais condição de descobrir o que há de errado? De que adianta ter nascido de uma união dessas se não for para isso?

– Não – responde Vaughn.

– Mas, senhor!

Mair levanta de supetão.

– Você quer correr o risco de piorar ainda mais a situação do pacto ou rompê-lo completamente? E aí acontece o quê? O bebê de Rhos Priddy morre, e talvez Rhos também... E depois? Todos serão assolados pela fome e pela doença?

– Mas... – Ela deixa a frase no ar, com o coração batendo acelerado.

Porque, se não pode fazer nada, todo o peso recairá sobre os ombros do santo.

– Espere, com o restante do vilarejo. – Vaughn levanta lentamente. Cutuca o peito da menina com o cachimbo, bem em cima do coração. – Volte para o lado de sua mãe, Mairwen Grace, e diga para ela, e para todo o vilarejo de Três Graces, que precisamos esperar o sol raiar para tomar qualquer atitude. Se há algo de errado com o pacto, com certeza os galhos estarão manchados de sangue ao amanhecer, e teremos uma Lua do Abate antes da hora. Por favor, Mairwen.

A menina tem vontade de dizer "não", de jurar que vai se embrenhar na floresta aquela noite, porque precisa fazer isso e sempre precisou. Porque uma Lua do Abate antes da hora significa que Rhun terá que correr agora e não daqui alguns anos, e que ela desperdiçou todo esse tempo brincando e enrolando.

Mas, naquele cômodo mal iluminado, com os olhos do lorde tão próximos dos seus, sentindo cheiro de tabaco misturado com algo amargo, Mairwen não consegue. Sua língua congela, e seus dedos se escondem nas dobras da saia, porque Mair lembra de ter dito ao mesmo lorde Vaughn para deixar John Upjohn ficar na cidade. "Por favor." A menina coagiu o lorde naquele momento, e agora o lorde também a coagiu.

O CONCEITO DE ARTHUR DE "SE ESFORÇAR MAIS" FOI ENCOSTAR-SE na parede externa da igreja, de frente para a praça do vilarejo, e se segurar para não olhar feio para as pessoas.

A praça de Três Graces foi construída há quase duzentos anos, antes de o primeiro santo se embrenhar na floresta: em vez de um poço central, foi feita uma estrutura de lajes de pedra cinza e branca para a fogueira, formando espirais, como uma tempestade de verão, completando um círculo com vinte passos de diâmetro. O restante do espaço aberto é coberto de grama, forrado de feno, e vai da igreja de pedra, no limite norte, até o Barril do Rei, no limite sul, e as casas mais antigas, de pedra clara, ficam com a porta bem no limite da praça. Essas portas são pintadas de cores vivas, cada uma de uma cor, com venezianas combinando. Amuletos de madeira e talismãs de crina de cavalo pendurados nos batentes dão as boas-vindas aos santos que chegam à praça, e o círculo da fogueira com frequência é enfeitado com amuletos semelhantes e preces escritas a giz. Arthur fica olhando para um deles, um triângulo branco de espinhos, cortado pela palavra "salve". A letra é de Mairwen.

Seu olhar se ergue até o contorno da montanha, até as janelas vermelhas e chamativas do palacete de Sy Vaughn. O que Mair estaria fazendo lá em cima? Será que foi buscar o lorde? Ele não deve estar em casa.

Rhun dá risada, a alguns passos de distância, depois dá um tapinha no ombro de Darro Parry. O velho balança a cabeça, relaxando a testa.

Quando Arthur e Rhun chegaram, há uma hora, poucos cidadãos andavam a esmo pela praça, atraídos pelos olhares furtivos e pela tensão do vento quando voltaram dos campos ou antes de entrar no Barril do Rei para tomar um caneco de cerveja. Outros canteiros com ferrugem foram descobertos, e a notícia do bebê prematuro de Rhos Priddy se espalhara. Arthur fez careta e disse:

– Pelo menos, sabemos como consertar isso.

Mas Rhun ainda precisava reconhecer que havia algo de errado. Circulou pela multidão, cada vez maior, tranquilizando a todos e contando piadas, sendo ele mesmo. E à medida que o rapaz passava, a tensão diminuía, como uma trança que se solta.

Pelo menos metade do vilarejo se espreme na praça quando o sol se põe. Arthur mantém os olhos fixos na lua que surge, quase cheia. Apareceu antes do anoitecer, enevoada e pálida, contrastando com o azul absoluto da noite. Agora brilha, trazendo uma promessa. Faltam duas noites para a lua cheia. Será uma Lua do Abate?

Essa é a pergunta que todos se fazem, com olhares de esguelha e mãos inquietas.

Enquanto observa as pessoas, Arthur vai se dando conta, lentamente, do que o está deixando nervoso – pelo menos, mais nervoso do que o normal.

Os homens se reúnem com outros homens, e as mulheres, com outras mulheres.

E ele está ali, sozinho.

Em Três Graces, todo mundo semeia os campos, todo mundo participa da colheita. Mas, tirando isso, a maior parte das tarefas é dividida em tarefas de homem e tarefas de mulher. Os homens caçam. As mulheres costuram. Os homens preparam a carne e consertam os telhados. As mulheres cuidam da casa, dos jardins e da família. Os homens fabricam o que precisa ser fabricado, da cerveja aos barris, das rodas aos sapatos. Existem exceções: Braith Bowen aprendeu seu ofício de ferreiro com a mãe e a avó, e Brian Dee e Ifan Ellsworth competem para ver quem tem a melhor horta de temperos. À noite, é comum haver mais homens fofocando na taverna e mais mulheres e moças rindo e trocando dicas sobre seus afazeres em torno de fogueiras nos terrenos das choupanas. Ninguém sabe melhor do que Arthur que existem coisas para os homens e coisas para as mulheres. Mas isso não costuma ficar tão óbvio quanto nesta noite. Quando os moradores do vilarejo se reúnem ali, nos casamentos e funerais, para celebrar o fim da colheita ou a primeira semeadura, quando Três Graces se reúne em alegria, todos se misturam. Homens e mulheres, meninos e meninas, entrelaçados, comendo e brincando, dando vivas ou flertando.

Arthur sente um sorriso de desdém repuxar sua boca e não o evita. Pode até ser natural que os homens e os rapazes sejam atraídos por certas coisas, e as mulheres, por outras. Mas o medo presente naquela noite não é natural, aquela tensão de imaginar se alguém vai morrer, se alguém vai correr pela Floresta do Demônio antes da hora, faz todos se colocarem em uma posição muito específica, com os homens ou com as mulheres. Não existe meio-termo.

Em uma noite como aquela, só se pode ser uma coisa ou outra, por mais que escolher um dos lados falte com a verdade.

Ele deveria se juntar aos homens. Mas ainda se lembra das risadas de dez anos atrás, por mais discretas que possam ter sido, quando se ofereceu para correr pela floresta. Tinha sete anos de idade, estava furioso e amedrontado, e os homens deram risada.

Não riem mais de Arthur, mas tampouco gostam muito dele.

– Sua cara vai ficar assim para sempre – diz Mairwen, um comentário eternamente repetido.

Arthur leva um susto e cerra os dentes. Em seguida, vira-se devagar para a menina. Não lhe dará a satisfação de saber que o assustou.

– O que foi que o Vaughn disse? – pergunta.

Mairwen levanta o queixo e, em vez de responder só para Arthur, se dirige ao centro da praça. Levanta as mãos e grita:

– Pessoal!

– Mair – diz Rhun, abanando a mão, aliviado.

Todos olham para a menina, abrindo espaço em volta dela, para que mais pessoas possam vê-la, porque não há nada onde Mair possa subir.

– Vaughn disse para esperarmos até o amanhecer – grita Mairwen. – Das duas, uma: ou toda essa doença vai passar, como sempre, ou surgirá sangue na Árvore de Osso, e teremos nossa Lua do Abate dentro de duas noites.

Mairwen se vira para ir embora, tendo dito o que tinha para dizer, e Arthur dá um sorriso tenso ao ver que ela fica encabulada quando

Rhun a segura pelo braço e murmura algo que só pode ter sido uma reclamação. Mair retorce os lábios, fazendo careta, e dá de ombros.

– Não sei – diz, em um tom beligerante. Mas olha em volta.

Teoricamente, você é uma bruxa do clã Grace, pensa Arthur, sacudindo a cabeça. Dá uma risadinha maldosa com os seus botões e vai de encontro aos dois.

– Quê? – pergunta Mairwen.

Arthur fica de costas para a multidão, para que ninguém veja que o que sugere:

– Conte aquela história, Mair.

É a história de como os rituais da Lua do Abate começaram, como sempre. A bruxa do clã Grace reconta a lenda. Isso deveria acalmar a multidão, por oferecer algo de conhecido ao qual se apegar. *Tradição*.

Mair arregala os olhos, concordando, e berra:

– Todas as três irmãs se chamavam Grace!

Rhun aparece, carregando um banco, ajudado por Haf Lewis, que segura a outra ponta. Os dois levantam Mair. Ela se equilibra, colocando a mão no ombro de Rhun, mesmo que devesse colocá-la no ombro de Arthur: ele é o mais alto dos dois meninos.

– Uma de cada vez – conta ela, para todos no vilarejo –, as filhas nasceram, de uma mãe desesperada, e receberam o nome Grace de seu terrível pai. No instante seguinte, foram enfaixadas e tiradas da choupana, sob o pretexto de morte súbita. Foram levadas, em segredo, para cinquenta quilômetros dali, para serem criadas pela tia viúva, para que seu pai jamais as visse. Durante dezessete anos, as três meninas viveram em paz com sua tia: a mais velha das Grace era alta e bela, preferia ficar em seu jardim do que ver o mundo; a Grace do meio era forte e gostava de correr e de subir em árvores, mais do que tudo; a Grace mais nova nunca estava satisfeita, porque sua natureza era curiosa. Quando completou quinze anos, a Grace caçula foi para bem longe do lar, em busca de paz. Mas, em vez disso, acabou descobrindo este vale. Protegido por montanhas de todos os lados, lar de pôneis selvagens e diversas cabras felizes, atravessado por um pequeno riacho e com uma densa floresta. A mais nova das Grace ficou surpresa ao perceber que ainda não havia ninguém vivendo ali. Sentiu que seu coração pertencia à floresta sombria e que, dentro dela, descobriria grandes segredos e teria as respostas que seu coração tanto desejava. Mas, ao longo de suas viagens, desenvolvera sabedoria para entender que precisava da família para manter os pés no chão. E, então, ela voltou para o lado da tia e das irmãs mais velhas. Convenceu-as com um punhado de flores que jamais morriam, tiradas do limite da floresta, e com um galho inquebrantável. As três Graces vieram morar no vale e fizeram dele o seu lar. Não demorou para que outras pessoas se juntassem a ela. Como se a presença amável das irmãs tivesse aberto portas através das montanhas e chamado os colonos, veio gente de todas as partes do mundo, de todos os tipos e aparências. Cidadãos comuns em busca de segurança, de paz ou simplesmente para matar a curiosidade. O vilarejo cresceu, alastrando-se na direção dos paredões do vale, principalmente em direção à floresta sombria, ao norte. Quando suas raízes no vilarejo se tornaram profundas, a Grace caçula se aventurou na floresta, atraída pelas sombras que se mexiam e por um sonho que tinha com frequência, no qual se encontrava em um bosque cheio de flores primaveris amarelas, ao lado de uma árvore branca muito antiga, e sorria, como se jamais tivesse sido tão feliz. Ela explorou a floresta e se deparou com o demônio que ali morava. Achou que sua aparência era bela, misteriosa como a noite, elegante como os frondosos carvalhos e perigosa a ponto de penetrar seu coração. A Grace mais nova se apaixonou pelo demônio. Levou suas irmãs até o limite da floresta e disse: “Eis um antigo deus da floresta. Eu o amo e farei dele meu marido”. Mas as irmãs gritaram, porque viram um demônio de chifres, de olhos e garras negras, cujas pernas finas eram cobertas com pelo áspero e ele tinha cascos no lugar de pés. Viram um monstro, não o deus que sua irmã amava. As irmãs tentaram convencê-la a ficar com elas ou ir embora do vale, porque o demônio não era digno de confiança. Mas a Grace mais nova conhecia a floresta e entendia aquele lugar. E, por isso, também, acreditava que seu demônio era parte da floresta. Perigoso, sim, mas da mesma forma que o mundo é perigoso; monstruoso, sim, assim como o leão, o corvo ou qualquer ser humano. E disse: "Eu o amo, minhas irmãs. E, se me amam, precisam confiar em mim. Ele sabe praticar magia e me ensinou. E eu, de minha parte, ensinarei para vocês. Tornaremos nosso vale um lugar forte e perfeito, de modo que nenhum mal possa tocar nossos vizinhos ou amigos". "Isso é impossível", argumentaram as irmãs. "Não existe magia com tamanha força.". E então o demônio falou, com uma voz alegre como verão e o canto dos pássaros, que retumbava em seus dentes afiados: "Ah, existe, sim. É a magia da vida e da morte, do coração e do fundo do coração; das estrelas e da decomposição. Nós dois nos uniremos pelo laço do matrimônio, eu e a vossa irmã, e depois disso Três Graces será nossa prole e será abençoada. Pois, o tempo todo, seus campos darão frutos, suas montanhas terão carne em abundância, as chuvas serão leves, e nenhuma peste recairá sobre vós". O demônio então sorriu e continuou: "Mas, quando a Lua do Abate surgir no céu, vós enviareis o melhor entre seus filhos para a minha floresta. Que deve vir por vontade própria e preparado para lutar. Meus demônios e espíritos o atacarão e o atormentarão; o caçarão e tentarão se banquetear de seus ossos. Das duas, uma: ou este filho será derrotado e jamais tornará a ser visto neste mundo nem no próximo, pertencendo a mim por toda a eternidade; ou, caso se revele corajoso e forte o bastante para sobreviver até a aurora, voltará para seu lar e para sua família, para ter uma vida longa, com a recompensa pelo seu sacrifício".

Mairwen para de contar a história.

Não consegue se controlar: olha diretamente para Rhun Sayer. Mas os olhos de Rhun estão observando a multidão, solenes, incentivando as pessoas a escutar.

É Arthur que cruza o olhar com ela.

Arthur achava que era menina quando ouviu essa história pela primeira vez. E, com as outras meninas, encenou a lenda inúmeras vezes. Gostava de fazer o papel da irmã do meio, a que carregava o machado. Mairwen, quando participava, teimava em ser o demônio. Usavam essa história para pregar um susto em si mesmos: Haf, no papel da Grace mais nova, chegava perto do limite da floresta, para que Mair, no papel do demônio, pudesse fingir que surgia do meio dela. Haf sempre gritava, e Mair insistia que as duas ficassem de mãos dadas e se beijassem. Com isso, Haf não se importava, fingia ter uma síncope, como se estivesse perdidamente apaixonada por Mair, o demônio.

O rapaz agora não conseguia ouvir essa história sem lembrar do exato momento em que foi forçado a se dar conta de que não era uma das irmãs, não era uma das meninas. Ele *gostava* de ser quem era. Fazia parte do grupo e tinha amigas, usava saias e era feliz. E então tudo isso lhe foi roubado.

Isto o fazia se sentir um monstro, igual ao demônio: sentir falta de ser menina.

A bruxa desvia o olhar de Arthur e termina a história:

– As irmãs ficaram em dúvida, mas a mais nova deu um sorriso tão radiante que acabaram concordando, porque aquela era a promessa de um milagre. A Grace caçula se embrenhou na floresta e nunca mais voltou. Seu coração ficou afixado no meio da mata, sangrando. É por isso que a Árvore de Osso sangra, unindo todas as gerações de cidadãos comuns de Três Graces, para que percebam a chegada da Lua do Abate e mandem o melhor entre seus filhos para encarar a Floresta do Demônio.

Por mais que a história seja mirabolante e sangrenta, quando termina parece que o vilarejo inteiro suspira aliviado. Isso é algo que conhecem. É algo que entendem. Suas regras e sua origem.

Pelo menos, pensa Arthur ao estender a mão para ajudar Mairwen a descer do banco, *acham que entendem*. Poucas pessoas em Três Graces já tiveram a sensação de que o chão se abria sob seus pés. Mas Arthur já. Duas vezes.

Para sua surpresa, Mair encosta de leve em sua mão para descer do banco. Arthur diz, só para ela ouvir:

– Esta noite, você não vai dormir. Nem eu. Ficarei observando aquela lua, esperando o sangue aparecer na Árvore de Osso.

É um convite, mas Mairwen franze o nariz.

– Esta noite, ficarei fazendo tudo o que estiver ao meu alcance para que Rhos Priddy e seu filho continuem vivos, Arthur Couch.

Com estas palavras, ela lhe dá as costas e vai embora, e Arthur fica se sentindo censurado, como se Mairwen tivesse a intenção de pô-lo em seu devido lugar.

O problema é que Arthur *jamais* teve um lugar em Três Graces. Ao menos desde que tinha sete anos de idade.

Assim como a doença e a ferrugem das plantas, como chuvas torrenciais e mortes repentinas, Arthur não se encaixa ali.

Ele treme como a chama bruxuleante de uma vela, desejando saber onde se posicionar ou como se transformar em um incêndio.

A SEGUNDA NOITE

Ao longo de boa parte dos seus dezessete anos, Rhun Sayer dormiu muito bem, acordando ao sol raiar ou logo antes dele, junto com seu irmão, seus primos e seu pai, para tomar café da manhã com a família, que sempre faz muito barulho, antes de os homens e rapazes se separarem para ir caçar, plantar ou colher, cortar lenha ou correr com os cachorros. Como seu irmão mais velho e seu primo mais próximo, Brac, já se casaram, e Arthur dorme no celeiro, Rhun dorme sozinho em um quarto estreito, logo depois da cozinha. O cômodo está sempre quente, porque divide a parede com o borralho, e nele só cabe um baú de roupas de segunda mão e uma cama pequena. Mas Rhun pendurou pregos na parede para pendurar lenços e as botas, com os dois pés amarrados pelo cadarço, além de uma pequena cesta para suas poucas posses preciosas. Só que ele passou a noite anterior inquieto, com os habitantes do vilarejo, na praça de Três Graces, depois que Mairwen foi embora, querendo poder se apoiar em Arthur e esperando a notícia de que o bebê de Rhos finalmente nasceu, uma menina, fraca e que não chorou... Depois de tais notícias ruins, Rhun não dormiu nada bem.

Ele acorda antes do amanhecer, antes que sua mãe ou seu pai alimentem o fogo, e não consegue relaxar. Sendo assim, calça as botas, veste as calças e o gibão, deixa a túnica metade para fora da calça, pega o arco e flecha e sai de fininho de casa. Em vez de ir direto para a montanha caçar, vira na trilha que leva à cidade. O céu estrelado banha Três Graces em uma luz prateada e tranquila, e o vento não se manifesta.

Rhun não se permite olhar na direção da Floresta do Demônio. Mesmo com aquela luz fraca, se houver sangue na Árvore de Osso, ele vai enxergar. E, se houver sangue, haverá sacrifício. Rhun vai correr: é o que fará. Sempre soube que o dia de atingir a santidade chegaria.

Mas esperava ter mais tempo.

O rapaz vai andando lentamente em direção às choupanas caiadas, de teto de sapê, cinzentas antes do amanhecer, sentindo o peito ficar cada vez mais apertado, como bem queria, desde que descobriu a cevada atacada pela ferrugem. Uma sensação que lembra dor aperta suas costelas, e ele se sente zonzo. Passa em silêncio pela padaria adormecida e pela taverna, chegando ao centro do vilarejo. Acompanha a espiral repleta de preces escritas a giz.

A própria Aderyn Grace – e, ultimamente, sua filha, com mais frequência – escreve as preces aos domingos, como parte do que se tornou um ritual semanal do vilarejo, desde que o último padre itinerante os abandonou, quando se recusaram a repudiar o demônio, durante a infância do avô de Rhun. Agora, todos os domingos, as mulheres fazem pão, compartilhado na igreja, e os homens trazem um vinho especial tirado de caixotes escondidos do sol, guardados sob um toldo no Barril do Rei. Juntos, cantam hinos antigos enquanto as bruxas escrevem com giz, e as crianças brincam e fazem amuletos trançando grama e flores. É uma espiritualidade informal que os moradores do vilarejo construíram juntos, e conseguem celebrar seus próprios casamentos, batismos e ritos finais com os olhos e as orações voltados para Deus, torcendo para que ele não os tenha renunciado pela prática pagã da Lua do Abate.

Rhun nunca se preocupa, porque sua avó lhe disse que Deus ama e é amor, e se dispôs a oferecer um filho ao mundo, em sacrifício, por causa do amor. E essa, por acaso, não é exatamente a mesma prática que reside no coração do pacto? Ela disse: "Deus está conosco toda vez que enviamos um rapaz para aquela floresta, porque fazemos isso por amor. E esse rapaz, nosso santo, se torna parte de Deus".

Isso lhe dá vontade de sorrir, ao cruzar o centro da cidade, pensando na avó. Que morreu há alguns anos, e seu funeral foi realizado ali, e foi um ritual alegre. As celebrações em Três Graces tendem a ser alegres, mesmo os velórios e funerais, porque ninguém perde a vida antes da hora. Até agora. Não é a hora de Rhun, e ainda assim...

O peso desse fato curva seus ombros.

Ele solta um suspiro que se transforma em fumaça, apesar de não estar frio para tanto. Rhun se vira lentamente, olhando para as construções, e se lembra de ter dançado no casamento do primo Brac, na primavera passada, quando todos estavam rindo e felizes. Lembra a última noite, há dez anos, logo antes de seu primo Baeddan se embrenhar na floresta, e Baeddan estava glorioso. "Aqui é tão bom!"

Rhun tenta se convencer de que a dor no peito é amor.

Ele ama Três Graces, as pessoas e o local, e fará sua corrida antes da hora para garantir a segurança de todos.

Algumas poucas estrelas distantes piscam diretamente acima, porque aquelas mais ao leste perdem para a aurora, e Rhun sabe que não pode mais adiar: vira o rosto na direção da Floresta do Demônio e dá o primeiro passo, bem na hora em que um lamento arrastado escapa da residência do clã Bowen. Rhun altera o trajeto imediatamente.

Da chaminé do ferreiro, sai uma fumaça fina, e ainda não se ouvem os ruídos dos foles e das marteladas. Mas, através das venezianas abertas da casa, sai o grito da menina Genny, e Rhun vai para o portão de trás e entra na casa sem bater. Braith está parado perto da filha de dois anos, boquiaberto, com os olhos espremidos e as grandes mãos sujas de fuligem espalmadas, mais parecendo galhos de árvore.

– Tudo bem, Braith? – pergunta Rhun.

– Minha esposa está... doente. – O ferreiro de meia-idade baixa as mãos. – Está só com uma dor de cabeça, diz ela, e eu acabei de acender o...

– Ah, não – diz Rhun, mas dá um sorriso forçado e se abaixa para ficar da altura de Genny.

A garotinha está com o avental vestido pela metade, com a cava presa na trança. Lágrimas grudadas nos seus cílios e nas bochechas rosadas. E a boca está pintada com grandes pinceladas de uma geleia roxa bem escura.

– Venha comigo, raio de sol – murmura Rhun. – Vamos nos aprontar para enfrentar o dia.

Genny se agarra às calças de Rhun com as mãos meladas.

– Vá cuidar de Liza – fala Rhun. – Genny vai ficar comigo agora pela manhã.

Braith Bowen olha por um instante para Rhun e para sua única filha, apertando os lábios. Desamarra o pesado avental de ferreiro e continua observando Rhun, que levanta calmamente Genny do chão empoeirado e a coloca em cima da mesa, limpa a criança e canta uma canção que fala de narizes, olhos e bocas, de mantê-los limpos para que os santos possam beijá-los. Dá um beijo no nariz, nos olhos e na boca de Genny depois de cada rima, fazendo um ruído delicado. Depois, faz cócegas em seus joelhos e costelas, colocando o avental no devido lugar.

Rhun dirige o olhar para o rosto cansado do ferreiro.

– Vamos ficar bem, Braith. Vai ser bom para mim também, cuidar de Genny até...

– Até termos a notícia – completa Braith.

Rhun acena com a cabeça, e seus olhos pousam na janela dos fundos, onde o céu se acende.

Braith passa a mão no cabelo da filha, depois no ombro de Rhun e sai pela porta, indo para o quarto dos fundos da choupana.

Rhun começa a cantar de novo, uma canção de colheita. Brinca com a criança, dizendo que vai cortar seu cabelo com a foice se ele não for penteado uma vez por semana, *cortar* como a cevada, *cortar* como o trigo, *cortar* como o açougueiro corta a carne. E Rhun mordisca de leve os dedos gordinhos de Genny. Tira os nós de seus cabelos e faz uma trança, depois apoia a menina na cintura e a leva para fora de casa, para a praça, que continua vazia, mas ele consegue ver fumaça saindo de mais chaminés, porque os habitantes estão acordando e começando as tarefas do dia. Será que outras pessoas estão doentes? Será que as cabras secaram ou o leite azedou? Que novas partes do pacto foram rompidas hoje?

A menina de dois anos se sacode, batendo com os calcanhares na perna de Rhun.

– Vamos até o pasto, o que acha? – pergunta, segurando-a mais perto. – Ver os cavalos?

– Cavalos! – repete Genny.

Enquanto a leva para longe da cidade, começa a cantar de novo, uma canção que fala de andar, trotar e galopar montado em um pônei, e varia seus passos para acompanhar a canção, até que Genny ri com tanta vontade que a dor no peito de Rhun diminui, só um pouquinho.

A AURORA NÃO PASSA DE UM RISCO PRATEADO NO CÉU DO LESTE quando Mairwen chega novamente ao morro do pasto mais próximo da Floresta do Demônio. Como o esperado, mal dormiu na noite anterior, revezando-se com Nona Sayer para cuidar de Rhos e do bebê minúsculo. As duas embrulharam a menina e a mantiveram aquecida, a massagearam e ficaram constantemente cuidando para ver se ela respirava, usando o parco conhecimento do qual Nona tinha lembrança por ter cuidado de filhotinhos de cachorro nanicos como a menina. A água ficou fervendo no borralho a noite inteira, enquanto Aderyn tentava fazer o leite de Rhos fluir. Apesar disso, quando Rhos finalmente pegou no sono, depois de muito chorar, não tinham obtido sucesso. Finalmente, Aderyn mandou Mair subir para o quarto, mas ela só cochilou, porque estava concentrada demais na suave respiração ofegante do bebê, arrependendo-se de não ter contrariado o lorde Vaughn e a própria mãe e se embrenhado na floresta. Nona Sayer confidenciou que, sem o pacto, a filhinha de Rhos certamente morreria.

Por fim, Mair levantou, se vestiu e desceu, pé ante pé, a escada que leva à cozinha. Atiçou o fogo, para aquecer o ambiente antes que as outras mulheres acordassem, depois pegou um ovo cozido do cesto, e o velho casaco de couro da mãe, pendurado em um gancho perto da porta.

Vai andando, amassando a grama moribunda, até o pasto dos cavalos, descascando o ovo pelo caminho e espalhando as cascas pelo chão, sussurrando pequenas benzeduras para a grama. As estrelas brilham, bem visíveis no ar gelado, e nenhuma nuvem estraga o céu salpicado de diamantes. À sua direita, o horizonte distante se faz prateado, no ponto em que, dentro de menos de uma hora, o sol vai surgir. Quando chega ao muro de pedra que cerca o pasto, terminou de comer o ovo. Para e arranca um punhado de endro selvagem para mastigar.

Os cavalos estão concentrados no vale, do lado oposto da encosta da floresta. Duas éguas levantam os rostos compridos e relincham para Mairwen. Ela pede que façam silêncio e procura o cavalo cinzento que estava doente no dia anterior. O animal está de joelhos, sozinho, com a cabeça baixa.

Quando chega ao cume do morro e olha para baixo, para a floresta, surpreende-se ao se dar conta de que não foi a primeira a acordar. Há alguém lá embaixo, bem no limite da Floresta do Demônio, perto da árvore feia que as crianças chamam de Mão da Bruxa. Seus galhos calcinados por relâmpagos se erguem contra o verde-escuro da própria floresta, manchados de cinzas brancas e decorados com diversos amuletos vermelhos amarrados por crianças corajosas – ou tolas. Elas desafiam umas às outras a preparar um talismã contra o demônio e subir na árvore semidestruída e ficar lá até conseguir amarrá-lo. Ainda que vejam algo se arrastando nas profundas sombras da floresta, ainda que ouçam gritos estridentes ou sintam a respiração gelada do demônio arrepiando sua espinha.

Todos tinham oito anos quando Dar Priddy desafiou Rhun a pendurar um amuleto, e Mair ficou sabendo por Haf que os meninos estavam mandando alguém até lá. Haf deu risada, porque fazer tal oferenda exigia muita coragem, e as irmãs Parry deram risadinhas nervosas pelo fato de sempre serem os meninos a fazer isso: não seria incrível se uma delas fosse tão corajosa assim? Mairwen, só para ser do contra, disse que essa era uma coragem sem sentido, porque tais amuletos não surtiam nenhum efeito. Então, por que não guardar a coragem para uma atitude que realmente faria diferença? Bryn Parry fungou e disse para a irmã que era óbvio que Mair estava simplesmente com medo e usava uma lógica péssima para fazer seu medo parecer sensato.

É claro que Mairwen não tinha medo da floresta e, por isso, foi fácil ir até a Mão da Bruxa ao mesmo tempo que Rhun Sayer e convencê-lo de que não havia um bom motivo para deixar um amuleto ali.

Quando apareceu atrás dele naquela manhã, Rhun estava tremendo e tenso. Ao ouvir seus passos, virou para trás, com um machado em uma mão e uma fita vermelha esfarrapada na outra.

– Mairwen Grace! – gritou, indo para trás e batendo no tronco da árvore. Os galhos chacoalharam lá em cima, e Mair encostou a língua no céu da boca, olhando para Rhun de olhos arregalados. Rhun não era muito mais alto do que ela, apenas um menino de cabelo comprido e nariz aquilino grande demais para o rosto.

Ela pôs as mãos na cintura e disse:

– É melhor dar esse amuleto para mim do que para uma árvore amaldiçoada como essa, Rhun Sayer!

O menino ficou boquiaberto e deu risada.

Mairwen também deu risada.

Nunca tinha prestado atenção nele antes, mas desconfiava de que o conhecia desde que se entendia por gente. A cadência do seu riso a aqueceu de dentro para fora.

Só que o ruído penetrou fundo na Floresta do Demônio, e uma risada ecoou, em resposta, tão alta e maldosa que doeu.

Os dois deram um pulo juntos, de mão dadas, e subiram correndo o longo morro até encontrarem os cavalos que pastavam, onde seus pares aguardavam, vaiando de olhos arregalados, mas também tremendo, porque ouviram a risada de Rhun e a risada que a respondeu, vinda da floresta.

As meninas ergueram os braços, dando boas-vindas a Mairwen, mas o magrelo Arthur Couch insistiu:

– Se a pessoa não amarrar o talismã, não vale. – E estendeu a mão para pegar a fita. – Deixe que eu faço. Me dê.

Só que Rhun havia amarrado a fita no vasto cabelo desgrenhado de Mairwen.

Agora o jovem está diante da Mão da Bruxa, segura um amuleto pendurado entre os dedos e puxa de leve. Mas não o desamarra. Só mexe nele e baixa a mão.

Arthur.

Mair sente uma descarga de adrenalina, a um só tempo feliz e irritada por vê-lo. É uma mistura de reações comum quando se trata de Arthur Couch: é prepotente e audacioso, está sempre provocando Mairwen, assim como ela provoca a floresta. Feito uma promessa que a menina não quer cumprir. Mas, por causa de Rhun, Mair se recusa a amá-lo. Desce o morro devagar, mas não muito em silêncio. Como Arthur sabe que é ela, não se vira até a menina estar bem ao lado do seu ombro. Os dois olham para a floresta, tomada pela escuridão antes de o sol nascer. As sombras estão à espreita, negras e imóveis. Sopra uma lufada de vento gelado que se esgueira entre as árvores, sem tocá-las, sem mexer nos galhos nem nas folhas. Apenas as sombras tremem, ondeiam e se expandem, espichando para tocar os dois jovens.

Faíscas de luz chamam a atenção de Mairwen, que olha para o chão da floresta, para um monte de folhas caídas. Algo se move atrás dos largos troncos enegrecidos, um peso de escuridão. Ela dá um passo na sua direção, fica completamente sob a sombra da floresta.

Arthur segura seu braço.

– Qual é o seu problema? – pergunta.

Uma brisa sacode os galhos desfolhados mais próximos dos dois. "Estamos tão famintas", sussurra o sopro da floresta.

Arthur faz um ruído que parece um gemido preso em seu peito e arrasta Mairwen vários passos para trás.

– Quer piorar as coisas? – dispara ele. – Entrando na floresta correndo atrás de alguma sombra?

Mair sente uma dor no peito, de frio. Tenta se aquecer dizendo:

– Só porque você tem medo de entrar na floresta, não significa que todos temos.

As narinas de Arthur se expandem.

– Não tenho medo da floresta, mas temo pelo meu amigo que será enviado.

– Rhun não vai morrer – retruca Mair, com dor no coração.

Então, ela pensa nos santos que sobreviveram e foram embora, que jamais voltaram para o vale por causa de todas as lembranças terríveis. Pelo menos, é o que dizem. E em John Upjohn, o único a permanecer, frágil e perturbado. Mairwen não consegue imaginar Rhun tão combalido a ponto de implorar que as bruxas do clã Grace permitam que ele durma em seu borralho, tremendo por causa de pesadelos. A menina precisa imaginar o amigo mais forte, melhor. O melhor de todos. Rhun é capaz de sobreviver e de prosperar. Precisa acreditar nisso, mesmo sabendo que cada mãe, amante e amiga deve pensar a mesma coisa de seu próprio santo. O que mais fazer? O que mais *permitirão* que faça?

– Eu correria por ele – insiste Arthur.

– Por você mesmo – retruca Mairwen, sussurrando.

– Por todos nós.

Mair sacode a cabeça, sabendo que é mentira. Arthur não faz questão de salvar o povo de Três Graces, só de provar que é capaz. Ser o santo que irá apagar a menininha que o persegue em suas próprias lembranças, mais do que nas lembranças do vilarejo.

– Não tente ser algo que não é, Arthur – diz Mairwen, sabendo que ele ficará chateado.

Arthur enfia as mãos nos cabelos claros e revoltos e os puxa com força. Seu cotovelo se sobressai contra o céu que se ilumina. Mas o rapaz não diz nada. Mair cerra os dentes e se afasta. Não é capaz de entender a raiva que Arthur sente, só sabe que sempre a deixa com raiva também. Rhun diz que os dois deveriam ser melhores amigos. "São tão geniosos, estranhos e belos, são as pessoas que eu mais adoro no mundo." Mas ela não quer perdoar Arthur.

– Mairwen – resmunga ele, e a menina ouve Arthur desembainhar uma das facas.

Ela se vira e segue o olhar de Arthur, que se dirige para a floresta.

Um cervo desvia com todo o cuidado de uma armadilha cavada no chão, ofegante. Chifres minúsculos saem do seu crânio, refletindo os primeiros raios da luz da aurora.

Pinga sangue de sua boca, de dentes estranhamente afiados que aparecem em diagonais terríveis. Cipós se enroscam em suas delicadas pernas e, quando o animal dá mais um passo, cauteloso, Mair consegue ver garras de pássaro – não cascos minúsculos.

O cervo ergue a cabeça e olha direto para Mairwen, com olhos roxos e cristalinos.

Ela vai para a frente, maravilhada e excitada.

A criatura solta um rugido, um balido grave, de fúria e dor, e ataca.

Arthur dá um pulo, ficando entre o cervo e Mairwen, sem hesitar, brandindo a faca. Desvia dos dentes e enfia a faca comprida direto no pescoço do animal, bem fundo. A criatura grita e coiceia, tentando acertar Arthur, que gira a faca. O rapaz cai no chão e sai rolando, levanta dando um chute nas pernas de trás do animal.

Mairwen não tem nada para se defender além do próprio corpo. Ela soca a criatura, batendo na penugem do focinho. E, quando o cervo sacode a cabeça, furioso, quase a acertando com um dos chifres, a menina vai correndo para trás, morro acima.

Arthur golpeia o flanco do animal repetidas vezes com uma segunda faca.

O cervo fica de pernas bambas e cai de joelhos, uivando. Arthur segura o cabo da primeira faca e a puxa. Há um silêncio repentino. O animal morreu.

Tremendo, Mair se aproxima. Segura o braço de Arthur para ajudá-lo a levantar. Juntos, olham para a criatura caída. Seus chifres mais parecem galhos de árvore no inverno, não osso, e suas garras são negras. Minúsculas violetas roxas desabrocham de seus ferimentos, e cipós se enroscam em suas pernas e em seu torso – cipós que brotam de sua própria carne, feito costelas que criaram vida para asfixiá-lo.

Arthur limpa o sangue da testa. Está ferido, mas não é grave. Um corte leve perto do couro cabeludo, e Mairwen repara em um rasgo no gibão do amigo, que não chegou à pele. O antebraço direito dele está manchado de sangue vermelho vivo. Há outra mancha de sangue:

roxo, do cervo, que vai da barriga até o pescoço e se espalha pelo lado direito do rosto dele.

– Precisamos nos livrar disso – diz Arthur.

– Como assim? Por quê?

Mair gostaria de examinar o cadáver, arrancar os chifres de madeira e investigar de que seus ossos são feitos. Nada jamais havia saído da floresta, até onde ela sabe. Os pássaros nunca voam livremente, apenas gritam com suas vozinhas humanas. Os ratos escamosos nunca passam um centímetro sequer do limite da floresta, e nem uma cobra surge em busca do sol.

Arthur sussurra o pior palavrão que lhe vem à mente e sacode a cabeça.

– Ontem à noite, estavam falando que John Upjohn fez algo de errado. Que, se o pacto foi rompido, a culpa é dele.

– Ele é um santo!

– Se as pessoas virem esse monstro, ficarão ainda mais amedrontadas.

Mairwen encara os olhos claros e ardentes de Arthur e diz:

– Nada disso é culpa de John.

– Mas há algo de muito errado. Isso é uma anomalia, até para a Floresta do Demônio.

– Coitadinho – diz Mair, baixando os olhos e os fixando naquele cadáver malformado, feito de músculos e cipós. Arthur tem razão: o pacto foi rompido ou ficou tão enfraquecido que não é capaz sequer de prender os monstros dentro da floresta. – Vamos rolá-lo até colocá-lo de volta lá dentro.

Arthur se abaixa e segura o pescoço e os ombros do animal, fazendo careta ao ver o corte escancarado. Mair segura a parte de trás, pelos tornozelos. Levanta-os e começa a arrastar a carcaça.

Não é nem de longe pesado como deveria ser. Parece que suas entranhas secaram ou foram devoradas.

Os dois conseguem levar o animal até o limite da floresta, onde o sol que desponta ainda não é capaz de penetrar. Contam até três e rolam a criatura até que fique completamente escondida pelas sombras. Depois ficam parados, ofegantes, olhando fixamente para aquele volume mal escondido no meio da espessa camada de folhas mortas e apodrecidas, a menos de meio metro da luz. O farfalhar do capim alto do pasto atrás avisa que alguém está se aproximando. Mair sobe o morro correndo, em tempo de ver Rhun pular com facilidade o muro de pedra, mesmo carregando o que parece ser a pequena Genny Bowen nos braços. Todo o senso de urgência de Mair se esvai ao vê-lo. Rhun Sayer, segurando uma menininha. Ela pensa em seu pai, Carey Morgan, o santo que se embrenhou na floresta sem saber que em breve teria uma filha. Rhun daria um pai maravilhoso.

Mair solta um gemido de tristeza quando Arthur chega ao seu lado.

– *Maldição* – sussurra ele, triste e furioso, pensando a mesma coisa que Mairwen.

Mas Rhun sorri para os dois, um sorriso largo, de menino, e levanta a mão rechonchuda de Genny, para que abane.

– Vá até o riacho e lave esse seu rosto – diz Mairwen.

– Ele, pelo menos, deveria saber.

Mair fica em dúvida, mas acaba balançando a cabeça e vai se arrastando na direção de Rhun, que diz:

– Bom dia. – Como se estivesse sendo compelido por forças invisíveis, ele se aproxima. E, apesar de Genny estar entre os dois, beija Mairwen.

É algo que Mairwen recebe de braços abertos, tanto que sente seu coração se aquietar, os ossos pararem de vibrar, ansiosos, como sempre acontece quando Rhun a beija. A menina cria raízes naquele lugar, como um salgueiro trêmulo. Genny coloca a mão quente no rosto de Mairwen.

– Estão se beijando onde o demônio pode vê-los? – comenta Arthur, com um tom venenoso.

Os dois se afastam, mas Rhun continua intimamente perto de Mair. Que olha feio para Arthur, bem na hora em que Rhun pergunta com um tom horrorizado, erguendo a voz:

– O que foi que aconteceu? – Seu rosto moreno está áspero, com a barba por fazer, e os lábios tensos e apertados.

– Olá, Genny – diz Mairwen, calmamente, pegando a criança no colo.

– Arthur? – Rhun repara no sangue no rosto do amigo.

– A mamãe está doente – diz a criança, dirigindo-se a Mairwen.

– Então é bom – responde Arthur, apontando para o norte – a Árvore de Osso estar manchada de sangue.

Os quatro olham e bem ali, erguendo-se no meio da floresta, bem nas profundezas, a Árvore de Osso esparrama seus galhos esqueléticos. Botões de flor vermelhos e esparsos refletem o sol do amanhecer, como um grito.

– Então... – diz Rhun, com a voz embargada. E não consegue falar mais nada.

O pavor se enrijece dentro de Mairwen, como se tivesse engolido ossos velhos e amarelados.

É Arthur que põe a mão espalmada, bem firme, no ombro de Rhun, fazendo careta para as flores sangrentas.

– Amanhã à noite, então.

QUANDO OS PRIMEIROS MORADORES DO VILAREJO CHEGAM, Arthur e Rhun já tinham ido e voltado do riacho: Arthur, para se limpar; Rhun, para ouvir a breve aventura daquela manhã, relatada pelo amigo. Mairwen segura Genny no colo, ambas meio desajeitadas, se acotovelando, e canta baixinho para a criança. Uma canção sobre a Árvore de Osso, que fala de três esquilos que tentam fazer ninho em seus galhos e, um após o outro, ganham asas, chifres e presas. Mairwen não consegue lembrar onde foi que aprendeu essa canção – com a avó, talvez – ou se inventou sozinha, durante as longas horas que passa limpando ossos para depois esculpir pentes e agulhas.

Felizmente, Genny gostou, ao que parece. E, à medida que os moradores do vilarejo vão se reunindo, Mairwen canta de novo, mais alto. Os habitantes ficam olhando para ela, para aquela estranha filha de santo, incluindo as irmãs Pugh, os pastores e os padeiros, as famílias que lhe pedem benzeduras e as que acham estranho o fato de Mair dançar no limite das sombras e ferver ossos, apesar de ter um pai santo. Ali está Gethin Couch, pai de Arthur – e que faz todo o trabalho em couro da cidade – parado com alguns dos fabricantes de cerveja, observando o filho a distância, como sempre. Lace Upjohn, que enviou seu filho para a floresta da última vez. Ela deve ser a que mais bem entende como Mairwen se sente. O próprio John não está ali. Devyn Argall chega com um banquinho para Cat Dee, a mulher mais velha da cidade, poder sentar. Mair vê sua amiga Haf Lewis, uma menina bonita, de lábios corados, rosto bronzeado e tranças negras e perfeitas. Ela não acha que Mairwen é estranha, é apenas Mairwen.

Sua voz se esvai, e Genny começa a se debater, querendo ir para o chão. Mair se abaixa, deixando a menina pisar com seus pés cobertos apenas pelas meias. Genny se equilibra e vai correndo para os braços do pai, que veio carregando a mãe dela nos braços, para que ambos possam ver as folhas escarlates coroando a Árvore de Osso e ter certeza que, logo, logo, Liza Bowen estará recuperada, porque as folhas sangrentas são a prova de que o pacto pode ser refeito, desde que um novo santo corra. Mairwen gostaria de acreditar nisso. Se há algo de errado, tudo pode estar errado. Ela procura pela mãe e encontra a bruxa parada, afastada da multidão. A expressão de Aderyn se tranquiliza quando vê a filha, e a mulher faz sinal para Mair se aproximar.

Está na hora de começar o primeiro ritual e, juntas, as duas bruxas vão para o meio do plantel de cavalos e escolhem um bem saudável. Um rosilho escuro, ainda jovem e forte, mas que tem seu próprio filho para dar continuidade às suas qualidades, para que não percam a força do plantel. Aderyn o vira para as demais mulheres, que o escovam até seu pelo brilhar e trançam a crina e o rabo com fitas vermelhas, depois colocam uma guirlanda de cardos e azevinho em volta do pescoço do animal. Em seguida, os homens ungem a sobrancelha do cavalo com um unguento bento, e cada um dos rapazes candidatos a correr se aproxima. Um por um, apertam a guirlanda com força, para que o azevinho espinhento e os cardos ásperos arranquem sangue de suas mãos, e sussurram o próprio nome no ouvido do cavalo.

Mairwen range os dentes. Sua mãe segura a mão dela e murmura:

– Você tem uma história para me contar, meu passarinho. Sua manga está manchada de sangue, e seus olhos guardam um lamento.

– Aqui não – responde Mair, apoiando o braço no da mãe.

"O demônio é um antigo deus da floresta", diria sua mãe, quando contou essa história, só para Mairwen, sussurrando. Essa é a primeira frase da versão da lenda que só as bruxas do clã Grace sabem. "Ele era ousado e poderoso, belo e perigoso, mas amava a primeira bruxa do clã Grace, e foi desse amor que brotou o pacto. O vale é feito de amor, passarinho. Encontre o amor. Procure-o, sempre. É aí que reside o seu poder."

– Bom dia, Mair – sussurra Haf, vindo por trás da amiga. Mairwen aperta a mão da mãe, a solta em seguida e se vira para Haf.

A menina mal bate no ombro de Mairwen, mas fica alguns centímetros mais alta por causa da coroa de tranças que fez no cabelo. Haf é quase um ano mais velha do que Mairwen e está noiva de Ifan Pugh. Mas a maioria das pessoas diz que ela é a mais jovem das duas, por causa do seu sorriso franco e da tendência que tem de esquecer o que está fazendo. Mas Haf jamais esquece o que promete. Ama Mairwen porque ela é corajosa e porque entende que o fato de Mairwen ser distraída e ávida por outras coisas não tem nada a ver com nenhuma insuficiência por parte de Haf. Foi essa autoconfiança pura e simples que fez Mair se apaixonar por ela instantaneamente. Foi Mairwen quem arranjou o noivado de Haf com Ifan Pugh, oito anos mais velho do que as duas, porque o rapaz estava nervoso demais para se aproximar da moça. Esse simples fato fez Mair cair nas graças dele, porque quem mais senão alguém completamente perturbado teria mais medo de Haf do que da bruxa?

Mairwen passa o braço pela cintura da amiga e a puxa para perto.

– Você acha que Rhun será o escolhido? – pergunta Haf, bem baixinho.

Mair olha os rapazes em fila, esperando para sussurrar o próprio nome para o cavalo. Lá está ele, perto de Arthur, encostado no ombro do amigo, como um camarada, como um rapaz que não tem com o que se preocupar neste mundo, apesar da lua que chegou antes da hora, apesar do monstro que apareceu naquela manhã. Arthur, por sua vez, está emburrado, em silêncio, com os dentes cerrados. Ao lado dele, estão Per Argall e os primos Parry e Bevan Heir: todos rapazes entre quinze e vinte anos, oferecendo-se em sacrifício pelo vilarejo. Mas todo mundo sabe quem será enviado para a floresta.

– Ele é o melhor de todos – sussurra Mair.

Sem sequer dizer "tchau", ela dá as costas para Haf e toma o caminho de casa.

Vai chutando o mato pelo caminho, sentindo uma grande satisfação ao ver a explosão de minúsculas sementes douradas que voam pelos ares. Deve haver um motivo para isso ter acontecido, deve haver uma causa. E, com certeza – com certeza –, essa causa não é John Upjohn. Se houve algo de errado com a sua corrida, por que o pacto durou três anos em vez de simplesmente desmoronar na mesma hora?

Mair cerra os dentes e vai elencando as perguntas que quer fazer a Aderyn Grace.

"Você sabe o que há de errado? Não deveria saber, já que é a atual bruxa do clã Grace?"

"Por que não posso entrar na floresta? De verdade? O que é essa magia no meu coração ou nos meus ossos? Sou metade santo!"

"Por que o monstro tentou fugir?"

"O que posso fazer para salvar Rhun Sayer?"

Ela mal percebe que já cruzou o muro de pedra, mal nota que está correndo ladeira abaixo, em direção à residência do clã Grace. Mairwen fica emburrada e suspira entredentes, odiando aquela incerteza. Até Arthur sabe qual é o seu papel no dia de hoje: candidatar-se a santo, com todos os demais potenciais corredores. Haf sabe, e todos os habitantes do vilarejo sabem: preparar o vale para a celebração da fogueira que ocorrerá à noite, que terá banquete, dança e o ritual de atirar amuletos no fogo. As mulheres e as moças vão assar pães e outras guloseimas e vão varrer a área. Os homens e os rapazes trarão as mesas e os bancos, assarão um porco, carregarão pesados caixotes de cerveja.

Mairwen é a única que não sabe. Ainda não é a bruxa do clã Grace, mas já é mais do que uma simples menina.

A floresta chama por ela. A Árvore de Osso chama.

Por que não lhe é permitido atender a esse chamado? Por que não lhe é permitido *correr*?

"Eu correria no lugar dele", disse Arthur. Bem, Mairwen faria a mesma coisa. E ela seria mais ardilosa e determinada do que o amigo.

Como pode fazer diferença para a magia sacrificar um rapaz e não uma moça?

Mas, talvez, faça diferença para o demônio.

Mair bate o portão de madeira que dá acesso ao quintal de sua mãe e para instantaneamente ao ouvir um grunhido surpreso, à esquerda.

É John Upjohn, agachado do lado de dentro da cerca, meio escondido perto dos arbustos de groselha. Ele tem vinte e um anos e é magro, de olhos verdes lacrimejantes e um cabelo loiro e fino, sempre preso em uma trança. A sensação de que o rapaz não é mais do que um fantasma é tão conhecida de Mairwen que fica difícil para ela acreditar que as pessoas se lembram do John ousado e cheio de vida, de antes da corrida.

O braço esquerdo de John está enfiado em um bolso costurado especialmente para ele, na lateral do casaco, para esconder o cotoco com facilidade.

– Mairwen – fala, tentando ser normal.

– Oh, John! – Mair se atira no chão ao lado dele, mas não encosta no rapaz: sempre espera que ele faça contato físico primeiro. – Você está bem? Não estava lá no pasto com sua mãe.

John inclina a cabeça, que é o mais próximo que consegue chegar de expressar incômodo.

– Apareceu sangue na Árvore de Osso?

– Sim.

Mair se esforça ao máximo para manter um tom neutro, para não deixar que John perceba sua fúria e sua confusão. Ele se encolhe visivelmente, mas não se surpreende.

– Pode finalmente me contar o que aconteceu com você lá na floresta? – pergunta a menina.

– Não fui eu que causei isso, Mairwen Grace – responde John, Upjohn com o tom mais furioso que a menina já ouvira sair da boca dele.

– Eu não disse isso – retruca Mair, ficando de pé. – É algo novo, John, uma Lua do Abate antes da hora, pela primeira vez, em duzentos anos. Não pode ficar chateado com o fato de querermos saber por quê, e você foi a última pessoa a entrar na floresta!

O santo fecha os olhos e passa a mão pelo rosto. Para no queixo, cerra o punho e bate na grama, ao lado do quadril.

– Desculpe – murmura.

Mairwen se ajoelha cautelosamente. Desobedece a regra que ela mesma criou e encosta a mão no joelho de John.

– Há anos eu represento segurança para você, eu e minha mãe. Não pretendo que isso termine hoje. Eu é que peço desculpas.

Os dois ficam ali parados, em silêncio, por alguns instantes, ambos voltados para dentro de si. Mair pensa em todas as vezes que John trouxe seus pesadelos à porta de casa, em que segurou seus ombros com firmeza enquanto ele tremia.

– Você pode me contar alguma coisa, John? – pergunta Mairwen, por fim, o mais baixo que consegue. – Viu o demônio? Como ele é? Como foi que perdeu a mão? O que tem dentro da floresta? É bonito?

– Bonito!? – Ele faz careta. – Não.

É um "não" que reverbera em todas as perguntas que Mair quer fazer. Mas, como aquele é John Upjohn, o último santo, ela não as faz. Em vez disso, se vira e se encosta na cerca, e galhinhos de groselha ficam presos em seus cabelos.

– Muita coisa eu só lembro quando tenho pesadelos – confessa John.

Sem olhar para o rapaz, Mair pergunta:

– Por que continuou aqui, se é tão difícil? Não foi por minha causa, com certeza.

– Pensar em ir embora é ainda pior. Não sei como os outros santos que sobreviveram foram embora daqui, mesmo com a ajuda do lorde e com dinheiro. Parte de mim jamais saiu daquela floresta, não apenas minha... não apenas... Mas aqui, pelo menos, estou... perto. Preciso ficar perto.

– Ah, John – sussurra Mairwen, encostando o ombro no dele.

– Eu não deveria estar me escondendo hoje. Isso só piora as coisas.

– Seja você mesmo. Não fez nada de errado. Não permitirei que ninguém lhe faça mal.

– Eu acredito – sussurra John.

– Quero entrar na floresta – responde ela, também sussurrando. – Para descobrir o que foi que mudou. John, eu sinto que isso é... uma oportunidade. Uma fresta no mundo, pela qual, talvez, eu seja a única que pode passar.

– Não. – John Upjohn fica apoiado em um dos joelhos e segura o ombro dela. – Mairwen Grace – diz, com tom de firmeza, transformando o nome da menina em uma invocação –, não entre lá. Por mim. Você me pediu para continuar aqui, há três anos, e estou lhe pedindo a mesma coisa agora. – Há gotas de suor em sua testa, ao longo do couro cabeludo, apesar de fazer frio naquela manhã.

– Eu consigo dar conta, John – diz Mairwen, ressentida.

Ele aperta os ombros da menina e fala:

– Mas não deveria ter que fazer isso. Ninguém deveria.

– Rhun será obrigado a fazer. Por que ele deveria enfrentar isso sozinho?

John fica em silêncio e baixa os olhos. Mair tem dificuldade para manter a respiração constante, parecer menos chateada, menos desesperada.

– Sinto muito, Mairwen.

A frustração faz seus músculos ficarem tensos, e Mair tem necessidade de afundar os dedos na grama, arrancando punhados pela raiz.

ADERYN VOLTA PARA CASA ASSIM QUE O RITUAL MATINAL TERMINA. Para por um instante ao ver sua filha e o santo anterior juntos no quintal. Mairwen levanta de supetão e arrasta Aderyn para dentro de casa. Para a sombra fresca da cozinha.

– Mãe, um cervo saiu correndo da floresta hoje de manhã, monstruoso e disforme. Arthur o matou, e nós o rolamos até colocá-lo de volta na floresta.

Aderyn fica com rugas entre as sobrancelhas castanhas.

– Isso nunca aconteceu.

– Alguma coisa está *errada*.

– Não há mais nada a fazer além de deixar a Lua do Abate seguir seu curso.

– Como *nada*? Nós somos bruxas.

– E as guardiãs do pacto.

– Mas será que não deveríamos investigar? E se o demônio estiver... ferido? E se o coração da primeira Grace não puder mais suportar o peso do pacto? O amor dos dois durou duzentos anos, e isso é muito tempo.

– Mas não é para sempre – diz Aderyn, com um sorriso frio. – A magia garante que o pacto dure, desde que mandemos nosso santo correr.

– A cada sete anos – grita Mairwen. Mas baixa a voz em seguida e olha para a janela da cozinha. – Só faz três que John escapou.

Aderyn segura os ombros da filha e examina Mair por um bom tempo, até a menina lamber os lábios e enroscar os dedos na saia. Aderyn fala:

– Só que John não é o primeiro santo a escapar da floresta, e isso é novo.

– Então deve ser outra coisa. Alguma coisa mudou! Será que não precisamos descobrir o quê? Por que não posso entrar na floresta? Sou forte. Sou rápida. Eu... eu não sou tão forte e rápida quanto Rhun, mas sou ardilosa.

Mair sabe que está implorando para a mãe. Aderyn a leva até o borralho, e as duas ajoelham juntas na pedra escura e larga.

– Você não pode entrar na floresta, meu passarinho. É a que menos pode. Não porque é menina, mas por causa do sangue que corre em suas veias. Sei que anseia pela floresta. Sei que ela chama por você. Mas atender a esse chamado não vale o risco. Seu coração correria um perigo tão grande...

Mairwen se encolhe, encosta o rosto na perna da mãe. Fecha os olhos e fica ouvindo – ouvindo e prestando atenção – ao *tique-taque* do coração, acelerado e alto. Aderyn acaricia seus cachos embaraçados do melhor jeito que pode.

– Não vale a pena correr esse risco? – sussurra Mairwen.

– Você é uma bruxa do clã Grace, não um santo. Eu já lhe disse: se entramos na floresta, não saímos de lá. Nosso coração está amarrado àquela Árvore de Osso, assim como o coração da Grace mais nova estava. Espere até ter vivido uma vida completa.

– Rhun não viveu.

– Isso faz parte do sacrifício.

Mairwen cerra o punho em cima da saia da mãe e diz:

– Já é difícil pensar que Rhun vai morrer em troca dos sete anos que nos devem. Mas e se for só por três anos de novo? Ou menos? Não temos como ter certeza de que a corrida será o bastante, se não soubermos o que foi que mudou.

Sua mãe continua a fazer cafuné.

– Tenha fé e tenha amor, meu passarinho. No pacto, nas nossas tradições. Um ciclo descompassado não significa que tudo foi posto a perder. Você *é* forte, Mairwen, e o que faz tem significado para este vilarejo. Dar a eles o exemplo de como se comportar, de como é capaz de liderá-los depois que eu me for. Não apenas para Três Graces, mas para Rhun Sayer. Mostre a esse rapaz que continuará sendo forte depois que ele correr.

– Eu amo Rhun. Será que isso é suficiente para salvá-lo?

Mair se agarra aos joelhos da mãe: como pode ser capaz de dizer tal coisa, sendo que sua mãe perdeu seu amor para a floresta dezessete anos atrás?

Mas Aderyn puxa os cachos de Mair e responde:

– Aquele menino ama a todos e sabe amar. Se o amor é capaz de proteger alguém, esse alguém é Rhun Sayer.

– Ele ama demais? – Mairwen levanta, em pânico. – Bem demais?

– Não sei se existe tal coisa, meu passarinho.

HAF LEWIS E SUA IRMÃ, BREE, CHEGAM PARA ASSAR O QUE SERÁ consumido ao redor da fogueira à noite, obrigando Aderyn a sair para ver como Rhos e o bebê estão, lá na residência do clã Priddy. Mair fica feliz em poder descontar sua frustração na massa, e seu pão sai duro.

Haf e sua irmã de quinze anos conversam entre si, o suficiente para o clima na cozinha não ficar excessivamente tenso. As duas ficam se provocando e competem para ver quem faz o melhor acabamento nas tortinhas. Os dedos delas se movem depressa, e os sorrisos também são ligeiros. As meninas não poderiam ser mais irmãs, com o mesmo cabelo preto e liso e rostos redondos, olhos alegres, apesar de os de Bree serem surpreendentemente verdes, e sua pele ser mais rosada, prova das três gerações do clã Lewis que vivem e se casaram com habitantes de Três Graces.

Quando a melhor amiga de Bree, Emma Parry, entra correndo, trazendo uma tigela de carne caramelizada e para pegar mais mel de flor de sabugueiro para as irmãs Pugh, esbarra em Mair com tanta força que a filha da bruxa parte para a retaliação. Joga um punhado de farinha nela e dispara:

– Olhe por onde anda!

A farinha se espalha pelo cabelo loiro de Emma, e ela faz biquinho e põe os punhos cerrados na cintura fina.

– Você deveria reservar um tempinho para ir até a praça, Mairwen – diz, com uma gentileza fingida. – Os rapazes estão montando a fogueira, e acho que Arthur Couch deve estar se saindo melhor do que Rhun Sayer.

– Ah – diz Bree –, você deveria benzê-los, Mair. Deveria mesmo.

– Ela já deve ter *benzido* muito Rhun Sayer – completa Emma, dando uma risadinha.

Bree solta um suspiro tenso, mas Mairwen ignora o comentário, vai até o fogão e mexe a redução de groselha-verde que está na panela.

Emma fala:

– Quer dizer...

– Eu sei o que quis dizer – retruca Mair, com um tom frio.

Para ser sincera, ela gosta de ser acusada de tais coisas. Isso melhora a reputação de Rhun.

A menina sai correndo da choupana e Haf diz:

– Ela só está empolgada.

Mair para de mexer a calda verde. Mais alguns minutos e estará pronto. Ela precisa terminar de abrir a massa. Ou pode deixar a calda queimar, deixar aquilo virar um monte de vísceras grudentas e estragadas e voltar para o pasto, ficar sozinha, em um lugar em que não terá como desgraçar os costumes do vilarejo com suas falhas. Aquilo é importante demais, não é? Para forçar as barreiras até que se rompam?

Ela se vira de frente para Haf e a irmã, que estão de pé ao lado da mesa gasta da cozinha, com uma pilha de tortinhas perfeitas, prontas para os fornos do clã Priddy. Bree está de cabeça baixa, e seus dedos pequenos apertam a massa em volta de uma colherada da carne de cervo caramelizada que Emma acabou de trazer. Bree olha para Mairwen, por baixo das sobrancelhas negras, olha para baixo logo em seguida e morde o lábio.

Mair tira a panela de groselha-verde do fogo e a coloca em cima do borralho para arrefecer. A pedra é antiga, de um cinza azulado, uma única peça pesada cortada em retângulo, como um antigo menir pagão, inclinado para o lado. Talvez essa seja exatamente a origem. Ela limpa as mãos no avental e diz:

– Acham que todos esses preparativos têm importância? Será que não deveríamos estar fazendo outra coisa? Tentando descobrir o que causou essa mudança? E se for algo que todos nós fizemos?

Haf inclina a cabeça para pensar. Nem um único fio de sua coroa de tranças sai do lugar. O sol da tarde atravessa as vidraças do lado direito, destacando os maços de ervas pendurados nas vigas para secar. As ervas têm um tom de verde opaco, além de roxo e amarelo, e as paredes caiadas estão mais claras do que nunca. O cheiro do ar é de groselhas ácidas e farinha, de fogo e pedra quente. Haf finalmente responde:

– Será que nós não temos que nos ater ao pacto, seja lá o que tiver causado essa mudança? Eu nunca fiquei doente na vida nem perdi um irmão ou uma irmã quando ainda eram bebês.

Os dedos de Bree estremecem, estragando o acabamento da tortinha. Suas tranças estão bagunçadas, se desfazendo, porque, por algum motivo insondável de irmã mais nova, ela não deixa Haf trançar seu cabelo.

– A nossa avó contava histórias sobre a peste quando nos comportávamos mal – diz ela. – Que a pele... a pele das pessoas apodrece, e ficam com bolhas que sangram até tossirem a ponto de vomitar as próprias entranhas. Ela dizia que, se não nos comportássemos, iriam nos obrigar a ir embora de Três Graces e morrer disso.

– Ah, Bree – censura Haf, exasperada.

Mairwen faz careta e fala:

– Que terrível. – Ela não pode deixar de imaginar o cheiro horrível que essas pessoas deveriam ter, e o medo também. – Mas sei por que temos esse pacto, por que mandamos o nosso santo para a floresta.

Eu entendo a... a parte do sacrifício. Ou, pelo menos, entendo como deveria funcionar. Mas como podemos fazer tudo do jeito tradicional, tudo como sempre fizemos, se da última vez fizemos tudo exatamente igual, e o pacto durou apenas três anos? Como nossos rituais podem fazer diferença? Essas tortinhas e a nossa fogueira ritual fazem diferença ou a túnica que será benzida amanhã? Tudo isso me parece inútil, já que não sabemos se vai funcionar de novo.

– O que mais fazer a não ser tentar consertar? – pergunta Haf.

Mairwen debocha:

– Para começar, nós nem sabemos o que há de errado!

Mas é Bree que murmura:

– Minha mãe diz que a mão de John é a única coisa diferente.

– Até onde sabemos – fala Mair, com pesar, pensando no cervo monstruoso. – E, pelas regras do pacto, John não fez nada de errado por ter sobrevivido e deixado a mão para trás.

– Até onde sabemos... – insinua Haf, franzindo o cenho.

Mair cerra os dentes, ansiando pela sombra fresca do limite da floresta.

– Exatamente. Eu quero saber.

– Mas como poderia descobrir sem correr o risco de estragar *tudo*?

– Não existe nenhuma regra que proíba alguém de entrar na floresta em qualquer outra noite do ano. Nós simplesmente não fazemos isso porque temos medo do demônio.

Haf arregala os olhos e diz:

– Por um bom motivo.

Bree completa:

– Você não pode fazer isso.

– É o que todo mundo fala! – grita Mairwen.

– Talvez – diz Haf, baixinho –, você possa tentar descobrir algo que *pode* fazer. Que não ponha o santo nem o pacto em risco.

– Como fazer tortinhas e benzer a túnica do santo. John teve tudo isso.

– E John sobreviveu.

– O pacto não.

Não há mais o que discutir. Tudo bate na mesma tecla: Mairwen não pode fazer nada de útil. *Farei meus próprios amuletos para Rhun*, pensa, *para protegê-lo*.

Quando as tortinhas estão todas fechadas, recheadas de carne caramelizada e groselha-verde, as meninas as colocam dentro de um cesto, em camadas, com todo o cuidado, entremeando cada camada com um pano, e as levam para o vilarejo. As janelas das casas por onde passam se escancaram, conversas e risadas ecoam pelas ruas enlameadas. As crianças correm mais livres do que de costume, porque foram liberadas para brincar de demônio e santo durante a tarde ou imitar as provas dos rapazes mais velhos, de tiro, força e equilíbrio. Os primos mais novos do clã Rees trançaram o cabelo e passam galopando, dando risada e gritinhos, feito uma criatura de seis pernas. Meninos mais velhos correm atrás, discutindo quem vai matar o dragão vermelho do Monte Grace. Mair decide tentar espantar o mau humor, a contrariedade, como sugeriu sua mãe. Pelos corredores. À medida que se aproximam da praça, sentem uma mudança no clima: ainda é de comemoração, mas está mais tenso, mais pesado. Haf diz que vai levar as tortinhas para assar e depois encontrará Mair e Bree para ver os rapazes.

Mais cinco passos, e Mairwen para na esquina do Barril do Rei. A fogueira está pronta: galhos secos empilhados, formando um monte inclinado, com o dobro da altura dela. Ramos de cipreste-de-verão a decoram, parecendo pelo, e também há galhos de cardo, alecrim e bardana. Há funcho e alho-poró em volta da base, algumas flores secas e bulbos, para atrair sorte e prosperidade.

É magnífica e queimará por horas e horas.

Os corredores se amontoam na curva de baixo da praça. Penduraram a guirlanda que estava no pescoço do garanhão na madeira da fogueira. Com cerca de um braço de largura, serve como alvo de arco e flecha. Todos os rapazes seguram seus arcos e usam uma aljava comunitária, mas Mairwen reconheceu a aljava de couro de Rhun. Per Argall está na linha traçada a giz, mirando até que bem, por ser o mais novo entre eles: acabou de completar quinze anos, no mês anterior. Pelo jeito, metade dos rapazes já atirou. Apesar de todos terem acertado o alvo, nenhuma flecha chegou bem perto do meio. Ou seja: Rhun ainda não atirou.

Per erra o disparo. A flecha sai voando por um galho de cipreste, no limite do alvo, e some no meio da pilha de madeira. Ao lado de Mair, Bree bate palmas, assim como os demais espectadores espalhados pela praça. Alguns riem do modo tímido com que Per deixa o cabelo cair no rosto. "Ele jamais será santo", pensa Mair.

O irmão mais velho de Per é o próximo a atirar, e se sai minimamente melhor. E então Rhun e Arthur Couch se entreolham. Rhun sacode um dos ombros, sorri e prepara o arco com um movimento natural. Pega uma flecha, passa as plumas pelo rosto, como costuma fazer, e a posiciona, mira e solta como se não fosse nada demais, como se estivesse apenas tomando um gole de cerveja. Sua flecha voa, certeira, e fica presa a três dedos do meio da guirlanda.

Mairwen não consegue evitar de dar um sorriso orgulhoso e tenso.

Arthur dá um passo à frente, seis flechas já foram atiradas, e ele só precisa superar a de Rhun.

Arthur demora mais do que Rhun para atirar, relaxa na posição, gracioso, em vez de demonstrar a habilidade natural do amigo. Mairwen nota que seus ombros se erguem e descem lentamente, e que ele solta um suspiro ao atirar.

A flecha é certeira e se finca a um dedo do centro do alvo.

Vivas ecoam pela praça, iniciadas por Gethin Couch, e até Haf murmura, surpresa, ao lado de Mairwen. Rhun dá um sorriso e bate no ombro de Arthur, dizendo algo alegre, mas baixo demais para que ela consiga ouvir. Mairwen também sorri. Bree aplaude, vai ao encontro dos demais rapazes, e os homens assistindo, posicionados em arco, batem as mãos nas pernas. Pena que, para Arthur, todas essas provas não são a verdadeira maneira de se tornar santo. São apenas encenação, para que todos os candidatos fiquem juntos e não arrumem confusão. Tradição.

– Ele pode ser o escolhido – comenta Haf, apertando o cesto cheio de tortinhas contra a barriga.

Mairwen lança um olhar de censura para a amiga. Parece que Haf estava tentando consolar Mair.

– Você não ia levar essas coisas para a padaria? – pergunta Mair.

Os lábios de Haf se repuxam, e ela aperta a alça do cesto.

– Esqueci! Sim, claro que vou.

A menina dá risada de si mesma e bate com o ombro no braço de Mairwen antes de se retirar. Bree também cutuca Mair. Faz sinal com o queixo para o outro lado da praça, onde Ifan Pugh se encontra, e seu olhar acompanha o trajeto de Haf.

Mair mal consegue tirar os próprios olhos dos rapazes, especialmente de Rhun e Arthur, que organizam a corrida que apostarão em seguida, debatendo sobre os obstáculos e o trajeto. Os homens gritam suas sugestões de barreiras e obstáculos dos dois lados da praça. Mairwen intervém e se oferece, assim como Bree e Haf, para servir de ponto de referência, para segurar as fitas que os rapazes terão que entregar ao longo do revezamento, para provar que percorreram todo o trajeto. Com tudo combinado, passam o resto do tempo em que o sol ainda brilha competindo, evocando a noite final da Lua do Abate.

QUANDO O SOL SE PÕE, TODOS VOLTAM PARA A PRAÇA, CORADOS e sujos. Rhun está acabado de tanto correr e dar risada. E vem por último, enquanto os rapazes papeiam e discutem para decidir quem venceu. Mairwen ganha um beijo de cada um dos rapazes que apostaram corrida: beijos cavalheiros, na mão e no rosto, de Bevan Heir, dos irmãos Argall e dos primos do clã Parry. Arthur a beijou na boca, mas foi só um selinho seguido por uma risadinha tensa – igual à de Mairwen –, que a deixou sem ar. Rhun a levantou do chão e a beijou pelo tempo necessário para que voltasse a sorrir. Por tanto tempo que o fez perder a corrida.

Como ficou para trás, não de nervoso nem de tristeza, mas por causa do peso da alegria por tudo o que tem, Rhun viu John Upjohn andando em um caminho paralelo ao vilarejo e mudou o trajeto para ir ao encontro do santo.

John Upjohn é a única pessoa em Três Graces que nunca sorri para Rhun, mas ouviu dizer que o santo tem um sorriso amável, com covinhas dos dois lados da boca. Ah, como Rhun gostaria de ver esse sorriso aquela noite...

– John – diz, quase envergonhado.

– Rhun Sayer.

Rugas profundas repuxam seus olhos, como se John tivesse o dobro da idade, e os cantos dos olhos estão avermelhados, sinal de que anda dormindo mal. Mairwen contou para Rhun que John ainda tem pesadelos, ainda aparece na residência do clã Grace de vez em quando, no meio da noite, como se o borralho da casa fosse a única coisa capaz de tranquilizá-lo a ponto de conseguir descansar. O santo está usando o traje costumeiro dos caçadores: calça de lã e gibão de couro por cima de uma túnica de lã, mas sem capuz. Seu pulso cortado está enfiado dentro de um bolso raso no gibão, e sua única mão segura um ramo de flores secas para pôr na fogueira.

Os dois caminham em silêncio, atraídos pela multidão reunida na praça, pela chama das tochas, já acesas. Rhun fica passando a língua na parte de trás dos dentes, sem saber o que fazer para provocar um sorriso no santo. O que dizer em uma noite como aquela, para alguém que é tão assombrado por ela?

Duas casas antes de chegarem à praça, é John quem para e declara:

– Lembro-me de seu primo, dez anos atrás. Eu só tinha onze anos, mas lembro como estava alegre e feliz por aquela ser a noite da fogueira dele.

– Eu também lembro – diz Rhun.

– Isso me ajudou quando foi a minha vez. Ter essa lembrança. Lamento por você só ter a mim e as lembranças da minha pessoa para atrapalhar.

– Não! – Rhun segura o braço de John, para tranquilizá-lo. – Eu não lamento.

O santo dá um sorriso que é mais uma careta, nenhuma covinha à vista.

– Vai lamentar.

Um arrepio percorre a espinha de Rhun, mas ele o ignora, como se sentir medo fosse uma escolha.

– Nasci para isso – afirma.

– Será? – John Upjohn sacode a cabeça e tira o cotoco do bolso. A manga de sua túnica está amarrada, por isso não se vê nenhuma cicatriz. – Você tem escolha – declara, por fim, ecoando os pensamentos de Rhun.

O rapaz tira a mão do ombro do santo devagar.

– Vale a pena.

Esperar que John concordasse com ele imediatamente é um erro que Rhun sabia que estava cometendo no instante em que o cometeu. Quando John balança a cabeça devagar, relutante, Rhun pede desculpas:

– Sinto muito. Deve ser impossível para você, esta noite, mais do que qualquer outra.

O santo dá um sorriso sem jeito, e lá estão elas: duas covinhas bem fundas que tornam o rosto de John mais belo por um instante, antes de o sorriso se desfazer.

– Você está diante da melhor e da pior noite da sua vida e pede desculpas para mim. Eu é que lhe devo desculpas, Rhun Sayer. Você é bom demais para sobreviver a isso.

Sem se surpreender com o teor da declaração, apenas com a franqueza da pessoa que lhe diz isso com todas as letras, Rhun abre a boca e, por um instante, fica sem palavras. Seu primo era o melhor de todos e não sobreviveu: Rhun jamais teve esperança de ser melhor do que Baeddan.

– Eu não preciso sobreviver para cumprir o pacto. Só preciso correr.

– Mas você deveria querer sobreviver.

O azul assombrado dos olhos de John reflete os últimos raios de sol quando ele se aproxima de Rhun.

– Eu... eu quero – balbucia Rhun, mesmo que raramente tenha pensado no futuro além da noite de sua corrida. Todos os pensamentos em relação ao futuro se concentraram nos quatro anos que ainda deveria ter entre o presente e aquele momento. No instante em que o sangue apareceu na Árvore de Osso naquela manhã, o futuro de Rhun desapareceu. Ele sabia, no fundo do coração, em suas entranhas, que aquela era a penúltima noite de sua vida.

– Que bom – diz John, com pesar, como se soubesse que Rhun não está sendo sincero, mas não tivesse coragem de acusar a mentira.

O santo e o quase santo param ao mesmo tempo no beco estreito de paralelepípedos, mas Rhun é mais corpulento, e sua postura transmite uma tensão mais perceptível, ao passo que John Upjohn permanece imóvel como uma pedra.

– Vou ficar bem, John – garante Rhun. E, apesar de odiar ter que mentir quase tanto quanto ter que guardar segredos, completa: – Juro.

– Apenas lembre – diz o santo, afastando-se de Rhun e olhando para trás –, que você precisa ter algo em que se concentrar além do demônio. Além da corrida. Algo de fora, algo... bom. Uma pessoa ou uma esperança. Algo que o atraia para fora da floresta.

– Qual foi a sua esperança? – pergunta Rhun, baixinho.

John baixa a cabeça e estica o braço sem mão. E não responde.

Antes que Rhun consiga insistir, o santo aperta o passo em direção à praça do vilarejo.

HÁ TRÊS ANOS, QUANDO ARTHUR TINHA QUASE QUINZE, SEU MElhor amigo, Rhun, o fez parar na trilha estreita do cervo que estavam perseguindo e o beijou. No instante anterior, enquanto se aproximava, os olhos de Rhun brilhavam de alegria, tanto que Arthur começou a sorrir antes de se dar conta do que estava acontecendo.

E, então, os lábios de Rhun estavam roçando nos dele, quentes e macios, e Arthur se afastou cambaleando. Suas botas ficaram enroscadas no mato delgado do outono, tanto que ele teve que jogar as mãos para trás e se apoiar em uma árvore para não perder o equilíbrio. A casca da árvore arranhou as palmas das suas mãos, até os seus braços arderam e, dentro de seu crânio, o ferimento virou um incêndio, feito uma fúria.

Rhun deu risada e segurou Arthur pelos ombros.

– Desculpe, não quis assustar você. Eu só...

– Não *encoste* em mim – gritou Arthur, rouco e grave.

– O quê? – Rhun tirou as mãos dele e arregalou os olhos de susto.

Arthur se afastou da árvore e ficou de costas para Rhun.

– Não sou menina – afirmou.

– Sei disso!? – A incerteza pôs a interrogação nas palavras de Rhun.

Arthur só conseguia enxergar coroas de flores e pétalas pegando fogo, ouvir a risada dos meninos e aquele olhar de pena dos homens. Estava tremendo. Cerrou os punhos.

– Nunca mais faça isso. Não sou menina.

Rhun não conseguiu evitar: tentou encostar nele de novo. Estava com medo, e Arthur podia ver isso no modo como suas sobrancelhas se tornaram uma única linha negra.

– Eu queria que você soubesse – disse o constrangido Rhun, então com quatorze anos. – *Da próxima vez*, serei eu, e queria que você soubesse.

– Que próxima vez? – A voz de Arthur estava estridente, histérica. – Não pode haver uma próxima vez!

– A Lua do Abate – sussurrou Rhun.

Arthur ficou calado, mas seu peito ofegava. Dois dias antes, John Upjohn saíra correndo da floresta, para que tivessem mais sete anos de bênçãos. Olhou fixamente para Rhun, ainda horrorizado. Seus lábios ardiam. Ele os limpou, com força, com as costas da mão, olhando feio para o amigo o tempo inteiro.

Rhun fez careta, mas não desviou o olhar.

– Sei que você não é menina, Arthur. Eu só... queria te beijar mesmo assim.

O vento soprou as folhas douradas que havia no meio deles e sacudiu os galhos desfolhados lá no alto. Os dois imóveis, ambos mais baixos do que, logo, logo, seriam, e mais magros. Mas Arthur não cortava o cabelo há meses, por isso ele chegava nos seus ombros largos, em camadas suaves. O vento sacudiu seu cabelo, que roçou em seu pescoço, fazendo cócegas.

– Você não pode fazer isso – disse Arthur, completando com uma nota maldosa: – É nojento.

Rhun sacudiu a cabeça, triste, e o contorno de sua boca, de seu nariz aquilino, de seus olhos castanhos e de sua mandíbula quadrada, juntos, tomaram a forma de algo que Arthur não conseguiu entender.

– Não há nada de nojento em nosso vale – declarou Rhun. – Não pode haver. Tudo aqui é bom e correto.

– Eu não – debochou Arthur. E foi embora, primeiro pisando firme, depois correndo, depois contornando a toda velocidade a floresta implacável. Foi subindo e se afastando cada vez mais do vale, até chegar aos picos das montanhas, onde não existe nada além de urzes espinhentas e penhascos brancos protuberantes.

Da próxima vez é tudo que Arthur consegue pensar agora, três anos depois, enquanto, sob os últimos raios de sol, Sy Vaughn e Aderyn Grace trazem as tochas até a pira.

Juntos, o jovem lorde e a bruxa gritam os nomes dos candidatos a corredor e, juntos, acendem a fogueira. Juntos, derramam vinhos para os santos e também para o demônio, para Deus e seus anjos, para o rei e os bispos, e para suas avós e seus avôs, até que as duas garrafas são vertidas completamente nos galhos de cipreste-de-verão e nos cardos. Vaughn não deixa de ser um santo também, sorridente e belo, ao passo que Aderyn é perigosa e forte, com seus cachos quase vermelhos por causa do fogo que segura entre as mãos. Os dois dirigem as tochas ao fundo da pira. De início, apenas o interior pega fogo: um fogo ardente, um coração pulsante no interior da casca da fogueira. Arthur conhece essa pulsação muito bem.

Em seguida, o cipreste arde em chamas, e todos dão vivas. Os cardos e os galhos menores também pegam fogo, e todos dão vivas novamente.

À medida que as mães dos potenciais corredores caminham, andam a passos largos ou se arrastam, uma por uma, até a fogueira e atiram nela os amuletos de seus respectivos filhos, o vilarejo vai ficando em silêncio. As mães ficam lado a lado e observam os amuletos queimarem. Com exceção da mãe de Arthur, que foi embora há uma década. Nona Sayer não pode atirar um amuleto para ele porque já atirou o do próprio filho. Ninguém pensou nisso, obviamente, já que ninguém pensou que a candidatura de Arthur faria alguma diferença. O rapaz franze os lábios, apesar de Rhun bater com o ombro no dele, entusiasmado.

Mairwen sai correndo do meio da multidão de repente, torcendo o nariz, como se estivesse irritada. Arregala os olhos para Arthur e lhe mostra o amuleto de osso que tem nas mãos. Que consiste em um fio de dentes, de todos os formatos e tamanhos, de cervos e coelhos, e afiados dentes de puma, de pequenas raposas, cabras e ovelhas. Alguém chama seu nome, e outros chamam o dele, e Mair atira os dentes na pira, com violência.

O corpo todo de Arthur fica tenso, e ele morde o ar com força, fingindo morder a menina, fingindo beijá-la com a mesma violência. Rhun afunda os dedos em seu ombro, obrigando-o a se controlar, com a dor na exata medida. Rhun sabe. Rhun sempre sabe.

Surgem tambores, apitos e três violinos. As mulheres trazem as travessas de tortinhas para acompanhar o porco assado, defumado e cozido o dia inteiro dentro de um buraco feito no chão. Há bolos e tortas, tanta carne, risadas e música, e a dança começa quando a lua surge no céu.

A lua que surge está quase cheia, redonda e perfeita: um círculo prateado que compete com a enorme fogueira do vilarejo. A fogueira cospe faíscas vermelhas contra o céu negro, tão vivas que consomem as estrelas. Mas a lua convida todos a dançar.

Arthur come e bebe, dança com Haf Lewis e sua irmã, com Hetty Pugh, que fica olhando com olhos espremidos, achando graça, o tempo todo. O rapaz bebe mais, rouba goles dos canecos dos companheiros, depois um garrafão inteiro de Braith Bowen, o ferreiro, e vai pegando as porções de comida que lhe oferecem, porque ele *é* um dos candidatos a corredor, ainda que todos *saibam* – saibam, presumam, julguem – que Rhun será o santo. Só aquele escroto maldoso do Alun Prichard convida Arthur para dançar, fazendo uma reverência e chamando-o de "Lyn". Arthur segura o rapaz pela túnica e o arrasta. Bate a cabeça no nariz de Alun e, em seguida, o empurra para longe.

Os suspiros de surpresa das pessoas dançando por perto se transformam em um sacudir de ombros e balançar de cabeça quando veem que é só Arthur sendo Arthur.

E lá estão Mairwen e Rhun, dançando perto demais. Os dois rodopiam, e Mairwen se agarra a Rhun, que está com o rosto contorcido pelo pavor. Ela para de dançar de repente, no meio da praça, fazendo-o tropeçar com graciosidade. Mair sacode a cabeça, e Rhun a entrega nos braços de Arthur.

Arthur a segura quando ela se inclina. O cabelo curto e claro de Arthur está espetado, iluminado como uma auréola de santo, e seus lábios deixam os dentes à mostra.

– Mairwen Grace – diz, sem conseguir se controlar –, dançando comigo e não com Rhun Sayer.

Mairwen dá de ombros e faz um giro. Dá um pulinho e se vira, joga a cabeça para trás e sacode o cabelo. O mundo também gira, a fogueira arde em chamas, as pessoas em volta dos dois dão risada e dançam, e Arthur segura Mair pelos braços, depois pela cintura, enquanto os dois rodopiam. Ele a puxa mais para perto, e seus corpos ficam tão próximos que se tornam um só, no centro de toda aquela gente dançando loucamente, com a lua cheia refletida no cabelo emaranhado da menina, lançando uma luz fantasmagórica.

– Vou dançar com todos os corredores – declara Mair.

– Eu *poderia* ser o escolhido – sussurra Arthur, no ouvido de

Mairwen, e ela dá risada. Uma risada tão espontânea e alta que atrai olhares. A menina coloca as duas mãos no pescoço do rapaz e sorri.

– Eu gostaria que fosse você – declara, ainda dando risada.

Faíscas saem da fogueira, criando formas mais espalhadas do que as constelações, e tão perigosas quanto *goblins*.

Arthur é tomado por uma fúria ardente e a puxa mais para perto: parece até que vai bater a cabeça no nariz dela, como fez com Alun Prichard.

– Você precisa cortar o cabelo de novo – sussurra Mairwen –, menino violento.

Ela fica mexendo nas pontas espetadas das mechas com as duas mãos, e nos lóbulos das orelhas de Arthur também, fazendo-o tremer. O toque de Mair lhe deixa marcas geladas, que vão direto para sua pelve. Arthur se afasta, se acotovelando com a multidão, indo para bem longe das fogueiras e dos tambores que vibram.

– Desculpe – grita Mair, atrás dele, bem quando o rapaz chega no adro da igreja e para, encostando-se na mureta de pedra do pequeno cemitério. Arthur se vira para ela, iluminada por trás pelo fogo. Mairwen encosta no muro para se equilibrar, e Arthur se dá conta de que a menina está mais bêbada do que ele.

– Não peça desculpas – fala Arthur.

– Arthur – diz ela –, eu nunca estive tão... mal-humorada.

O rapaz não se move, parece um espírito branco, em contraste com o cemitério escuro atrás. Lápides rústicas, gravadas com sobrenomes, espalham-se formando linhas irregulares entre o monumento com a cruz sagrada, à esquerda; e, à direita, o pilar simples em homenagem aos santos, gravado com os nomes de todos os rapazes perdidos para a Floresta do Demônio ao longo de duzentos anos. Arthur não consegue ler os nomes dali, nem mesmo ver a sombra deles na pedra alva, mas os conhece, e sabe a ordem. Recita todos em sua cabeça, para erradicar os pensamentos que tem com as mãos de Mairwen. O último nome é "Baeddan Sayer", gravado há dez anos. Quão terrível será ver o nome de Rhun ali? Ficar esperando o amanhecer para *ele* nunca mais voltar.

Arthur está tão perdido nesse pensamento doentio que só repara que Mairwen se aproximou quando ela chega bem ao lado. Olha para a menina, e sua raiva reacende, agora misturada não apenas com desejo, mas com preocupação e tristeza. Uma mescla de emoções violentas e contraditórias. Então pergunta:

– Você consegue imaginar meu nome escrito ali?

Mair se senta na mureta e se agarra a um dos cantos com tanta força que as palmas das mãos ficam marcadas.

– Eu me recuso a imaginar. Já é bem ruim ver o nome de meu pai.

Arthur olha para o fim da lista, onde, sabe, está gravado "Carey Morgan".

– Se for você... – sussurra ela, e Arthur dá uma risadinha de deboche, mas se senta ao lado dela e baixa a cabeça. – Se for você – repete Mairwen –, o que o faria se sentir melhor esta noite?

Arthur olha para a praça, e o fogo se acende em seus olhos, refletindo o fogo que arde em seu coração.

– Saber pelo que terei que lutar.

– Você está falando do vilarejo? De tudo que faz pensar no quanto é bom? Na túnica de santo que levará consigo como um... como um talismã de Três Graces?

– Não, sua menina burra.

Ela endireita as costas e abre a boca para revidar e ir embora, mas Arthur fala:

– Eu quis dizer por *quem* terei que lutar. Saber que essa pessoa estará lá ao amanhecer, esperando por mim.

Todo o ar dos pulmões de Mairwen sai de uma vez só.

– Eu sobreviveria. Sou mais duro e rápido do que ele – diz Arthur. – Eu não deixo nada me abater e não tenho pena de nada que possa me deter. E, é claro, sou mais dispensável.

– Ninguém é dispensável – retruca Mairwen, furiosa.

Arthur beija Mair. Beija Mair com os lábios e os dentes, com força e formidavelmente, com as mãos, segurando seu rosto e seu pescoço, puxando-a para perto. E Mairwen retribui. Joga os braços em torno dele, enfiando o máximo de si mesma que consegue dentro dele. Arthur raspa os dentes nos lábios de Mair. Ela crava as unhas na cabeça dele. Esses beijos não são inocentes nem simples.

De repente, Mairwen se afasta dando um grito, tão violento que ela cai no chão, batendo o quadril.

Fica olhando para Arthur, que está de pé, com os dentes cerrados, com a mão pousada perto da boca. O luar ilumina os olhos dela, e seus dentes brilham entre seus lábios entreabertos.

– Ah, não – diz ela. – Agora não, você não, esta noite não!

Isso o atinge em cheio, a rejeição abrupta e definitiva. A angústia se revira no estômago de Arthur, deixando queimaduras. Mas Mair também tem razão. Aquela é a véspera da noite da Lua do Abate. A Lua do Abate de Rhun. O rapaz fala:

– Rhun me contou... quando ele... me beijou...

Mairwen esfrega os próprios lábios.

Arthur tem vontade de tirar as mãos de Mair de cima dele, de machucá-la por isso. Precisa respirar fundo várias vezes. Então fala, na voz mais calma possível:

– Ele me disse que me beijou porque queria que eu soubesse, antes da “próxima vez”. Da vez dele, da lua dele.

– Sei quais são os sentimentos de Rhun – responde a menina, irritada. – Em relação a mim *e* em relação a você.

– E Rhun tem conhecimento dos seus sentimentos?

– Acho que todo mundo tem.

– Eu quis dizer, será que ele *realmente* entende? – Arthur range os dentes, odiando tudo na face da terra. – Você também o ama, e por isso deveria... se certificar que ele saiba.

Mairwen pousa os olhos na boca de Arthur, e ele obriga o próprio corpo a ficar imóvel, para não pegar fogo novamente.

– Você também deveria fazer isso – sussurra Mair. Então levanta e o deixa ali, sozinho com os mortos.

A FOGUEIRA ARDE ATÉ DEPOIS DA MEIA-NOITE. E, APESAR DE UMAS poucas mulheres mais velhas e seus maridos permanecerem na praça para apressar a morte das brasas e das cinzas, o local fica em silêncio. Mairwen se embrenha cada vez mais fundo nos campos, cambaleando, meio bêbada, preocupada, afoita e xingando a si mesma por ter beijado Arthur Couch. Se o amor é capaz de proteger Rhun, se isso é tudo o que está ao seu alcance, ela não pode dividir seu coração! Por fim, se joga na grama gelada e fica olhando para as estrelas. Que piscam e ficam borradas, e a boca de Mair ainda está quente, seu coração, uma confusão.

Mairwen foi apaixonada por Arthur Couch durante dois minutos, quando eram crianças, quando descobriu que sua amiga Lyn não era menina, afinal de contas, apesar de não saber direito que diferença isso fazia para ela e para as amigas. Mair ficou observando Lyn se tornar menino e recorda claramente a expressão que ele fez quando resolveu qual caminho seguiria, a que parte de si mesmo se apegaria, quais regras permitiria que o definissem. Mas, por um instante – um momento louco e misterioso –, Arthur foi tanto menino quanto menina e nenhum dos dois, e Mairwen teve a ideia ardente de que Lyn-Arthur poderia ficar com ela no limite da Floresta do Demônio.

Esse instante passou, aquele espaço intermediário, aquela sombra em que existiam possibilidades.

Arthur nunca mais voltou a esse lugar. Escolheu as piores partes dos meninos, achando que são mais fortes apenas quando são o menos "menina" possível. Isso o fez magoar Rhun, e Mairwen não estava nem um pouco interessada em perdoá-lo.

Da próxima vez, pensa, ali deitada no chão gelado, *da próxima vez*, como se Arthur tivesse lhe transmitido uma doença. Essa é a próxima vez de Rhun. Ela aperta os quadris contra a terra, põe a mão na cintura e a sobe pelo corpete até seus seios pequenos, fecha os olhos e toca os próprios lábios.

Mais tarde, Mairwen acorda, com frio e zonza. Feliz por sua mãe nunca se dar ao trabalho de ficar preocupada quando ela se esquece de dormir no próprio quarto, levanta, se espreguiça até chegar ao céu e se dirige à residência do clã Sayer. *Da próxima vez*.

Pensou em algo que pode fazer. Como Mairwen Grace conhece muita coisa a respeito da magia ("vida, morte, e bênçãos unindo as duas coisas"), conhece muito do pacto ("o demônio é um antigo deus da floresta, e o coração de uma bruxa é o coração do feitiço"), lhe vem à mente uma maneira de usar magia e amor para salvar Rhun Sayer.

Quatro horas antes de o sol nascer, a noite ainda está gelada e silenciosa, mas tão iluminada quanto o crepúsculo, graças à lua e às estrelas, que lançam seus raios prateados por todo o vale. Mairwen faz uma pausa para admirar a vista que se descortina diante dela: as casas de pedra clara de Três Graces brilham como se fossem pedaços da própria lua; os campos cinzentos que se esparramam; a fina fumaça que sobe das chaminés e desaparece no céu estrelado; as montanhas, que aguardam, sombrias, calmas e fortes.

Nada disso será igual sem Rhun.

Rhun Sayer, gentil com todo mundo, que ajuda as pessoas a carregar água ou consertar bonecas quebradas, que avalia tão bem seus adversários e sempre sabe se pode deixá-los vencer. O rapaz costumava pôr Mair em cima de seus ombros, para que ela conseguisse enxergar no meio da multidão durante os jogos da primavera, até que a menina ficou velha demais, e isso deixou de ser apropriado, e Rhun passou a colocar Bree Lewis nos seus ombros. Rhun nunca bebe demais para conseguir andar firme e aguenta as provocações dos primos como um carvalho aguenta uma tempestade de outono. Perdoa Arthur inúmeras vezes. Certa feita, Mairwen reclamou para Haf que Rhun estava sendo superprotetor com ela, e Haf respondeu: "Não é com você, é com todo mundo".

Ele nasceu santo, e ninguém da cidade duvidava disso.

O próprio Rhun jamais duvidou.

"Ele é tão perfeito, ele vai morrer."

Mairwen começa a andar rápido, mas acelera o passo junto com as batidas de seu coração, enquanto pensa em suas intenções. Rhun não pode ficar sozinho esta noite. Ele tem que saber o quanto Mair precisa dele, o quanto todos precisam dele, vivo e em carne e osso, e não apenas um nome em um monumento frio. Rhun merece saber que é amado, mais do que... mais do que Arthur, mais do que a própria Mairwen.

Há apenas os raios de lua suficientes debaixo das árvores para que seus olhos bem acostumados vejam claramente a trilha morro acima. Nenhuma luz brilha na residência do clã Sayer, mas a chama de uma vela bruxuleia através de uma pequena janela, na edícula. Que é comprida como um celeiro, onde o clã Sayer guarda as ferramentas de caça e outras armas, e uma insólita coleção de galhos caídos que o avô de Rhun usava para fazer móveis. Mairwen vai de fininho até a janela, afasta com cuidado a veneziana entreaberta e espia lá dentro. Patrick, irmão mais novo de Rhun, dorme em cima de uma pilha de peles de cervo, com Marc e Morcant Upjohn, e outro menino que ela não consegue ver quem é, porque o rosto está tapado pelas mãos dos demais. Os quatro meninos estão com pés na barriga um do outro, com a cabeça debaixo dos braços, amontoados como filhotes de cachorro. Isso significa que Rhun deve estar sozinho no quarto que antes dividia com Arthur e Brac.

Mair vai para a casa principal e se surpreende ao ver a porta aberta. Mas dois dos cães de caça da família Sayer estão esparramados na entrada, parecendo sombras peludas que roncam. Mairwen entra com cuidado, e Santa Branwen levanta sua cara barbuda.

– Pronto, Bran – diz ela, baixinho, e ouve o bater da cauda peluda do cachorro. O outro, Llew, esparrama as quatro pernas e treme de alívio, mas não se dá ao trabalho de levantar. *Ele confia em Branwen*, pensa Mair, coçando o pescoço da cadela e atrás das suas orelhas. E então passa por cima dos dois com cuidado, dando um único passo.

A casa está às escuras, até o borralho apagado, com cheiro de cinzas e cardo-santo. A menina para, dando tempo para os olhos se acostumarem à escuridão. Não será nada bom se esbarrar na ampla mesa ou tropeçar em uma banqueta. A cama de Nona e Rhun pai fica no andar de cima, porque Nona quis ficar com a vista do vale do segundo andar dias depois de ter chegado a Três Graces e não abre mão dela nem por conveniência nem por amor.

Nas paredes, há figuras dos santos de madeira, galhadas gloriosamente dentadas e um pequeno quadro de uma dama grandiosa que Nona trouxe consigo quando veio do mundo. Não há maços de ervas penduradas no teto para secar, mas diversos ganchos pesados com panelas e colheres de madeira. O chão de terra batida é coberto com algumas peles de animal, e os móveis que o avô de Rhun fez ficam entulhados, com suas proporções estranhas, porque ele raramente cortava ou esculpia a madeira em formas regulares. O braço de uma cadeira pode ser mais comprido do que o outro, mas sua curva é tão graciosa que seria um insulto aos santos cortá-la para ficar do mesmo tamanho. Os bancos são lisos e confortáveis, mas não são quadrados, nem mesmo redondos. No seu conjunto, Mairwen sempre achou aquela casa estranha e insólita, mas confortável. Consegue se imaginar vivendo ali dentro, quando se imagina vivendo entre quatro paredes.

A porta para o quarto de Rhun, nos fundos da casa, não passa de uma abertura retangular, com um pesado cobertor de lã pendurado. Mair passa os dedos pelo tecido áspero, que a arranha de leve, como se servisse de alerta. Levanta a lateral do cobertor e entra. Lá dentro, como a peça tem apenas duas janelas altas e estreitas na própria parede de pedra, ela mal consegue enxergar.

– Mairwen?

Mair escuta Rhun se movimentando no canto mais escuro do cômodo. Sombras se movimentam, e lá está ele, levantando da cama baixa.

– Rhun... – chama ela.

– O que você está fazendo aqui?

Mairwen dá os três passos que a separam dele. Levanta os olhos até seu rosto escondido pelas sombras. Apenas o brilho dos olhos e dos dentes estão visíveis. Em resposta, solta o xale quadrado, que escorrega pelos seus ombros, e desamarra o corpete. Respira fundo quando suas costelas se libertam da suave pressão e sacode o corpo para se livrar da peça. Desabotoa a cinta, depois tira a saia e fica parada vestindo apenas a túnica de lã e as meias, sentindo calor de repente, de tanta expectativa. Cruza os dedos e abre a boca para falar, porque tem plena consciência do tecido roçando em seus seios, do arrepiar de sua pele, de seus cabelos emaranhados e soltos, que pressionam o meio de suas costas, provocando-a. Sente um frio na barriga, e partes de seu corpo que normalmente ignora que existem ficam tensas. Tudo o que fez foi tirar a primeira camada de roupas.

Rhun não precisa de um convite mais explícito. Estica os braços e a pega pela cintura. Mair encosta no peito dele, e se dá conta que o rapaz está ainda menos vestido do que ela: apenas um par de ceroulas velhas, surradas, esfarrapadas e macias. Mairwen encosta na pele de Rhun e espalma as mãos em seu peito, arrastando-as por cima de seus mamilos escuros, até a barriga. Que é lisinha e macia, com uma camada de dádiva e saúde, rica como a terra. Ela afunda os dedos e encontra o músculo tenso e flexionado embaixo.

Rhun estremece e faz a mesma coisa com seus quadris, e os dois se apertam com muita força.

– A gente não devia.

– Tudo o que o melhor entre os rapazes faz está certo e é bom – provoca Mair, repetindo palavras que Rhun diz com frequência, inclinando a cabeça para receber um beijo. Os lábios dos dois se encostam de leve, roçando rapidamente. Rhun sacode a cabeça, afastando os quadris de Mairwen, mantendo-a a um braço de distância. E não diz nada.

Mair toca nos lábios dele, depois na cintura de novo, e aperta as mãos contra os quadris. Está com a boca seca; lambe os lábios, olhando em meio à escuridão, para o contorno da barriga de Rhun, para aquela faixa de pele que desaparece debaixo do laço de suas ceroulas.

– Deixe me dar isso a você, algo para guardar na memória, para saber exatamente por que precisa voltar para casa.

– Santa Maria mãe de Deus – suspira o rapaz.

Mairwen sorri, porque seu nome parece com o que ele invoca, e fica enrubescida. Sabe o que fazer. Sua mãe fez questão de que Mair conhecesse o próprio corpo assim que começou a sangrar. Desliza as mãos espalmadas em torno da cintura gasta da ceroula de Rhun, ele a segura de novo, a puxa para perto, a beija com fervor. Rhun segura as costelas de Mairwen, desliza as mãos por suas costas, pelos seus braços, pela sua cintura, seus quadris e sua bunda, em uma confusão de puxões desesperados. Mair suspira, joga a cabeça para trás, arqueia o corpo contra o dele. Rhun abraça sua cintura. Leva a outra mão ao seu peito e a deixa pairando ali, por incerteza ou por respeito.

Mairwen está imóvel, tranquila e muito mais calma do que acha que deveria estar.

– Rhun... sussurra.

O rapaz abafa uma resposta ininteligível, espalmando a mão contra o peito dela. Mairwen segura a nuca de Rhun, ficando na ponta dos pés, e pousa os lábios sob seu pescoço, que tem gosto de fumaça e de sal. Transformará esses beijos em amuleto: vida, morte, e bênçãos unindo as duas coisas.

– Pare, Mairwen. Espere. Pare – diz Rhun, ofegante, resistindo a ela com os punhos cerrados. – Não... posso... fazer... isso. – Ele suspira fundo entre uma palavra e outra, mas se obriga a dizê-las. – Não posso. Mair, precisamos... precisamos parar.

Mairwen o solta e se senta no colchão de palha. Depois de um bom tempo, declara:

– Nós não *precisamos* parar, Rhun.

– Precisamos, porque... – sussurra ele. Que é um pilar negro no meio do cômodo exíguo, com as mãos juntas, como se estivesse rezando.

Mairwen responde:

– Eu te amo. Nunca te disse isso, não é?

O rapaz está meio de costas, mas seus ombros se encolhem, e ele inclina a cabeça para a menina. Todo aquele seu cabelo de cachos miudinhos cai em volta de seu rosto.

– Eu também te amo, e muito.

– Então venha aqui. Venha aqui e... simplesmente *faça*.

Rhun se agacha, equilibrando-se com uma das mãos no chão de terra batida.

– Não é por sua causa, não é porque não quero... com você.

Mairwen sai da cama e se ajoelha ao lado dele. Rhun está com os olhos bem fechados, os lábios apertados. Mair declara:

– Arthur. Se ele estivesse aqui, você faria.

Rhun ergue os olhos castanhos e sacode os ombros, sem ter como negar.

– Ah, Rhun...

Os dois ficam ali em silêncio por um bom tempo. A frustração faz Mairwen se sentir frágil e à flor da pele. Por fim, ela diz:

– Vou embora.

– Não. – Rhun segura a mão dela. – Fique. Quero que fique. Mesmo que Arthur estivesse aqui... ai, meu Deus, eu gostaria que você ficasse. Os dois. Talvez haja algo de errado comigo. Talvez eu não seja o melhor.

O fato de Rhun admitir tal dúvida faz o coração de Mairwen gelar. A menina pisca, para conter as lágrimas que surgiram de repente. É tão imbecil, tão injusto ele ter que carregar esse peso por tanto tempo.

– Não deixe que Arthur Couch faça você duvidar de si mesmo, está me ouvindo? Ele é um imbecil. Ele tem tudo e despreza tudo porque tem medo. – Mairwen tira o cabelo enrolado do rosto de Rhun, segura os cachos em suas mãos, e os dois deitam no colchão de palha juntos.

Apoiado na parede áspera, Rhun puxa Mairwen para perto, põe o braço em volta dela. Mair fica brincando com as pontas dos dedos dele, calejados de tanto atirar flechas. E então Rhun fala, em meio à escuridão:

– Depois que tudo isso passar, você me promete que vai cuidar dele?

Mairwen sussurra, segurando a mão de Rhun:

– Quem vai cuidar é você, porque vai sobreviver.

– Mair...

Rhun encosta a cabeça na cabeça de Mairwen.

– Arthur sabe se cuidar sozinho.

– Prometa.

– Prometa que vai sobreviver.

Rhun solta um suspiro. Fecha os olhos.

Mair passa o dedo em seu nariz aquilino.

– Se sobreviver, eu me caso com Arthur para prendê-lo aqui. E você pode ir morar conosco, porque sou bruxa, e você, santo, e podemos fazer tudo o quisermos, e então pode passar o resto da vida seduzindo Arthur. Vamos brigar o tempo todo, mas seremos felizes.

Uma risada borbulha na garganta de Rhun e estoura, leve e alegre.

– E nunca vamos saber quem é o pai dos seus filhos, o que nos tornará ainda mais unidos.

– Ah, saberemos, sim – debocha Mairwen. – Os seus não me causarão nenhuma dor, e Arthur terá apenas filhas com corações tão ardentes que vão me queimar o tempo todo enquanto estiverem na minha barriga.

Rhun beija Mairwen, devagar e de leve, depois beija o nariz dela e suas pálpebras.

– Você deveria fazer isso mesmo que eu não sobreviva.

Mairwen sente os olhos se encherem de lágrimas de novo, lágrimas de raiva, por não saber o que fazer para convencê-lo de que não pode entrar naquela floresta já contando que vai morrer. Rhun encosta o nariz no pescoço dela, respirando devagar, fundo e raso, encostado em sua clavícula. O ar desliza por baixo da túnica dela, por cima dos seus seios, e Mair limpa a garganta delicadamente. E seu tom de voz normal, apesar de mais baixo, diz:

– Eu queria poder entrar lá com você.

Rhun apenas ri baixinho e sussurra o nome da amiga.

A ÚLTIMA NOITE

Arthur acorda quando o sol nasce, deitado em seu catre, no quarto que fica no celeiro da residência do clã Sayer. É uma meia-peça pequena, dividida por velhos troncos de árvore e móveis inacabados, feitos pelo avô de Rhun. Tem uma janela quadrada que se abre na parte da frente, mais para a direita, mas os altos pinheiros deste lado da montanha bloqueiam quase todos os raios de sol, com exceção dos mais determinados. Além de suas armas, Arthur tem muito pouco em termos de pertences pessoais.

Ainda grogue por ter passado quase a noite inteira acordado com os outros potenciais corredores, o rapaz boceja e esfrega os ombros. Estavam bem-humorados demais para o seu gosto, todos aceitando o destino – ou, melhor dizendo, a falta de destino. Rhun será o santo.

"Será que é sempre tão óbvio?", pergunta-se Arthur. Será que todos sabiam, três anos atrás, que John Upjohn seria o corredor? Será que sabiam que seria Baeddan Sayer, há dez anos? Ele dirige seus pensamentos para o futuro, para os meninos que serão adolescentes dentro de sete anos. Será que consegue adivinhar?

Não. Arthur não faz a menor ideia.

Sentindo fome, atira o edredom para o lado e coloca uma túnica limpa, calça as botas e depois veste um blusão leve de tricô, que fora de Rhun pai. Desce as escadas em silêncio, até chegar ao seu casaco comprido de couro, que usa para caçar, e então passa por cima dos primos do clã Sayer e um dos irmãos do clã Argall – Per, acha que é –, que o seguiram até ali na noite anterior. Já fora do celeiro, pega o balde do poço, o pendura na corda, e o atira lá embaixo. A água está fria, mas ainda não está gelada, e refresca seu rosto. Arthur passa os dedos molhados no cabelo, sacode a cabeça e joga o balde de novo para pegar água e levar para Nona Sayer, na casa principal.

A porta está entreaberta, e ele termina de abri-la com um chute. Santa Branwen funga na sua cintura e Llew espicha as pernas compridas, ficando bem no caminho.

Nona diz:

– Obrigada pela água. Tome um pão. – E troca com ele o balde por uma fatia de pão quente. – Também temos manteiga hoje. E presunto.

Arthur agradece e espalha bastante manteiga no pão. Senta-se em uma das banquetas de três pernas precárias enquanto Nona derrama a água que ele trouxe no caldeirão sobre o fogo.

– Rhun já acordou? – pergunta ele, baixinho.

– Não. – A expressão de reprovação dos lábios dela sugere para Arthur que Nona está menos feliz com o destino do filho do que já deixou transparecer.

– Eu... – Arthur começa a dizer, mas não sabe como mostrar para Nona o que existe em seu coração.

Isso jamais foi necessário: Nona o acolheu quando sua mãe foi embora e seu pai não podia suportar olhar para ele. A mulher o trata com rigor, mas também com bondade, e não espera receber nada em troca. É isso que Nona diz. Com tanta frequência que Arthur acredita.

A mulher encara o filho adotivo, examinando-o cuidadosamente, por tanto tempo que Arthur termina de tomar o café da manhã sob seu olhar. Ela é bela e alta, tem a mesma pele dourada e os mesmos olhos de Rhun, mas os seus são marcados pelo desgosto, como se o mundo fosse sempre desapontá-la. Provavelmente, é por isso que Arthur costuma se sentir relaxado perto de Nona, porque também sente a mesma coisa.

Ela diz:

– Fico feliz porque só tenho que me preocupar com um dos meus filhos esta noite.

Arthur fica com raiva em vez de se emocionar e levanta:

– Você tem tanta certeza assim de qual dos dois?

Fazendo sinal para ele baixar a voz, Nona responde:

– Não.

Isso atordoa Arthur, que cruza os braços sob o peito.

– Você acha que pode ser eu?

– Duvido, em um lugar como Três Graces. No mundo lá fora, contudo, você seria o escolhido.

– Por quê?

– O mundo lá fora valoriza a ambição e esse seu fogo.

– Mas não você, pois escolheu este lugar, depois de ter conhecido os dois mundos.

Nona dá aquele seu sorriso objetivo, pragmático.

– É um lugar muito bom, Arthur.

– Não, não é. Que tipo de lugar bom pega seu melhor cidadão e o joga fora?

– Nós não jogamos ninguém fora. É um sacrifício. Um sacrifício difícil, e não ouse pensar o contrário. Não há nenhum poder em jogar algo fora, apenas em abrir mão.

Arthur se encolhe.

– Como pode fazer isso? Como pode simplesmente deixar que isso aconteça com Rhun?

A mulher mais velha olha para baixo, para ele.

– Esse é um costume melhor do que os costumes do mundo lá fora.

– Como? – Arthur ouve a dor em sua própria voz, estridente de súplica.

Nona suspira tão fundo que seria capaz de derrubar uma casa de palha.

– No mundo lá fora, Arthur, as coisas ruins nos pegam de surpresa. Batem à nossa porta quando estamos fazendo o jantar, batem à nossa porta quando estamos dormindo ou, às vezes, nem sequer batem. A gente fica preocupada o tempo todo. Se eu tivesse criado meus filhos nesse mundo, esse perigo poderia ter encontrado Rhun há anos. Ou, se ele tivesse sobrevivido até aqui, poderia encontrá-lo a qualquer momento no futuro. Mas, aqui em Três Graces, escancaramos a porta e dizemos: "hoje é o dia, problema. É a sua única chance". – Ela segura o rosto lívido de Arthur com as duas mãos e completa: – O pavor que sentimos hoje é difícil, mas o alívio será muito melhor. Prefiro ter meu encontro com o demônio já agendado.

Arthur sente que o fogo dentro dele se acalma – não, não se acalma, mas se assenta, bem lá no fundo, como as brasas mais quentes se assentam no coração de um tronco. Aquilo faz sentido para o rapaz, em um nível profundo, escolher tal coisa. Convidar os problemas a se manifestarem quando se está preparado. Arthur está preparado para eles.

Mas ninguém mais é capaz de enxergar isso.

Nona passa os dedos nas têmporas do seu quase-filho genioso, e então desliza as mãos pelo rosto.

– Vá lá para fora, rapaz, e eu peço para o Rhun ir logo, logo.

Ele obedece.

A AURORA PASSA, E NEM MAIRWEN NEM RHUN ACORDAM, TENDO finalmente caído no primeiro sono de verdade, pesado e forte, que os dois tiveram em dias. Mair acorda primeiro e de supetão.

Alguma coisa na cozinha a arrancou de seus sonhos tranquilos. O colchão faz barulho quando ela muda de posição, e a menina pisca para se acostumar com a luz do sol radiante. Estica o braço lentamente em volta do peito de Rhun, flexiona os dedos dos pés, alonga o pescoço e se aninha nele. A respiração de Rhun faz o cabelo do alto da sua cabeça se mexer, e um dos braços dele abraça sua cintura, preso debaixo do corpo de Mair.

A menina pousa a mão no coração do rapaz. Alguns pelos pretos e encaracolados acentuam o contorno dos músculos, e ela os acompanha com o dedo, indo da clavícula até a barriga. Rhun aperta a mão em volta da cintura de Mair, e ela para de se mexer, levanta o olhar, até o rosto do rapaz, ainda adormecido. Os raios de sol douram os cílios curtos de Rhun, e uma dor causada pelo medo lhe dá um aperto no estômago.

Mairwen tenta engolir o medo o melhor que pode e olha em volta. As paredes têm cobertores de lã pendurados, para aplacar o vento que passa pelas pedras antigas. Seus tons de creme e cinza iluminam todo o cômodo. Rhun amarrou talismãs e amuletos de osso em um deles, na parede da direita. Um baú no canto guarda as poucas roupas que Rhun tem além do gibão de couro e do capuz de caçador, pendurados em uma banqueta. O machado está apoiado no baú. O arco e flecha, assim como diversas outras flechas desmontadas, no chão, incluindo três penas brancas que ela lhe trouxe, arrancadas do corpo de um cisne, no abatedouro.

Os raios de sol, que passam pelas estreitas janelas dos fundos do quarto, deixam tudo claro. Mairwen leva um susto e se agarra a Rhun, que acorda instantaneamente.

– Mair? – diz ele, com a voz rouca.

– Está *tarde* – sussurra ela.

Bem nessa hora, o pesado cobertor pendurado na porta do quarto da porta de Rhun é posto para o lado. A mãe dele está parada ali, com os braços abertos, em um gesto majestoso, um olhar duro que transforma todo o seu rosto.

– Crianças imbecis! Você está atrasado, Rhun. Levante. Arthur está esperando lá fora, para ir com você. E você... – Nona dirige o olhar para o corpo seminu de Mairwen – ...estão aguardando você na casa de sua mãe, para bordar a túnica do santo, com todas nós.

Dito isso, Nona Sayer vai embora. O cobertor cai, ruidosamente, quando ela passa.

Rhun rola para fora da cama, apressado. Mair pega a ponta do cobertor e a enfia, assim como as próprias mãos, debaixo do queixo. Enquanto o rapaz tira as ceroulas, ela fica olhando, com os lábios entreabertos, para os contornos compridos de seu corpo. Rhun, nu como um bebê, abre o baú e remexe lá dentro. Tira de lá um pedaço de pano.

– Sei que vou receber a túnica do santo esta tarde, mas deveria usar roupa de baixo limpa para correr, não acha?

Mairwen tenta dar um sorriso, apesar de zombar do amigo ser a última coisa que ela gostaria de fazer naquele dia.

– Você chama isso de limpo? Essa coisa toda embolada, dentro do seu baú?

Rhun dá risada, um riso leve como o sol. Mair também tem vontade de se livrar do peso que oprime seu peito. Quando o rapaz levanta, olhando para Mairwen, completamente nu, da cabeça aos pés, é ela que fica sem voz. O rapaz veste as ceroulas de lã, uma perna por vez, sorrindo para Mair, com esperança, e se endireita, amarrando a peça bem apertado na cintura.

Mairwen sai da cama e se ajoelha diante de Rhun. Amarra as ceroulas macias nos joelhos dele, passando os dedos nas suas panturrilhas. Quando termina de amarrar, olha para cima, apoiada nos calcanhares. Dá um sorriso franco e sincero, transmitindo todas as bênçãos que consegue reunir. Sem nenhum sinal das sombras que existem dentro dela, nenhum sinal de suas dúvidas.

– Vou ajudá-lo a pôr as meias e o restante da roupa também.

Juntos, os dois vestem Rhun, e o coração de Mair bate menos acelerado, entrando no ritmo de Três Graces: a Lua do Abate, o pacto, a Árvore de Osso e Rhun Sayer.

Rhun pega a saia de Mairwen e a abre para ela vestir, depois a abotoa. A menina veste o corpete, mas deixa a frente aberta, porque não encontra as fitas para amarrá-lo. Rhun passa o xale pelos ombros dela, encontra suas botas e a ajuda a calçá-las.

Da cozinha, Nona Sayer berra:

– Saiam daí, vocês dois, já!

Mas Rhun pega na mão de Mairwen e pergunta:

– Quando o santo vier lhe tirar para dançar hoje à noite, vai aceitar?

– Você sabe que vou – responde ela.

Dito isso, Mair fecha o xale em cima do peito seminu e sai de fininho do quarto, desejando poder se tornar santa no lugar de Rhun.

Nona está debruçada sobre a mesa desnivelada da cozinha, de sobrancelhas levantadas, na expectativa. Mairwen acha que deveria contar para Nona que seu filho foi bom e não desobedeceu nenhuma regra, mesmo atiçado por uma filha de santo, mas apenas se mantém de cabeça erguida.

– Bom dia – diz, seca, já indo embora.

Nona Sayer bufa, e diz:

– Encontro com você no caminho, menina.

Mairwen se encolhe por causa da luz forte do sol, sai da casa e fica parada, olhando para o declive do quintal, que termina na densa floresta da montanha. Não consegue ver o vale dali – para isso, é preciso estar no disputado segundo andar –, mas as árvores da montanha são coloridas o bastante, cheias de folhas com tons de pedras preciosas e sombras que se agitam. Lá em cima, o céu é de um azul perfeito, com nuvens transparentes. O clima está quase ameno, para um dia do auge do outono.

Vários passos mais à frente, Arthur se senta na grama. Folhas ficam grudadas em seu cabelo loiro e espetado. Sua expressão de surpresa se forma ao vê-la, e ele levantar devagar.

– O que está fazendo aqui?

Mairwen aperta o xale ao redor do corpo, aperta os dentes e responde:

– O que você acha?

– Vestida desse jeito... – Arthur pronuncia cada palavra com raiva.

– Ficou com ciúmes? – pergunta Mair.

Arthur entreabre os lábios e fica olhando para ela como se Mairwen estivesse ao mesmo tempo completamente certa e completamente errada. A menina passa pelo rapaz e começa a descer pela trilha.

– Como foi capaz de fazer isso? – grita Arthur, como se tivesse algum direito sobre ela.

Mairwen vira para trás e fala:

– Eu só estava lembrando Rhun que ele tem por quem lutar, Arthur Couch!

Em vez de gritar com Mairwen ou dar uma risadinha de desdém, como ela esperava, quando jogou aquelas palavras na cara de Arthur, o jovem apenas balança a cabeça devagar, feito um pássaro.

A irritação que Mairwen sentia se esvai, e ela morde o lábio. Mas não tem mais nada a dizer. Por isso, vira de novo e vai pisando firme nas folhas caídas.

Uma mão a segura pelo braço e a vira. Os olhos inquietos de Arthur a fuzilam.

– Só que ele não fez nada, não é? *Eu* teria feito.

Mair dá de ombros e responde:

– Isso só prova o que nós dois já sabemos a respeito da diferença entre *você* e Rhun Sayer.

– E entre você e Rhun Sayer – retruca Arthur.

O sangue de Mair ferve, e suas bochechas ficam vermelhas, como se Arthur a tivesse contaminado com aquela úlcera ardente.

– Tudo bem. Sim – resmunga ela. – Nem eu nem você somos bons quanto Rhun, nem eu nem você somos tão nobres e comprometidos com o que Três Graces promete. É isso o que quer ouvir? *Não faz diferença*. É ele que vai se embrenhar na floresta, que vai encarar o demônio. Os homens vão escolhê-lo porque Rhun é tudo o que um santo desta cidade deve ser: corajoso, forte, bondoso, generoso, amigo! Nobre e inocente e não está sempre bravo e em dúvida, como nós. É assim que deve ser. Se nós não o amássemos, não seria um sacrifício. – Mairwen se desvencilha de Arthur e completa: – E você, trate de colocar um sorriso nessa sua cara mal-humorada, e não permita que Rhun veja nada além disso. Ele não precisa de sua frustração, de suas dúvidas nem de seu desprezo. Está me entendendo?

– Sim – murmura Arthur. Que afasta sua mão de Mair e completa: – Entendo perfeitamente.

– Que bom. Porque Rhun ama você e, se ele duvidar que tem motivos para sobreviver a esta noite, a culpa será toda sua.

Desta vez, quando Mair se vira para ir embora, Arthur não a impede.

A pulsação acelerada da menina a faz ir para casa depressa, e Nona Sayer não tem a chance de a encontrar no caminho, afinal de contas.

A MÃE DE RHUN OFERECE PARA O FILHO UMA GROSSA FATIA DE pão coberta de manteiga, com tiras de presunto frito por cima.

– Tome. Coma tudo. Vai precisar. – Nona o observa dar a primeira enorme mordida. – Preciso ir para a residência do clã Grace – diz ela, enquanto o filho engole. – Eu te amo. Vejo você... amanhã de manhã.

Antes de dar outra mordida, Rhun equilibra o pão na beirada da mesa e dá um abraço em Nona. Esta pode ser sua última chance. Ela também o abraça, com intensidade. Mas, como nenhum dos dois diz nada, Nona se desvencilha e vai embora.

Mastigando bem devagar para saborear o café da manhã, Rhun tira a aljava do ombro e verifica que está com o arco pendurado nas costas e a faca comprida amarrada à coxa. O cabo da faca é feito de um osso amarelado, liso e quente.

Quando sai de casa, Rhun respira fundo e vai ao encontro de Arthur, parado no meio do quintal. O céu azul, o clima mais quente do que o esperado, e todas as árvores balançam suas folhas para ele. É um lindo último dia.

É claro que não deveria pensar assim, mas não se esforça muito para impedir esses pensamentos. Se é que aprendeu alguma coisa a respeito de si mesmo, é que precisa se concentrar no momento presente para poder apreciá-lo de verdade. Por que fingir que pode desfrutar de mais belos dias de outono se pode se entregar ao que seu destino promete e amar este agora com mais propriedade?

Arthur pergunta:

– Você acha que este lugar seria mais bonito se chovesse mais? Se tivéssemos tempo ruim para comparar com o tempo bom?

Rhun dá risada e responde:

– Não. Chove exatamente o quanto deve chover.

Arthur lança um olhar bravo, e se dirige à trilha que leva ao alto da montanha. Mas, até aí, os olhares de Arthur quase sempre são bravos e não têm o poder de estragar o bom humor de Rhun, que se sente vencedor. Ele vai cantarolando atrás do amigo, dando passos mais largos do que o necessário, até ficar bem na frente de Arthur, virar para trás e sorrir.

– Mais rápido, homem!

Arthur questiona:

– Para quê?

– Eu quero ser... eu... – Rhun espera o amigo alcançá-lo. – Estou feliz por poder passar este dia com você – completa.

– Ah.

Arthur vira o rosto quando o alcança. Arregala os olhos, de surpresa e pânico, ao enxergar as árvores ao redor dos dois, com folhas douradas e o estreito caminho por onde passam os cervos.

Rhun se dá conta de que foi exatamente naquele lugar que beijou Arthur, três anos atrás. O medo dá um aperto no estômago, e ele engole em seco. Abre a boca, mas não sai nada que possa melhorar a situação.

– Estou bem – diz Arthur, seco. Não quer olhar nos olhos de Rhun, mas de repente olha: a expressão nos olhos azuis de Arthur é tão intensa que Rhun encolhe os dedos dos pés. – Eu correria no seu lugar. Deixe-me fazer isso por você.

Rhun pensa: *Esta pode ser a última vez que ficamos a sós. A última vez que tenho a oportunidade de lhe dizer alguma coisa.* Mas então se dá conta do que Arthur acabou de dizer. "Deixe-me fazer isso por você."

– Não pode fazer isso por mim – declara Rhun. – Isso me pertence.

Arthur começa a retorcer os lábios, e Rhun dá um pulo para a frente.

– Eu não quis dizer que não é capaz. Quis dizer que não vou permitir. Não vou permitir que morra no meu lugar.

– E você pode morrer no meu lugar? – sussurra Arthur.

Sua expressão está tão desolada que Rhun precisa de todas as forças para não encostar no amigo. O seu amigo belo, frenético, frágil. Todo o desejo que Mair lhe despertou na noite anterior e nesta manhã quase o derruba: só quer esticar o braço e tomar algo de Arthur para si.

– Eu vou correr, não morrer – diz Rhun.

Arthur se encolhe, mas de um modo elegante. Seu cabelo picotado reflete toda a luz da manhã, arde como o próprio sol. Ele estica a mão de supetão e, antes que Rhun possa se preparar, coloca a mão no seu ombro. É sempre o contrário: é Rhun que toca em Arthur, nunca é daquela maneira, por livre e espontânea vontade de Arthur.

– Não quero que morra – declara Arthur. – Eu... eu não sei o que eu faria se isso acontecesse.

– Eu também não quero.

Rhun coloca sua mão em cima da mão de Arthur, esperando mais, e feliz com isso.

– Que bom. Então... – Arthur tira a mão, mas não se afasta. Cerra os dentes e olha Rhun nos olhos. – É melhor subirmos.

– Sim – concorda Rhun.

E dá um sorriso, sem mais tentar esconder seu coração. Aquilo é perfeito. Aquilo foi perfeito. Ele sorri e cantarola sozinho, ignorando a risada de deboche simpática, típica de Arthur. Sente-se tão leve, tão aberto, todo o peso do medo e da perda dos quatro anos que deveria ter se foi. Toda a ansiedade por algo ter mudado se derreteu. Rhun Sayer sobe a montanha ao lado de seu melhor amigo, sabendo que cumpriu o voto que fez a si mesmo e a seu primo-santo Baeddan: amar tudo o que tem.

MAIRWEN CHEGA EM CASA TENDO UM ATAQUE DE RAIVA. A cada poucos metros para, abaixa e arranca capim da terra e joga pelos ares com todas as suas forças. Quando sua casa entra em seu campo de visão, respira fundo, ofegante, e tenta se acalmar. Há fumaça subindo, no quintal, e todas as janelas estão escancaradas. Aproxima-se, segurando o xale ainda mais fechado em cima dos seios, e uma onda de risadas femininas a faz lembrar que terá público, porque todas as mulheres já estão reunidas para benzer a túnica do santo.

Ela entra pelo canto da frente mais à direita, caminhando de cabeça erguida ao longo da mureta, dirigindo-se aos arbustos de groselha. Mais de uma dúzia de mulheres estão sentadas em círculo, em volta da fogueira de sua mãe, em cadeiras e banquetas, que trouxeram de casa ou tiraram da casa de Mairwen. Passam três garrafas de vinho umas para as outras, trançando amuletos de fita e tagarelando, entusiasmadas. Martha Parry é quem está com a túnica do santo no colo: tecida com a melhor lã cinza, com costuras perfeitas, já trazendo as marcas das diversas mulheres, na forma de flores bordadas, pequenos círculos, espirais e raios de todas as cores de fios que existem em Três Graces. A maioria se concentra no peito, que ficará sobre o coração de Rhun, mas algumas se espalham formando curvas, feito um arco-íris, por uma das mangas.

A conversa para quando Mairwen chega ali, ao lado do emaranhado de arbustos de groselha. Sua mãe, que estava sentada entre Beth Pugh e sua irmã, Hetty, levanta. Hetty abre a boca, dando um sorriso lento ao cruzar o olhar com Mairwen, e passa a mão no cabelo negro. Mair faz a mesma coisa no seu, mais emaranhado do que o costume, sem perceber. Haf fica olhando para ela de olhos arregalados. Aderyn faz sinal para a filha chegar mais perto, e Mairwen se afasta dos arbustos e se aproxima do portão com toda a dignidade que uma menina de dezesseis anos seminua pode ter, ao ser pega em flagrante diante da mãe, das tias e das primas.

Hetty Pugh bufa bem alto e diz:

– Sua preguiçosa, perdeu o café da manhã.

A língua de Mairwen a atraiçoa quando ela para ao lado da fogueira, bem no meio do círculo de mulheres. Mair deixa o xale cair no chão e grita:

– É a única coisa que tenho permissão para fazer! Por ele. Já que não posso me embrenhar na floresta!

As meninas mais novas suspiram de surpresa, boquiabertas, sentadas em cima de cobertores espalhados na grama. Todas estão ali pela primeira vez para benzer a túnica de um santo. As mulheres mais velhas estão em choque, achando graça, e umas até aprovam a atitude – *era mesmo a última oportunidade do santo*, algumas devem estar pensando. Os olhos afiados da mãe de Mairwen estão tomados pela preocupação. Hetty Pugh dá uma risada alta e alegre, e Haf solta uma risadinha, tapando a boca com a mão, depois murmura o nome de Mairwen.

– A túnica vai ajudar – diz Aderyn.

– Isso não basta – retruca Mairwen.

– Entre comigo e vá ficar apresentável – diz Aderyn, mais ríspida do que a maioria daquelas pessoas está acostumada a ver. Ela levanta e entra na choupana. Mairwen vai atrás da mãe – precisa de fitas novas para o corpete, afinal de contas –, mas olha para trás, surpresa, por Hetty também entrar. Mairwen quase esbarra na mãe, parada no meio do piso térreo.

– Hetty, por favor, feche a porta – pede Aderyn, e Hetty obedece.

As duas mulheres ficam olhando Mairwen de cima a baixo. Mair sente o olhar gelado das duas como se fosse a pressão de dedos em seu pescoço, braços e peito.

É Hetty quem fala primeiro:

– Você está assustando a menina, Addie.

Aderyn aperta os lábios e retruca:

– É preciso bem mais do que isso para assustar minha filha.

Mairwen explica:

– Eu queria que Rhun soubesse que é amado. Queria que enxergasse meu coração. Amarrá-lo aqui, para que volte.

As duas mulheres mais velhas se entreolham, e Hetty diz:

– Para que o coração dele não possa ser amarrado à floresta.

Aderyn completa:

– Esse tipo de magia é perigoso.

Mair mal consegue se segurar, de tanta vontade de sacudir os braços.

– Qual? Amar um rapaz? Amarrar nossos corações? Sexo não tem nada de perigoso.

Sua mãe solta um gemido irritado. Hetty fala:

– Acho que a sua mãe não está preparada para ser avó.

– Eu não quero que Rhun morra – sussurra Mairwen. – Ele é tão bom e precisamos dele aqui. Quero que Rhun envelheça junto comigo.

Aderyn explica:

– O que é que imaginava até agora? Nós sabíamos, a maioria de nós, pelo menos, há anos, que Rhun se tornaria santo quando chegasse a vez dele, o rapaz conhece tão bem o seu coração e nunca escondeu de ninguém que acredita que seguiria o exemplo do primo. Você nunca pensou que seria obrigada a encarar este momento?

– Uma hora ou outra, eu... – Mairwen sacode a cabeça. – Eu ainda tinha quatro anos. Não precisava me preocupar ainda. É cedo demais! O pacto foi rompido ou existe alguma trapaça, e isso não vale a vida de Rhun.

– Você jamais questionou a validade do pacto – diz Hetty. – Enquanto não ameaçava o rapaz que ama.

Mair morde o lábio, apertando a pele com tanta força que chega a doer. Senta-se em uma cadeira.

– Você tem razão, sinto com mais força agora, mas não deveria sentir?

Aderyn solta um suspiro e ajoelha ao lado da filha.

– É verdade. Quando Carey Morgan morreu, a beleza do vale perdeu um pouco de seu encanto para mim. E, quando Rhun morrer, você carregará isso. Sentirá dor a cada primavera, quando as flores desabrocham, formando arco-íris em nossas montanhas. Quando sentir o gosto da carne do ano ou da cerveja. Vai sentir a dor, e essa dor tornará tudo mais claro. É isso que o pacto é: morte em troca de vida, um sacrifício que torna tudo mais doce e claro. Sem ele, como poderíamos dar valor ao que temos? Amamos nosso santo, e ele corre por nós, e todos aqui sabem exatamente o quanto a vida é preciosa, assim como o próprio amor. Todo mundo morre, Mairwen, mas os santos de Três Graces não morrem em vão.

Mair agarra os próprios joelhos, amassando o tecido das saias: não vai permitir que as duas a dissuadam.

– Então por que motivo a lua veio antes da hora? O que fizemos de errado com John Upjohn? Ele foi santo e correu. Sobreviveu. Cumprimos as exigências do pacto, não cumprimos?

– Até onde sabemos, sim – responde Aderyn, ficando de pé. – Você tomou café? Sobraram algumas tortinhas.

– Como pode não estar curiosa? O demônio nos deve uma explicação.

Hetty dá uma bufada, mas Aderyn franze bem o cenho.

– Primeiro, precisamos coroar um santo e fazer a nossa parte, senão o bebê de Rhos *vai* morrer. Depois disso, podemos tentar entender.

Mairwen cerra o punho e pressiona seus olhos com ele. Não quer que o bebê de Rhos morra, mas também não pode concordar que Rhun desperdice sua vida se há algo de errado com o pacto. Como não são capazes de enxergar?

– Preciso fazer alguma coisa. Não consegue sentir? Alguma coisa mudou, e não devíamos ignorar.

A bruxa do clã Grace retorce os lábios, em uma expressão quase de desespero.

Mairwen levanta de um pulo, faz que vai segurar as mãos da mãe, mas desiste e respira fundo para mostrar que consegue ficar calma. Isso suaviza a dor na expressão de Aderyn. Ela diz:

– Você sabe fazer feitiços.

– Sim – concorda Mairwen, tentando não parecer muito entusiasmada.

– Vida, morte, e bênçãos unindo as duas coisas? Esse é o segredo.

– Sempre o equilíbrio entre três partes.

Hetty também levanta, e as três formam um triângulo, bem íntimo. Mas a mulher não diz nada, porque já sabe, suspeita Mairwen.

– O pacto é um feitiço, mas um feitiço muito poderoso. Vida, morte, e bênçãos unindo as duas coisas.

Mairwen consegue entender.

– Vida no vale, morte na floresta e... nós somos as bênçãos que unem as duas coisas. As bruxas do clã Grace.

Aderyn pousa a mão no rosto de Mair, com os olhos tristes.

– A nossa linhagem, os nossos corações, oferecidos originalmente pela Grace mais nova, cujo amor e sacrifício deu início a tudo. Nós amarramos o santo. Nós o ungimos com sangue. As bruxas do clã Grace.

Mair sempre se sentiu dividida, sempre foi atraída por aquela fronteira de sombras, porque seu sangue sempre esteve amarrado à floresta. É tão simples. Só que...

– O santo nem sempre morre. Nem sempre há morte na floresta, apesar de que, nas quatro últimas vezes, o pacto sempre foi cumprido como esperado, pelos sete anos prometidos.

– Qual foi o último feitiço que fez, meu passarinho?

– Um talismã de cura para o cavalo doente.

– E com o que você fez?

– Com a crina dele, ainda viva, uma costela de raposa, meu canto e meu sopro.

– Nada morreu por aquela morte. Era apenas um pedaço de morte, uma promessa. – Aderyn dá um sorriso sombrio.

– Entendo – diz Mairwen, quase com sinceridade.

– O santo deve optar pela morte, mas não precisa morrer de verdade. Só que você não pode dizer isso para Rhun Sayer.

– Por quê?

Hetty tira o cabelo dos olhos mais uma vez e ergue uma das sobrancelhas.

– Se um santo sabe que não precisa morrer, como pode optar pela morte? Isso representa um paradoxo.

Mairwen não tem nada a dizer, apenas uma névoa de pensamentos.

– Você precisa comer – diz a mãe da menina, indo até o cesto de pão pendurado em um gancho, perto do borralho. Tira dele uma tortinha tão perfeita que só pode ter sido feita por Bree Lewis.

– Deixe eu fazer o feitiço – pede Mairwen. – Quero ungir a túnica do santo com o meu sangue e subir a montanha para coroá-lo. Esse é o ritual. É isso que as bruxas fazem. Então deixe que eu seja essa bruxa!

Aderyn fica parada com a tortinha na mão. Esse tem sido o seu dever desde que sua própria mãe passou a tarefa para ela. Olha para Hetty, que dá de ombros.

– Espere – diz Aderyn e vai para o quarto.

Hetty Pugh se aproxima da mesa da cozinha de Aderyn e começa a mexer em uma fileira de tigelas espalhadas, cheias de água, para macerar ervas. Afunda o dedo em uma, onde boiam pétalas de rosas enrugadas e leva o dedo à boca. Mairwen fica inquieta.

Sua mãe abre a cortina que separa o quarto do restante da casa e aparece com um amontoado de tecido azul e cor de creme dobrado por cima do braço.

Um vestido.

Mairwen leva a mão à boca, para aquietar a onda de esperança que sente.

Aderyn desdobra o vestido, dando um pedaço para Hetty segurar. Tem um corpete comprido e uma sobressaia tingida de índigo. Hetty abre os braços para mostrar a macia combinação de linho, bordada nos punhos e na bainha com delicados cipós verdes, que Mair reconhece terem sido feitos pela própria mãe. O corpete tem sobremangas amarradas, com recortes para deixar à mostra faixas de seda não tingida.

É refinado demais, belo demais.

– Mãe... – suspira a menina.

– Comecei a fazer na última primavera – diz Aderyn, sem emoção, tirando a poeira invisível da saia de lã fina. – Também tem meias, fitas e um cinto cor de creme. Um xale novo que Hetty e Beth teceram. Estava esperando chegarem umas botas finas que o lorde Vaughn me ajudou a mandar fazer na cidade, mas você cresceu tanto nos últimos meses que mal cabe em si. – Aderyn aperta os lábios por um instante, olhando para o corpete desamarrado da filha. – É um vestido adequado para uma bruxa.

Mairwen abraça a mãe, amassando o vestido entre as duas.

As duas mulheres a ajudam a tirar as roupas velhas. Hetty traz a tigela de água de rosas e derrama nas costas desnudas de Mair, enquanto Aderyn pega um pedaço de sabão de cardo-santo e a esfrega. Mair fica apenas parada, com os braços levantados, segurando o pesado cabelo para tirá-lo do pescoço, e assimila tudo aquilo, com ondas de frio e calor, envergonhada e emocionada por ter a mãe e Hetty dando banho *nela*, como se a menina fosse bruxa, igual às duas. Fecha os olhos e sussurra o nome de Haf. Hetty vai até a porta e chama a menina do clã Lewis, e volta abraçada com Haf, que não faz nenhuma pergunta, mas aperta as mãos de Mairwen enquanto segura as tigelas cheias de água e de óleo. As mulheres trançam e prendem o cabelo de Mair em um coque. Limpam suas unhas e a parte de trás de seus joelhos, seus cotovelos, quadris e orelhas, e até os pés, depois esfregam um óleo, cujo cheiro Mair não reconhece, em sua pele. Os dedos firmes das mulheres massageiam os músculos de Mairwen e a acalmam, até que ela balança a cabeça, apesar do vento frio e de sua postura rígida, parada ali, de braços para cima, no meio da casa de sua mãe.

Quando terminam de dar banho nela, colocam a combinação nova, as meias, o corpete e a sobressaia. Amarram suas mangas, e o xale novo, preso à cintura, é da lã cor de creme mais macia que já viu. Hetty coloca uma faixa feita com seu próprio cabelo e o de Aderyn trançados em volta da cintura de Mairwen e sussurra uma benção. Aderyn dá um beijo na filha e sussurra:

– Toda a minha força é a sua força. Você é tudo o que sou.

E então Aderyn Grace e Hetty Pugh deixam as duas meninas sozinhas na cozinha ensolarada. Aderyn para por um instante antes de fechar a porta da casa.

– Venha aqui fora benzer a túnica quando estiver preparada, filha.

Mairwen respira calmamente. Sente o aroma do cardo, das rosas, do cipreste-de-verão e da sálvia pungente. Sua pele fica arrepiada. Anseia por encontrar Rhun e mostrar para ele que Hetty e Aderyn fizeram dela uma bruxa do clã Grace para aquela Lua do Abate. É uma sensação que a faz sentir quase poderosa.

Haf segura as duas mãos de Mairwen e sacode sua cabeça, deslumbrada.

– Mairwen, você está linda. Parece tão... preparada.

– Espero que seja assim que Rhun se sinta quando os homens terminarem o que têm para fazer com ele – murmura, puxando a amiga mais para perto. Mair abraça Haf, encostando o rosto no cabelo negro e macio da amiga. Assim, Haf não pode enxergar seu rosto nem a tensão que repuxa seus olhos. – Quando eu colocar a túnica em Rhun e posicionar a cabeça de santo de cavalo em cima da sua, como se fosse uma coroa, torço para que ele sinta toda a força dessas duas coisas o apoiando.

Haf a abraça mais apertado e diz:

– Espero que seja o bastante.

– Rhun fala que está pronto, Haf. Se eu fizer o feitiço... ele consegue. Consegue se entregar e também sobreviver.

E aí, se ele tiver que ir embora do vale, irei com ele. E Arthur também, pensa.

Mas Haf completa:

– Eu quis dizer o bastante para *você*.

– Eu te amo, Haf Lewis.

Mair quer declarar o seu amor a todos que ama neste dia.

Haf lhe dá um beijo no canto da boca e declara:

– Eu também te amo, Mairwen Grace.

Quando as duas meninas aparecem no quintal, onde as mulheres da cidade continuam formando um círculo em volta da fogueira, bebendo, falando e bordando, há uma exclamação coletiva ao verem o novo traje de Mairwen. Ela o imagina como uma armadura. Levanta o xale para exibir a sobressaia, abre os braços e gira de leve, até todas as mulheres ficarem satisfeitas.

A aparência de Mairwen faz os ombros de Devyn Argall relaxarem e permite que um sorriso se esboce no rosto das irmãs Parry. As mulheres enxergam o vestido e a expressão de Mair como prova – será Rhun Sayer e não o filho delas o enviado para a floresta.

Isso come Mairwen por dentro, e ela as condena por sentirem alívio, lembrando o tom de amargura com que Arthur disse "eu sobreviveria".

Mair se junta ao círculo de mulheres, sentando-se em um banco, para não amassar o vestido, e mordisca um bolo que sobrou da fogueira, com Haf ajoelhada a seu lado. Bree e a amiga Emma também ajoelham perto das duas. E, enquanto espera sua vez de benzer a túnica, Mair se abaixa e sussurra para as três que, sim, ela passou a noite com Rhun Sayer. Sente o calor subir pela sua garganta e pescoço ao contar que o encontrou seminu, o beijou e quase implorou, mas só dormiu ao lado dele, nada mais. Emma solta um suspiro romântico, e insiste que Rhun deve ser o mais nobre dos homens de Três Graces, e Bree argumenta que Per Argall teria tido a mesma atitude. Haf diz que tem certeza de que seu Ifan Pugh *não teria*.

Mairwen dá risada, como esperado, e encosta o rosto no fino cabelo de Haf, lembrando que Arthur Couch lhe disse a mesma coisa, como se quisesse que *ela* ouvisse. Queria que Arthur estivesse ali, com as meninas, para infundir seu fogo na túnica do santo, para proteger Rhun. Competir com os outros rapazes é uma perda de tempo. Seu poder se encaixa melhor ali, porque Arthur sabe como é sofrer uma transformação. Ou *deveria saber*, se fosse capaz de admitir para si mesmo. Quando a túnica benzida chega às meninas, elas deixam Mair benzê-la primeiro.

Mairwen encosta na fina lã cinzenta, imaginando um leão feroz ou um coelho ágil para conceder a Rhun força e velocidade. Mas, ao pensar na Árvore de Osso, no monstro que ela e Arthur mataram, ao pensar na Grace mais nova, a primeira bruxa do clã, que se apaixonou por um belo demônio, resolve escolher um cervo, para o velho deus da floresta. Com movimentos rápidos e precisos das agulhas, as quatro meninas bordam o animal no ombro da túnica. Emma e Bree criam as pernas amarronzadas; Haf, o corpo esguio, e Mairwen, a galhada. Quando terminam, Mair pega uma linha de um vermelho vivo e borda um coração sangrento no peito do cervo. Fura o dedo e unge o coração com três gotas de seu próprio sangue.

Haf e sua irmã se esforçam para não franzirem o cenho diante desse perigoso detalhe que Mair adicionou, e Emma sussurra:

– Parece fogo, não?

Cada uma das meninas toma um gole de vinho, e derramam as últimas gotas na terra.

SE EXISTE UMA PARTE DO RITUAL DA LUA DO ABATE QUE PROVOCA pavor em Arthur Couch, é a tarde de jejum e a vigília pela qual cada candidato tem que passar no terreno baldio perto do palacete de Sy Vaughn, sozinho – na companhia apenas do pai.

Gethin Couch é tão alto e magro quanto o filho, com o mesmo cabelo loiro, mas Arthur puxou todos os demais traços da mãe. Gethin tem um maxilar pronunciado, e um rosto largo e bronzeado, com delicados olhos verdes, e as mãos são rechonchudas, mas hábeis no trabalho com o couro. Ele faz as melhores luvas do vilarejo e qualquer produto de couro que exija detalhes e dedicação. Ano passado, quando completou uma década que sua esposa foi embora de Três Graces, ele passou por um ritual cuidadosamente elaborado de descasamento com Aderyn Grace. Era o mínimo que podiam fazer para ajudá-lo a seguir em frente, sem ter nenhuma prova de que a mãe de Arthur estava viva ou morta. Arthur foi convidado, mas não compareceu.

Os dois homens estão sentados a menos de um metro de distância um do outro, em um baixio estreito, de giz branco, no alto da montanha, completamente entregues aos elementos, porque não crescem árvores tão alto, e as urzes e o mato raquítico não oferecem nenhum abrigo do vento. Arthur fica olhando fixamente para o amplo vale, com os olhos ardendo por causa do frio. Teoricamente, deveria receber conselhos e apoio do pai, mas há expectativas demais desperdiçadas entre os dois para Arthur querer tal coisa vinda de Gethin.

Ele imagina a conversa que Rhun pai e Rhun filho estão tendo naquele momento, e isso o relaxa apenas o suficiente para que consiga se recostar na montanha áspera.

– Bom, rapaz – diz Gethin Couch –, a sua mãe com certeza ficaria furiosa se pudesse vê-lo agora. Bem que eu gostaria que ela pudesse.

Arthur não fala nada.

– Aposto – continua Gethin –, que ela está contando os anos e espera que sua vez seja daqui a quatro. Se estiver viva, ainda deve ter medo e se preocupar, seja lá onde estiver. Espero que ela se engasgue com isso. Que a faça ficar feia e parecer mais velha do que é.

– Eu não – declara Arthur, recordando o sorriso delicado da mãe e lembrando também o quanto seus lábios se retorceram de um modo terrível quando ela gritou: "Era melhor você já ter morrido".

– *Pfff* – faz o pai.

– Não precisamos conversar.

Arthur ainda precisa olhar de verdade para o pai. Há anos evita o homem, porque não encontra nenhum bom motivo para dedicar seus pensamentos ou sua energia a alguém que o entregou para a família Sayer sem pestanejar. "É melhor que ele seja criado na companhia de muitos homens e meninos agora", foi a desculpa de Gethin, proferida sabendo que Arthur estava escutando.

– Mas você precisa saber, filho, que vejo o rapaz que se tornou. Pode até não ser o melhor, mas não resta dúvida de que você chegou o mais perto que alguém com o seu temperamento poderia chegar. Nada do que ela fez lhe causou mal.

Arthur fecha os olhos. Cada palavra o machuca, o deixa furioso. Talvez seja por isso que os candidatos a corredor sejam obrigados a fazer jejum sozinhos com os pais: não traz nenhum consolo, mas é um último teste, para descobrir qual entre os rapazes consegue aguentar a tortura do progenitor.

– Não preciso de sua aprovação – declara Arthur, entredentes.

– Mas tem mesmo assim.

– Aprove isso, então. – Arthur fica de pé. – Você nunca foi um pai para mim, pelo menos, desde o dia em que a minha mãe partiu. Você estava tão cego e desinteressado por uma filha que não viu o que ela fez ou permitiu que ela fizesse, mas põe a culpa apenas nela. Então, já que isso não combina com o espírito do ritual, vou me retirar.

Ele sai do baixio de pedra e vai descendo em direção à trilha que leva ao palacete de Vaughn. *Que grande mentira é esse vale*, pensa. *O pacto com o demônio pode até manter a doença e a morte sob controle, mas com certeza não cria pessoas boas nem une as famílias.*

Ou pode até ser que Arthur seja o único que pensa assim. Todos os demais estão felizes e contentes. Todos os demais aceitam o pacto e suas condições. Ele é que não se encaixa ali, porque sua mãe o estragou, *sim*. Quem Arthur seria agora se sempre tivesse sido menino? Será que seria tão bom quanto Rhun?

Quem seria se tivesse continuado menina?

Uma lufada forte de vento sopra fazendo-o ir para trás: afastando-se de Vaughn, afastando-se do vale. Arthur para por um instante e olha para trás. A trilha se estende para baixo, neste sentido, ao longo da cordilheira de calcário, atravessando a montanha, levando ao resto do mundo.

Ele poderia ir embora.

Só de pensar, fica sem ar.

"O mundo lá fora valoriza a ambição e esse seu fogo."

Mas Arthur Couch sabe muito bem o que falariam dele se fosse embora de Três Graces. "Covarde. Já foi tarde. Era esquentado demais para o meu gosto." Como falaram de sua mãe. "Ela nunca se encaixou aqui."

E, se for embora agora, jamais saberá se Rhun vai sobreviver. E isso o comeria por dentro. *Então*, pensa, com amargura, *talvez eu vá depois de amanhã*. Quando ficar claro que ele não é necessário, quando Rhun não conseguir desistir de lutar por não ter por quem voltar e quando Mairwen não puder mais acusá-lo de a culpa ser sua. Arthur é capaz de sobreviver sem os dois. Arthur é capaz.

O rapaz caminha em direção ao palacete de Sy Vaughn devagar, mas decidido. E, quando chega, o lorde está lá sozinho, parado diante de uma pequena fogueira, no meio do pátio de pedra entre o portão do palacete e as árvores.

O sol do fim de tarde é brutal e atravessa cada centímetro do traje elegante de Vaughn, mais preto do que o próprio preto deveria ser, à luz do dia. É um preto que vem de fora do vale, onde os mercadores têm acesso a tinturas melhores e técnicas mais caras. Tão maleável quanto a pele de um puma e também reluzente. O cabelo do lorde está solto, e seus cachos castanho-avermelhados caem ao redor do rosto e do pescoço. Está com as mãos entrelaçadas nas costas. Quando o lorde ouve os passos das botas de Arthur, se vira. Seus olhos são pretos e cinzentos – o da esquerda, preto; o da direita, cinzento. Ou talvez seja apenas o modo como o sol bate na metade do rosto. Ele dá um sorriso com os lábios apertados, e Arthur percebe que o lorde Sy Vaughn é encantador. Impressionante e forte, com certeza, mas também belo. Arthur fica se perguntando como seria ter alguém como ele de pai, para protegê-lo e defendê-lo quando era criança.

– Arthur Couch – diz Vaughn, calmamente, fazendo sinal para que Arthur se aproxime. – Já de volta, tão cedo?

– Aquele homem nunca foi muito um pai para mim.

Vaughn balança a cabeça, e algo dentro de Arthur se solta, só por concordarem com ele tão prontamente e com tanta facilidade.

– Tenho que lhe fazer uma pergunta – fala Vaughn. Que olha para o vale, não para Arthur, e o rapaz acompanha o olhar do jovem lorde. Dali de cima, podem enxergar a copa das árvores, atravessando Três Graces, e todos os campos de cevada, os pequenos pontos brancos que são as ovelhas, os montes verdejantes dos pastos, até a sombria Floresta do Demônio e, ali – ali, bem no meio, a alva Árvore de Osso, com sua coroa escarlate.

– Estou ouvindo – diz Arthur, quando fica claro que Vaughn espera por sua resposta.

– Por que sua mãe não levou você com ela?

Arthur mostra os dentes e responde:

– E eu lá sei?

Vaughn solta um murmúrio, uma única nota grave de entendimento.

– Ela não me queria. Queria uma filha.

– Para mim, parece que sua mãe queria uma criança cuja sobrevivência pudesse ser garantida.

– Então fica claro por que não me levou: eu poderia morrer de diversas maneiras fora do vale.

– Sim. Vi muitos modos terríveis de uma criança morrer no mundo lá fora. Mas, se eu tivesse uma filha, acho que faria qualquer coisa para mantê-la em segurança. E, se isso falhasse, faria qualquer coisa para continuar com ela.

– E se o senhor tivesse um filho? – questiona Arthur.

Vaughn dá mais um sorriso.

– Seria uma honra para ele se tornar santo.

– Algum dia, talvez, o senhor descobrirá se tem razão ou não. O senhor terá que se casar e ter um herdeiro para assumir este lugar.

– Creio que sim. Tem alguma sugestão de uma dama que esteja disposta a se casar comigo?

Arthur sacode as mãos, irritado com a conversa ter mudado de rumo.

– Eu quero correr, senhor. Preciso correr. Dê-me essa chance. Permita que seja eu o escolhido, não Rhun.

Os olhos cinzas e negros de Vaughn olham o rosto de Arthur de cima abaixo.

– Você terá oportunidade de argumentar a seu favor logo, logo.

– Permita que argumente agora. Tenho valor: permita que eu lhe mostre isso. Que prove para o senhor. Posso vencer essa corrida.

– Vencer? – Vaughn ergue as sobrancelhas e ri baixinho. – Ah, Arthur Couch, não há como vencer. É um sacrifício, não uma competição. Deve ser feito por amor.

– Eu posso – insiste Arthur.

Mas o lorde diz:

– Não.

Arthur se afasta, com um grito frustrado. Quando se agacha, seu casaco de caçador se espalha ao redor, exatamente da mesma maneira que, na sua lembrança, as suas saias faziam. Arthur cerra os punhos e apoia os dois na testa, fica ofegante, tentando respirar normalmente, tentando encontrar um argumento que lhe dê direito a correr naquela noite. De provar que não é mais falho do que qualquer um dos candidatos a santo, incluindo Rhun Sayer.

Então lhe ocorre, em um lampejo terrível, que poderia contar para Sy Vaughn naquele exato momento o que manteve em segredo por três anos: Rhun Sayer é apaixonado por um rapaz.

E, no instante seguinte, uma verdade ainda pior se revela para Arthur: jamais será o melhor, porque nem sequer é bom. Ninguém bom seria capaz, nem mesmo por um instante, de pensar o que Arthur acabou de pensar.

Ele prometeu para si mesmo, há dez anos, que um dia se embrenharia na floresta e ofereceria seu coração para o demônio. Mas, agora, Arthur entende que o demônio devorou seu coração há muito tempo.

UMA HORA ANTES DE O SOL SE PÔR, TODOS OS CANDIDATOS A CORredor, seus pais e todos os homens e meninos de Três Graces com mais de treze anos se reúnem em volta da fogueira, no palacete de Sy Vaughn. Rhun está de olhos arregalados, observando o céu pesado e azul, absorvendo tudo o que pode. Os olhos de seu pai brilham, com lágrimas por derramar, mas sorri orgulhoso, com o braço em volta do filho.

– Você não precisa fazer isso, filho. Não por mim, nem por sua mãe. Já somos orgulhosos de você – disse Rhun pai, logo antes de voltarem para o palacete.

Mas Rhun já tomou sua decisão há anos.

– Onde está Arthur? – pergunta para o lorde Vaughn, quando se apresenta com os demais, para a escolha final.

Vaughn responde:

– Voltou para o vale, creio eu, para lamber as feridas.

Rhun dirige o olhar para Gethin Couch, que parece tão surpreso quanto todo mundo. Ele nunca gostou do pai de Arthur, que é o mais próximo de desprezar alguém que Rhun consegue chegar. Rhun pai franze a testa para o filho, como se pedisse desculpas, porque Rhun perguntou se poderiam levar Arthur consigo no jejum da tarde, e ele sugeriu que seria importante Arthur e Gethin se acertarem, caso Arthur tivesse a oportunidade de se tornar santo.

– É melhor eu ir buscá-lo – diz Rhun, já se afastando, mas um grunhido dos homens ali reunidos o faz parar.

– Fique – ordena o lorde Vaughn. – Ou perderá a oportunidade, assim como Arthur.

Rhun sopra o ar pelos dentes cerrados e fica. Toma seu lugar na fileira de rapazes, dando a todos um sorriso encorajador. Per, Darrick Argall, os primos Parry e Bevan Heir.

Vaughn tira um frasco de vidro do bolso do casaco e, com grande cerimônia, o atira na fogueira.

Uma chama explode, e a fumaça fica branca como a lua, branca como a Árvore de Osso.

É o sinal para as mulheres: começamos.

Rhun aspira a fumaça. Achando-a mais suave do que esperava, reconfortante. Continua de bom humor, perturbado apenas pelo desejo de que Arthur não tivesse ido embora. Mas os dois tiveram sua chance de falar pela manhã, na floresta, e isso era tudo do que Rhun precisava. Aquela era a sua chance, seu momento de ser o que deveria ser.

O lorde Vaughn grita:

– Diga-me, Per Argall, o que faz de você o melhor?

Per limpa a garganta e fala, hesitante:

– Sou jovem e rápido... o mais rápido de todos. Eu... sim.

– Diga-me, Bevan Heir, o que faz de você o melhor? – pergunta Vaughn.

Bevan, que tem dezenove anos, ombros e cabeça larga, responde:

– Tenho um plano, revezar entre correr e me esconder. Posso apostar essa corrida com nosso demônio e fazer a noite da Lua do Abate valer a pena.

E, da mesma maneira, Sy Vaughn chama todos os candidatos a se declararem. Darrick Argall alega ser o mais corajoso e o mais bondoso. Ian Parry diz que treinou todos os dias de sua vida para isso. Marc Parry diz aos homens que sua mãe sempre soube e sonhou que seu filho seria santo, e ele gostaria de corresponder a todos os sonhos de sua mãe.

Quando chega a vez de Rhun de dizer o que o torna o melhor, ele dá de ombros e declara, apenas:

– Nada além de meu coração, senhor.

Ele diz isso de forma tão sincera que os homens e rapazes ali reunidos balançam a cabeça juntos. E, como Arthur não está presente para desdenhar, ninguém mais o faz.

A BRUXA DO CLÃ GRACE CHEGA EM UM BELO VESTIDO AZUL E COR de creme, com uma guirlanda de ossos e flores amarelas em volta do pescoço, trazendo um pesado crânio de cavalo nos braços. Está com as bochechas coradas pelo esforço que fez para subir até ali com aquela coisa pesada, e também radiante, de esperança, fúria e amor.

Cheira à sálvia amarga que ela queimou, por conselho da mãe, na qual sangrou e com a qual se ungiu. Rhun está à espera, diante dos outros, com Sy Vaughn.

Quando ela o vê, entreabre os lábios e murmura a litania dos santos.

– Bran Argall. Alun Crewe. Powell Ellis. John Heir. Col Sayer. Ian Pugh. Marc Argall. Mac Priddy. Stefan Argall. Marc Howell. John Couch. Tom Ellis. Trevor Pugh. Yale Sayer. Arthur Bowen. Owen Heir. Bran Upjohn. Evan Priddy. Griffin Sayer. Powell Parry. Taffy Sayer. Rhun Ellis. Ny Howell. Rhys Jones. Carey Morgan. Baeddan Sayer. John Upjohn.

Juntos, todos dizem:

– Rhun Sayer.

Mairwen põe o crânio de cavalo no chão e desfaz o embrulho da túnica bordada e benzida. Olha para Rhun que, com a ajuda do pai, tira o casaco e a túnica. A bruxa do clã Grace se aproxima e levanta a nova túnica. Enquanto Rhun a veste, Mair sussurra o nome dele sem parar. Os homens a acompanham, e o nome do rapaz se torna uma invocação, um sibilo, um vento por si só.

A bruxa desamarra a guirlanda do pescoço e a coloca em Rhun, depois fica na ponta dos pés e beija sua boca, amarrando a guirlanda atrás do pescoço dele. Escondida no meio das flores, a mandíbula desarticulada do cavalo sacrificado. A bruxa pode até ter beijado o santo com um pouco mais de paixão do que reza o costume, mas ninguém comenta.

Ela solta uma caixinha de metal que traz amarrada no cinto e esfrega o dedo no unguento escuro, depois toca nos lábios e na testa de Rhun. Um cheiro amargo se espalha.

Mairwen se afasta, de braços abertos, tomada pelos nervos e pela fúria. O pai de Rhun o ajuda a colocar de novo o casaco e o capuz de caçador. Então Vaughn ergue o crânio de cavalo e o capuz, escondendo de Mair o último olhar de Rhun. Ela está ofegante. Os primos do clã Parry colocam a capa feita de crina de cavalo sobre os ombros de Rhun, e Bevan Heir amarra o rabo, que se espalha como uma crista sob as costas. Neste momento, Rhun se torna feroz e assustador, meio homem, meio animal, e a noite cai.

O crânio de cavalo sorri para Mairwen, metade iluminado pela luz ardente do sol que se põe. Laranja e rosa se espalham por aquele lado esquerdo, refletidos nos dentes quadrados da parte de trás. A luz transforma o comprido osso nasal numa adaga e escurece as órbitas oculares. A mandíbula inferior fica pendurada por uma corda contra o peito de Rhun, feito o peitoral de uma armadura, esmagando algumas das flores da guirlanda. Mal dá para reconhecê-lo, mas Mairwen conhece aquele gibão de couro, o tom escuro de sangue de seu capuz de caça, suas braçadeiras marrons, também de couro. Ela conhece aquelas mãos e as coxas escondidas pelas calças, escondendo a pele que tocou e vestiu há poucas horas.

Mair fica sem ar.

O santo se aproxima dela e estende a mão. A manga clara da túnica do santo aparece por baixo do gibão. O talismã que a menina fez. O talismã que o vale fez. Mair olha nos olhos de Rhun, apenas um brilho em meio às sombras que se movem por baixo do crânio, e lhe lança o olhar mais significativo que pode. "Sobreviva", pronuncia, sem emitir som. "Custe o que custar."

Rhun a segura pela cintura e joga a cabeça para trás, para que alguns raios de sol possam atravessar a parte de trás do crânio comprido e chegar à sua boca. "Eu te amo", diz ele, também sem emitir som.

Então Rhun sacode a cabeça como um cavalo, corcoveando e abrindo os braços, convidando a bruxa do clã Grace a acompanhá-lo.

Rhun estende a mão de novo, e Mairwen a aperta. Seus dedos se entrelaçam, e Rhun a leva para longe dali.

JUNTOS, O SANTO E A BRUXA DANÇAM E DESCEM A MONTANHA PUlando, sem ar. Os homens vão atrás, murmurando o nome dele, batendo palmas, com lorde Vaughn por último. Juntos, o santo e a bruxa batem em todas as casas de Três Graces, convocando o vilarejo a se juntar a eles, a dançar em uma fileira comprida e sinuosa em direção à Floresta do Demônio, para a Lua do Abate. Passam pelas casas e hortas, acompanham os becos pavimentados, atravessam a praça com uma cobra feita de gente atrás.

Em torno de Três Graces, formando um círculo em sentido solar, dançam enquanto o sol desce cada vez mais, e então vão para o morro do pasto. Atrás, todos gritam e dão vivas, cantam, choram e oram, à medida que Rhun, o santo, os leva em torno da fogueira feita por Aderyn Grace e as outras mulheres, dando voltas e mais voltas, em meio à fumaça sangrenta, dos órgãos do garanhão que ardem. Mair e Rhun não dão risada nem gritam como os demais.

A lua inteira se liberta do horizonte escuro da montanha, e o santo para.

O vilarejo se espalha ao redor dos dois, formando um enorme crescente, um escudo entre eles e Três Graces. Juntos, Rhun e Mairwen encaram a floresta.

É uma parede negra, silenciosa e proibitiva, delineada pelos pálidos raios da lua.

A Árvore de Osso se ergue do meio dela, como se fosse um salmão prateado, pulando no ar. A coroa fantasmagórica é clara e persuasiva, sem nem uma única folha escarlate. Todas caíram ao longo do dia.

Rhun aperta ainda mais a mão de Mair e então a solta. Com as duas mãos fortes, tira a coroa de crânio da cabeça e a coloca em uma estaca, enfiada bem fundo na montanha, ao lado da fogueira. O crânio se assenta ali, balançando devagar, com uma das órbitas vazias voltada para a floresta, e a outra, para o vilarejo.

Rhun Sayer pai caminha com o filho, levando uma aljava e um arco encordoado. Ajuda Rhun a colocar os dois, e seu primo Brac Sayer oferece a Rhun seus machados, que ele prende no cinto. Braith Bowen lhe entrega uma adaga, para colocar na bota.

Isso é tudo. Mair esperava que Arthur entregasse algo para Rhun, mas não o vê por perto.

Um verme de decepção atravessa suas entranhas. Onde ele está? Seu lugar é ali. Com eles.

Rhun lança um olhar para Mair, dá um sorriso corajoso e balança a cabeça, assim como o crânio do cavalo balançou. Ela se prepara para dar um passo à frente bem na hora em que um murmúrio ecoa através do arco formado pelos cidadãos do vilarejo.

Um vulto escuro passa correndo por baixo deles, vindo da cidade, acompanhando a curva do morro do pasto.

Arthur Couch se posiciona entre a Floresta do Demônio e o pico do morro, onde a fogueira arde, onde o crânio do cavalo do santo balança, onde o povo de Três Graces espera para oferecer seu filho em sacrifício.

Seu cabelo claro e espetado reflete os últimos resquícios da luz quente do dia.

O coração de Mairwen bate tanto que quase sai pela boca, e seus dedos dos pés formigam dentro das botas. Alguém sussurra:

– O que ele está fazendo?

Arthur se vira de frente para o morro, o arco e a aljava aparecem sobre seu ombro, o brilho das longas facas marca seu quadril. Está com um capuz de caçador preto, um velho casaco de couro, calças e botas. Arthur Couch estende as duas mãos e acena loucamente para todos os moradores do vilarejo.

Um grito abafado se solta de Aderyn Grace, e Rhun grunhe, sem formar palavras.

Mairwen acha que Arthur parece contido e certeiro, perigoso e pronto para encarar o demônio. Ela cerra os punhos e dá um passo à frente. Apesar de não conseguir ver os olhos dele claramente, tem certeza do instante em que Arthur fixa seu olhar nela. As palmas de suas mãos doem, e a menina sente calor, depois frio, depois pavor, porque Arthur não está com a túnica. Não pode entrar na floresta. Não foi ungido.

– Mas eu sou a benção que une as duas coisas – sussurra ela. Seu sangue. Seu coração.

Atrás de Mairwen, um olhar de sabedoria e pânico surge nos olhos de sua mãe. Mas Aderyn jamais diria o nome da filha em um lugar que o demônio é capaz de ouvir. Haf Lewis ainda não tem a mesma sabedoria e, quando Mairwen dá um pulo para a frente, pega um dos machados de Rhun e desce correndo pelo morro, Haf grita o nome da melhor amiga. Mairwen corre, dando passos largos apesar da saia do vestido, ofegando porque seu corpete está apertado.

E acelera ainda mais, as botas acompanham as batidas de seu coração, imprimindo-as na terra.

Seu nome se torna um grito que a segue, uma prece que se assoma, enquanto ela desce a toda velocidade, indo ao encontro de Arthur.

Seus olhares se cruzam por um instante, e ela estende a mão livre.

Arthur bate na palma da mão de Mair e, juntos, correm na direção das árvores.

A VIGÍLIA

Haf Lewis nunca sentiu tanto medo na vida.

Sua melhor amiga sumiu no meio da floresta, há poucos instantes, e ela já sente que um pedaço do seu coração lhe foi arrancado.

Mairwen sobreviverá, é disso que Haf tenta se convencer. Ela é uma bruxa do clã Grace, filha de santo. A floresta não se apossará dela. Desde que Mairwen continue correndo, continue com todas as suas partes mais espinhosas em riste, feito adagas, feito um escudo, sobreviverá até a manhã chegar. Tem que sobreviver.

Posicionada mais adiante dos moradores do vilarejo, Haf consegue ver perfeitamente a parede negra de árvores, as copas que tremem, iluminadas pelo luar. Ela sempre fez questão de jamais imaginar o que se esconde atrás de todas aquelas sombras, que monstros podem se reunir nas raízes da Árvore de Osso. Já é difícil o bastante viver tão perto e ouvir as elucubrações de Mairwen. Se Haf permitisse que seus pesadelos corressem soltos, correria para tão longe daquele vale que jamais encontraria o caminho de volta. Ao seu lado, Rhun Sayer murmura algo que ela não consegue entender. Com os olhos fixos na floresta, anda devagar, mas absolutamente determinado, descendo o morro do pasto.

– Rhun – chama Nona Sayer.

Ele nem sequer toma conhecimento, mas continua andando no mesmo ritmo até chegar ao limite das árvores. Então para, mas não olha para trás, como se soubesse que isso o faria ficar parado naquele lugar.

Rhun entra na Floresta do Demônio atrás dos amigos.

Haf entende, mas isso gela ainda mais o seu coração.

Conversas surgem atrás dela, mais altas que o crepitar da fogueira. Haf olha para a própria sombra: as chamas a deixam comprida, bruxuleante e estranha, espichando-se em direção à floresta. Ela jura que não fechará os olhos até o sol raiar. Ela se abaixa, para se ajoelhar na grama espetada, arruma a saia cuidadosamente em torno do corpo, para se distrair. Precisará de mais, contudo, para aguentar as nove horas que faltam até o amanhecer.

– Fiquem calmos – ordena o lorde Vaughn, e as conversas amedrontadas cessam.

– A nossa parte do pacto permanece intacta – diz Aderyn Grace, quase baixo demais.

Mas todos ouvem.

Vaughn completa:

– Fiquem em vigília, como vocês... como nós... sempre ficamos. Não há mais nada que possamos fazer. Quando o sol raiar, veremos.

Após um instante de silêncio, alguém começa a recitar a litania dos santos.

Uma por uma, as pessoas do vilarejo acompanham, até que a prece se torna uma grande nuvem de esperança que se ergue da montanha. Haf mexe os lábios, acompanhando a prece, com as mãos cruzadas em cima do colo, os olhos fixos na floresta.

Sua irmã Bree lhe traz um caneco de cerveja, mas Haf sacode a mão, dispensando-o. A cerveja só a deixaria cansada. *Um chá quente seria melhor. Ou apenas água*, pensa, apesar de, na verdade, nem saber. Haf jamais ficou de vigília. Há dezessete anos, era um bebê, nos braços de alguém. Há dez anos, foi para casa com os pais, depois da dança da cobra, depois que Baeddan Sayer se embrenhou na floresta. Tinha apenas oito anos, e sua mãe não demorou a se convencer que deveriam passar a noite ao redor da própria lareira, com a pequena Bree, de quatro anos. Três anos atrás, tentou ficar acordada com Mairwen, mas, no meio da noite, seus olhos pesaram. Ficou andando de um lado para o outro, para se manter acordada, e beliscava o rosto. Mas, várias horas antes do amanhecer, pegou no sono, encostada no muro do pasto, e só acordou, com um terror súbito, para ver o pulso sangrento de John Upjohn.

Haf imagina Mairwen coberta de sangue.

O VENTO NO INTERIOR DA FLORESTA SUSSURRA "GRACE, GRACE, Grace".

Mairwen, correndo, ouve o próprio nome, e Arthur pula na frente dela, como se quisesse protegê-la dos fantasmas. Mas a floresta os rodeia: ouvindo, perseguindo, rindo.

"Grace, Grace, Grace", diz a floresta, e os monstros minúsculos tagarelam, goblins *e espíritos que se sacodem, pássaros de dentes afiados e meninos esqueletos, todos se deliciam ao ouvir esse nome.*

O demônio espera com toda a calma, espichando as mandíbulas em um enorme e lento bocejo, agachado na base da Árvore de Osso. Irá atrás dos dois logo, logo.

"Dos dois." É algo estranho, mas ele sente o cheiro de mais um santo, e a floresta cria vida com aquele nome antigo.

HAF ESTÁ SENTADA TÃO IMÓVEL QUE APENAS ALGUNS FIOS DE seu cabelo se mexem sob o vento quente da fogueira. Suas tranças foram feitas habilmente, e poucas mechas compridas caíram, exatamente onde ela queria que caíssem, quando as fez naquela tarde. Queria ficar tão bonita quanto Mairwen com seu lindo vestido azul. Haf até sonhou acordada com seu vestido de casamento, quase pronto, dobrado, dentro do baú, no pé da cama da mãe. É de um verde quente e alegre, e também bordado, como o de Mair, mas sem as finas mangas de seda. Haf insistiu para costurar alças e fitas na saia, para poder amarrá-la na altura das panturrilhas, depois da cerimônia, e poder dançar todo o dia e toda a noite com a família, os amigos e o novo marido. Na primavera, assim que a primeira flor desabrochar. Mairwen precisa estar lá. Em seu coração, Haf tem absoluta certeza de que sequer conseguirá se casar se Mairwen não estiver lá para escrever preces a giz e beijar seu rosto e encontrar ossos de pardal delicados e perfeitos para servir de peso para as pontas do véu.

Uma bota masculina aparece perto do seu quadril, gasta e de um marrom escuro à luz da fogueira. Ele se ajoelha e segura seu ombro delicadamente. Haf olha nos olhos do rapaz – apesar de a fogueira atrás transformá-lo em uma silhueta escura, tornando impossível distinguir seus traços delicados, mas Haf sabe que é Ifan. Como se tivesse sido convocado por seu medo, que se alastra lentamente.

Nem mesmo aquele raro toque de seu futuro marido lhe serve de consolo.

Mas Haf pousa a mão em cima da de Ifan, enrolando os dedos pequenos em volta dos dele, e Ifan aceita o convite de se sentar com a noiva.

– Você não está com frio? – pergunta o rapaz, com seu jeito claro e objetivo.

Haf vai logo balançando a cabeça, pequenos movimentos breves, que evidenciam o medo. Não consegue parar de pensar em Mairwen ferida, sangrando – coisas que jamais imaginou até então. Mair nas garras do demônio ou forçada a ver Rhun ou Arthur ou ambos morrerem. Imagina o próprio demônio, como na lenda: monstruoso e estranho, parte criatura da floresta, parte homem, com um belo rosto e belos olhos, mas com dentes afiados, cascos e chifres.

"Como alguém que ama um santo pode sobreviver às horas de vigília?", pergunta-se ela. Já seria ruim o suficiente passar a noite inteira segurando a mão de Mair, ambas torcendo por Rhun Sayer. Haf se preparou, nos últimos dois dias, para ser uma fonte sólida de amizade e amor para Mair, preparou historinhas que se lembrava da infância das duas para distraí-la. Jamais pensou em *se* preparar.

DE INÍCIO, RHUN SE MOVE DEPRESSA, SEGUINDO OS AMIGOS COM facilidade, porque a saia de Mair se rasga e se arrasta, deixando um rastro que ele poderia ter seguido até quando era criança. O luar serpenteia através da treliça formada pelos galhos, lá em cima, projetando sombras em lugares improváveis. Ele localiza os dois em uma trilha de cervos que atravessa uma touceira escarlate, com folhas finas, vermelhas como sangue, e com o dobro da sua altura. A trilha leva a um regato raso e largo, com um banco de pedras chatas do outro lado. O reflexo da lua forma uma oval brilhante, um fungo tremeluzente na água.

Está silencioso demais. Além do vagaroso murmúrio da água e do sussurro da brisa, Rhun não ouve nada.

O medo se alastra pela sua espinha.

O rapaz se agacha ao ver a água reluzindo em uma pedra: uma pegada, uma mancha de umidade que se dirige a uma parede de árvores negras. Corre nessa direção, olhando para todos os lados, em busca de mais sinais. Ouve algo derrapar nas folhas que cobrem o chão e se embrenha ainda mais na floresta silenciosa.

Atrás dele, alguma coisa relincha. Ele se vira, preparando uma flecha, a aproxima do rosto e mira em seu campo de visão. Escuridão, sombras por cima de sombras. Colunas de árvores negras.

O vento se enrosca nos galhos desfolhados.

– Mairwen! – grita ele.

O silêncio engole o nome.

– Mairwen, Mairwen! – repetem, sussurrando, centenas de vozes agudas, de todos os ângulos, de todos os lados. Acima e abaixo.

Rhun se vira, com a flecha apontada, para a esquerda e depois a direita, traçando um arco para cima.

Ele está sozinho.

Guarda a flecha na aljava presa em seu ombro e segue em frente.

A LUA SURGE NO CÉU.

Haf aproxima a mão de Ifan Pugh de seu rosto e o pressiona contra ela. Uma lágrima escorre, manchando os dedos claros do rapaz.

– Meu verão – sussurra ele, um apelido pelo qual já a chamou uma ou duas vezes, e a abraça.

Haf só quer esconder o rosto no ombro de Ifan, deixar que o noivo seja um escudo entre ela e o medo e a floresta. Mas não pode. Precisa continuar em vigília. Mairwen faria isso, e Haf será corajosa, pela amiga.

Ao redor dos dois, a multidão está inquieta. Alguns se mantêm aquecidos batendo os pés no chão, outros andam em círculos amplos em volta do pasto. Outros, ainda, se revezam com maridos, esposas, irmãos ou pais para cuidar dos pequenos que ficaram em casa. Conversam baixinho, quando conversam. E, apesar de não comerem nada, bebem cerveja ou bebericam chá perto do calor da base da fogueira. O vento canta com tanta doçura pelo vale, e a lua está clara demais...

– Você me condena por eu jamais ter sido um verdadeiro candidato? – pergunta Ifan, bem baixinho, ao seu ouvido.

Surpresa, Haf vira o rosto, afastando-o da floresta. Os olhos de Ifan estão a pouco centímetros dos seus, enrugados e tristes. Ela diz:

– Não. Ah, não. Nunca.

Ele a observa por um instante. O rosto dele fica um pouco menos tenso. A luz da fogueira brinca com os fios de cabelo castanho-escuro que emolduram sua testa e com a ponta do nariz delicado. Haf sempre gostou de olhar para Ifan, apesar de jamais ter enxergado beleza ou formosura. Ele é simplesmente agradável e gentil e ficou em dúvida o suficiente para criar um pouco de atração entre os dois. Três anos atrás, Ifan tinha vinte e três, era um pouco velho demais para correr. E, na ordenação do santo anterior, ele tinha dezesseis. Só que, apesar de ter competido com os demais, tinha tantas chances de se tornar santo quanto o delicado Per Argall. Pelo que ouvira sua mãe e suas tias dizerem, Ifan era competente, apenas não dedicado. Pouco usual para um rapaz de Três Graces não ter uma intensa relação com a santidade. Haf sempre gostou de coisas pouco usuais – é a melhor amiga de Mairwen Grace, afinal de contas.

– Você é o que é – sussurra para Ifan. E, por impulso, o beija.

A boca do rapaz está seca e fria, mas ele levanta uma das mãos, pressiona o dedão bem nos cantos dos lábios de Haf, e seus dedos se espalham por seu rosto e por sua mandíbula, segurando-a delicadamente.

Lá longe, no meio da floresta, um grito ecoa na escuridão.

Haf se afasta, assustada, em pé de supetão. Ifan também levanta, assim como diversos habitantes, e todos seguram a respiração.

O grito morre e, quando o coração de Haf volta a bater, minúsculas sombras negras saem correndo da copa das árvores, adernando, como uma revoada furiosa de pássaros.

ARTHUR SE VIRA, OFEGANTE. O BREJO RESPLANDECE COM LUZES MInúsculas, que o provocam. Ele odeia estar sozinho naquela floresta – é mais difícil fingir que não tem medo quando Mairwen não está por perto para ouvir suas mentiras.

Visões dançam diante dos seus olhos, iluminadas pela lua e tremeluzentes, rostos que apodrecem, com olhares irônicos e sorrisos de deboche. Sua mãe está pendurada pelo pescoço em uma árvore inclinada, de olhos abertos, fixos nele. Ela dá risada e resmunga:

– Nascer menino em Três Graces é a mesma coisa que nascer morto.

– Linda menina – grita um demônio horripilante, que se levanta do brejo, espalhando água. Tem o rosto igual ao de seu pai; a voz, igual à do próprio Arthur.

Ele tem certeza – absoluta certeza – de que aquilo é um truque. A floresta quer enlouquecê-lo, confundi-lo, exauri-lo de tanto medo.

– Você não é santo, coisa nenhuma – acusam os espíritos da floresta. – Sabemos disso pelo gosto do seu coração.

Meninos de osso dão risada, e as luzes do brejo piscam, acompanhando a alegria.

– Não santo, nunca santo – diz a voz do demônio.

– Eu poderia ser – responde Arthur, sem conseguir resistir à discussão.

– Você, não. Não com esse vestido, nem a sua mãe acredita em você!

Flores caem sobre ele, torrencialmente. Ficam grudadas no seu rosto e têm cheiro de sangue.

Arthur as arranca de sua pele e grita:

– Não são vocês que decidem quem eu sou ou deixo de ser!

O SILÊNCIO RECAI, PESADO, SOBRE A VIGÍLIA. A FOGUEIRA CREPITA. A lua continua a subir no céu.

Haf pensa em Mairwen, Arthur e Rhun juntos, no fato de jamais ter se sentido um estorvo para eles, nem que não se encaixava no trio, apesar de a maioria das pessoas esperar isso dela. Arthur lhe disse que ela deveria se sentir assim, mas Haf nunca se sente ofendida por Arthur Couch, porque estava presente no dia em que todos se deram conta de que Lyn Couch era filho de sua mãe e não filha, e lembra que os olhos de Arthur ficaram rasos d'água e que ele ficou puxando o próprio cabelo. Haf se lembra de ter dúvidas a respeito do próprio corpo e de ter conversado com sua mãe a respeito das diferenças entre meninos e meninas, e que as respostas vagas não esclareceram muita coisa, a não ser a gravidez. Haf até lembra de ter tentado falar isso para Arthur, que não existe muita diferença, mas ele ficou vermelho, levantou os punhos cerrados e lhe deu uma resposta debochada, dizendo que era óbvio que uma menina não era capaz de entender algo tão importante.

Haf suspeita de que não há nada capaz de atingir Arthur Couch naquela noite, a menos que o demônio lhe chame de menina.

E Rhun Sayer é perfeito, tão perfeito que mais parece a própria Três Graces e não uma pessoa. Haf o ama do mesmo modo que ama o vale, do mesmo modo que ama a primavera. Mair, depois de bancar a alcoviteira para Haf e Ifan por três semanas, em um vaivém de propostas e elogios, disse para Haf que aquela dança do acasalamento dos dois era ridícula e que dava graças a Deus por todos presumirem que ela e Rhun se casariam um dia (como se não existissem santos). "Mas você o ama?", perguntou Haf, e Mair respondeu: "Eu o amo mais do que todos porque amo uma parte dele que ninguém mais vê: esse enorme e empoderador pecado da soberba".

Ah, Mairwen, e sua língua tão afiada e ferina! Ela tem tanta soberba quanto Rhun e é tão esquentada quanto Arthur.

Haf abraça o próprio corpo, bem apertado.

A lua chega ao ápice, mas ainda faltam muitas horas.

O SANTO, A BRUXA, E O RAPAZ RAIVOSO SE TOPAM NOVAMENTE – *finalmente! –, unidos pelo alívio e pelo terror. Mairwen está com o queixo sujo de sangue, Rhun mancando, e Arthur está encharcado, morrendo de frio. Os três se olham, formando um triângulo, e prestam atenção ao farfalhar, ao crepitar, ao uivo do demônio.*

– Ele está bem atrás de mim – sussurra Mairwen, com olhos arregalados de tanta euforia.

ADERYN GRACE ESTÁ ALI PARADA COM HETTY PUGH, E AS DUAS SE abraçam, com o rosto voltado para a floresta.

O clã Sayer se espalhou, como um rebanho de ovelhas recalcitrante, ao longo do declive, em grupos de dois ou três, com as mãos postas em oração ou apenas fazendo companhia uns aos outros, passando garrafas de vinho e sussurrando.

E ali está Sy Vaughn, perto da fogueira, com uma das botas apoiadas em um tronco grosso. O lorde observa a floresta com o cenho franzido, parecendo muito mais velho.

John Upjohn está sozinho e, se Mair estivesse aqui, faria companhia para ele. Então é isso que Haf faz. Bate na mão de Ifan, para avisá-lo. A grama farfalha ao entrar em contato com sua saia, enquanto caminha, e as pontas das botas estão cobertas de geada. Ela não diz nada quando chega ao lado de John.

Cat Dee está com o corpo inclinado, sonolenta, sentada na banqueta. E, para a surpresa de Haf, Gethin Couch anda de um lado para o outro, franzindo tanto o cenho que, provavelmente, jamais conseguirá sorrir de novo.

Haf vê sua própria família, seus pais e suas duas irmãs, seu primo, sobrinhos e sobrinhas.

Logo depois da meia-noite, quando as pessoas de Três Graces começam a recitar a litania dos santos, Haf se dá conta de que adicionaram não apenas o nome de Rhun, mas o de Arthur e o de Mairwen também.

Isso lhe dá um arrepio, tão frio que as lágrimas bem que poderiam congelar nos olhos. Mairwen, a bruxa, não pode morrer, mas um santo pode – é para isso que servem os santos. Ela sacode a cabeça e sussurra:

– Não.

John Upjohn dirige seus olhos assombrados a ela.

– Eu também pediria para que tirassem meu nome da lista.

– Não vou permitir que você morra, Rhun Sayer.

– Eu não quero morrer*, Arthur Couch! – grita Rhun, com tanta violência que se dá conta de que é verdade.*

O demônio dá risada, mostrando as presas reluzentes, e os dois rapazes saem correndo.

Haf bebe um pouquinho, finalmente, e fica andando para manter os braços e as pernas aquecidos, batendo palmas, se encolhendo dentro do xale. Deixa que Ifan fique atrás, apoie o peito em seus ombros e sua cabeça e a abrace. Ele a segura firme, massageando suavemente seus braços, e Haf sente a paixão aumentar entre cada movimento. Haf disse para Mairwen, naquela manhã, que seu Ifan não seria tão educado quanto Rhun fora, se aparecesse seminua em seu quarto, mas isso fora praticamente uma suposição. Agora uma ideia louca lhe vem à cabeça, de arrastar Ifan para uma campina mais afastada e tentar, em homenagem a Mair. Ela fica corada só de pensar na grama roçando em sua bunda, nas mãos de Ifan em seus seios, e então sua barriga também se aquece, a curva de suas coxas também, e Haf se recosta em Ifan, completamente ardente.

A floresta é negra e silenciosa.

Haf ouve as batidas aceleradas de seu próprio coração.

A lua afunda no céu.

O DEMÔNIO MOSTRA UMA BONECA DE SORBUS QUEBRADA.

– Você me deu isso de presente.

Mairwen solta um suspiro de surpresa, com sangue na boca e debaixo das unhas: ela consegue ver o que há por trás do demônio, por baixo daquela pele manchada e da terrível carranca, por baixo dos espinhos, das cicatrizes e dos dentes, por baixo dos anos de tormento e de fome: o que ainda resta de seu coração.

– ESPERO – DIZ IFAN, BAIXINHO, COM OS LÁBIOS ENCOSTADOS NA coroa de tranças de Haf, que está se desfazendo –, que Ross e o bebê estejam bem pela manhã. Espero, já que a lua veio antes da hora, que não faça diferença o fato de três pessoas terem se embrenhado na floresta.

Haf balança a cabeça e cruza os braços em cima do peito, para segurar as mãos dele.

A fogueira se aquieta, e Haf também, entrando em uma névoa de lembranças borradas e esperanças tão vivas quanto a luz das estrelas.

O vento sopra, vindo das montanhas ao norte. Faz a floresta sussurrar, amontoando as folhas, e as longas garras brancas da Árvore de Osso crepitam.

RHUN DEPARA COM O BOSQUE ONDE FICA A ÁRVORE DE OSSO E CAI de joelhos.

A árvore mais parece um mamute, com sua casca riscada, seus galhos elegantes e curvados, despidos de folhas. O luar a torna prateada, e ela se remexe e pulsa, como se estivesse respirando. Mas não é por isso que o rapaz não consegue tirar os olhos da árvore.

Misturados ao tronco, há ossos humanos, fêmures e vértebras, dedos estreitos que tentam agarrá-lo, delicados antebraços, quadris e escápulas pontiagudas que se sobressaem, como asas de borboleta. E crânios de órbitas negras, bocas abertas, tramados na árvore, por cipós que mais parecem vermes. Um dos crânios está bem na altura dos olhos de Rhun, e o rapaz encara suas órbitas vazias e mortas.

Um pavor que Rhun jamais imaginou ser possível toma conta do santo, e ele treme.

Há vinte e cinco crânios na Árvore de Osso.

NA ÚLTIMA HORA – ELA ESPERA QUE SEJA A ÚLTIMA HORA –, HAF belisca os próprios pulsos para continuar acordada, para continuar alerta, como o céu que se ilumina.

Suas pernas estão rígidas, seu pescoço dói, e seus olhos estão secos e ardendo. Ifan a põe no colo, respirando regularmente encostado em seu cabelo, relaxado, como se estivesse cochilando, apesar de estar de pé. Isso faz um poço de ternura criar vida dentro da menina, apesar de estar com o cenho franzido de ansiedade, com dor no coração. Ela gostaria de se aproximar, de estar bem no limite da floresta quando o sol raiar, no leste. Ali perto, Aderyn Grace está com os joelhos e as mãos apoiadas na terra, os dedos afundados na grama. A bruxa arqueia as costas e espreguiça a cabeça para frente, e todo seu cabelo castanho e emaranhado – tão parecido com o de Mairwen – cai, como se fosse um véu. Ela está cantando uma canção delicada, parece que é um hino, com palavras como “Deus”, “mãe” e “eterno”.

O DEMÔNIO DANÇA ENQUANTO AMARRA O RAPAZ NO ALTAR. É AS-sim que funciona, é assim que sempre, sempre funciona: o demônio venceu, e aquele coração pertence à floresta.

A LUA ENCOSTA NO HORIZONTE, A OESTE.

Haf olha para a direita, onde metade do céu se pintou com tons pastéis, onde as estrelas estão desaparecendo, e, junto com elas, o medo que sente. Algo palpável e pesado cresce em seu peito, parece esperança, mas é frio. Chegou a hora, o instante, a resposta para quase dez horas de prece.

Os moradores do vilarejo em vigília ficam alvoroçados.

O sol estica os dedos para a fronteira das árvores, lançando uma luz rosada em suas raízes e troncos, destruindo aquele plano liminar onde Mairwen gostava de brincar e provocar. Todas as pessoas, uma por uma, se arrastam naquela direção, chegam mais perto. E todas as pessoas, uma por uma, ficam surpresas.

Arthur Couch é o primeiro a aparecer: o que faz sentido, porque ele foi o primeiro a desaparecer. Arrasta consigo Rhun Sayer, que manca e está quase acabado, mal consegue ficar de pé. Rhun se apoia em Arthur, como se Arthur fosse a única coisa no mundo capaz de mantê-lo vivo.

Um gemido de alívio ecoa pela multidão, mas ficam em dúvida: mal se mexem, ainda esperando, até que ali – bem ali, atrás dos rapazes, andando devagar, como se sentisse dor – aparece Mairwen Grace, com o vestido azul todo esfarrapado.

Mas ela não está sozinha.

A PRIMEIRA MANHÃ

Arthur jamais se sentiu tão exausto na vida, mas a luz da aurora que perfura seus olhos como se fosse pregos traz uma dor bem-vinda. Em algum momento, ao longo da noite, ele parou de ter esperanças de sobreviver. O fato de ter sobrevivido, de ter o peso de Rhun sobre seus ombros doloridos e de os dois estarem saindo juntos da Floresta do Demônio, mancando, é uma surpresa.

Só que Arthur jamais vai admitir, muito menos agora, que conseguiu, agora que passou a noite fugindo do demônio e saiu vitorioso. E seus amigos também estão vivos.

Não tem importância o fato de ele não conseguir se lembrar de certas partes, como se cada passo dificultoso que o levava para fora da floresta também o afastasse do que aconteceu. Do que ele fez.

Mas o sol é uma estrela que se levanta no peito de Arthur: radiante, pura, cheia de claridade. Arthur Couch sabe quem é depois da noite de ontem.

Mesmo que não lembre direito por quê.

O rapaz se encolhe ao ficar completamente sob o sol, segura a cintura de Rhun com mais força, e os dois ficam ali parados, sentindo aquele calor. Atrás deles, a floresta se assoma, e Arthur consegue ouvir a respiração rasa de Mairwen, e aquela respiração mais funda, gorgolejante, daquela coisa que Rhun não quis deixar para trás. Isso lhes custará caro,

Arthur sabe, por algum motivo. Mas tudo o que ocorreu na noite anterior teve um preço, e tudo que virá em seguida também terá.

A pulseira presa ao seu pulso se contrai, cortando sua pele com minúsculos espinhos. É mágica, mas Arthur não consegue se lembrar de tê-la colocado. Logo, ficará extremamente preocupado com o fato de suas lembranças estarem se esvaindo. Mas, neste exato momento, está simplesmente acabado.

O céu claro da manhã se espalha pelo pasto, e ali estão os moradores do vilarejo, em pequenos grupos e fileiras, com expressões preocupadas, olhos arregalados e esperançosos, fixos em Arthur. Ele vê primeiro Haf Lewis, na frente de todos, com as tranças soltas e a boca entreaberta, esboçando um sorriso radiante. Ouve chamarem o seu nome, e o de Rhun e o de Mairwen, em um misto de surpresa e alívio.

– Mãe... – sussurra Rhun, apoiando todo o peso em Arthur.

Não consegue terminar a frase.

De qualquer modo, Nona Sayer não ouve o que o filho diz. Ela e os demais se voltaram, apavorados, para a coisa – homem, monstro, demônio, Arthur não sabe como chamá-la – que os três trouxeram consigo.

Alis Sayer grita:

– Baeddan! – E levanta a saia para descer correndo o declive do pasto, indo de encontro aos santos.

Arthur o tinha chamado, em um momento praticamente impossível, de "aquilo".

"Baeddan Sayer, o vigésimo sexto santo de Três Graces."

Por que Arthur não consegue mais se lembrar de como Baeddan continua vivo? Depois de dez anos.

A Árvore de Osso – tem a ver com a Árvore de Osso e com o pacto.

Arthur só consegue lembrar que a lenda não é verdade. As bruxas do clã Grace a inventaram.

Alis corre a toda velocidade, e não demora para os quatro estarem cercados do que, ao que parece, é a cidade inteira, fazendo perguntas e se acotovelando para chegarem mais perto, alegres e amedrontados, surpresos e falando alto. Arthur murmura no ouvido de Rhun:

– A maioria desses covardes nunca chegou tão perto dessas árvores negras.

Rhun sacode a cabeça, exausto, sem olhar Arthur nos olhos.

Arthur reclama entredentes. O fato de Rhun não concordar o magoa. O que foi que aconteceu?

Cipós apertam seus braços, prendendo-o no altar. Arthur fecha os olhos, e sabe que valerá a pena, se Rhun sobreviver. O demônio aperta seu peito. Duas de suas costelas se quebram, causando uma dor aguda, e

Quando Arthur engole em seco, um machucado aperta sua garganta. A lateral de seu corpo dói.

– Tenha cuidado – diz Mairwen, bem alto e com tom autoritário, mesmo estando com a boca ensanguentada, o lábio cortado, por causa do beijo terrível.

Arthur se lembra disso também, instantaneamente: Mairwen beijando o demônio. Mas não porque o cabelo da menina não passa da altura do queixo, está todo picotado, em uma situação pior do que o do próprio Arthur. Mair fica na frente da criatura que é Baeddan, protegendo-a, apesar de ser uma cabeça mais alta do que a menina e quase tão corpulento quanto Rhun.

Como está com o braço em torno da cintura de Rhun, Arthur pode sentir que o amigo está tremendo: seus joelhos estão bambos, e Arthur provavelmente não conseguirá segurá-lo de pé. Do que será que Rhun se lembra?

Alis Sayer olha fixamente para aquilo que seu filho se tornou.

Baeddan se embrenhou na floresta dez anos atrás – todos lembram.

Eles se lembram de um jovem brilhante e forte, mais encantador até do que Rhun, orgulhoso e belo. Aquilo é uma sombra do que Baeddan um dia foi, mas ainda é reconhecível por aqueles que o conhecem bem: pelo formato dos olhos do clã Sayer, o nariz aquilino e o maxilar; pela postura e pela maneira que Baeddan levanta as sobrancelhas, esperançoso.

Sua mãe fica em dúvida. Está com as mãos estendidas, na direção do filho, mas não encosta nele. Nem mesmo quando Mairwen se vira, para que Alis consiga tocá-lo.

Pois Baeddan Sayer está tão jovem quanto na noite em que se embrenhou na floresta, mas sua pele está lívida, esverdeada e arroxeada, como se estivesse ferida, morta, com os primeiros sinais de decomposição. Há faixas de hematomas de um roxo escuro em seu peito nu, em muitos sulcos paralelos, como se ele tivesse arranhado a pele incontáveis vezes. Baeddan está usando resquícios esfarrapados do casaco de couro e das calças, mas está descalço. Seus olhos, que um dia eram característicos do clã Sayer, estão completamente enegrecidos. Há espinhos saindo de suas clavículas, brotando em duas fileiras do coração, subindo em direção aos ombros. Seus nós dos dedos estão grossos, como casca de árvore. Chifres escondem seu cabelo negro, emaranhado e curto, formando uma coroa ao redor do crânio.

Olhando para Baeddan, Arthur tem certeza, apesar de não conseguir se lembrar por que, que a pele de Baeddan é gelada, que o vigésimo sexto santo perdido murmura velhas canções de ninar como se fossem ameaças e, às vezes, grita, e toda a Floresta do Demônio responde.

– O que aconteceu ontem à noite? – indaga Hetty Pugh, olhando, furiosa, de um sobrevivente para o outro. Aderyn Grace está do lado dela, e ali, depois da multidão, o lorde Sy Vaughn espera, surpreso.

Arthur dá uma única gargalhada, mas isso faz sua garganta doer e estremece as costelas quebradas. Rhun sacode a cabeça, abaixando-a, como se estivesse cansado demais para mantê-la erguida por mais tempo.

Mairwen põe a mão no peito de Baeddan, acariciando a pele entre as feridas protuberantes, e diz baixinho:

– Nós corremos, nós encaramos o demônio e nós o resgatamos, porque ele esteve preso na floresta por uma década.

Perguntas de todos os presentes competem pela atenção dos três, e o mundo estremece sob os pés de Arthur. Ele se indaga se Mairwen lembra ou está apenas disfarçando. Mentir, pelo jeito, é algo que as bruxas do clã Grace já nascem fazendo. Arthur lança um olhar para Rhun, verificando o tom cinzento de seu rosto e o leve bater de seus cílios. Rhun o solta e vai para a frente.

Mairwen tenta falar de novo, pede calma, tenta assumir o controle da situação. E, ao lado dela, Baeddan levanta a mão para proteger os olhos do sol. Abre a boca e diz para a mãe, como se fosse uma criança, em um triste lamento:

– Estou com tanta fome.

– Ah, meu querido – responde Alis Sayer, debruçando-se sobre o filho transformado. Lágrimas escorrem pelo rosto dela, e não demora muito para o sangue de Baeddan também sujar sua face, e os habitantes do vilarejo se aproximam ainda mais. Alguns agora estão rindo e louvando a Deus, acotovelando-se entre Arthur e Rhun, entre Mairwen e Baeddan.

– Parem. – A ordem assusta os moradores do vilarejo, vinda de Sy Vaughn, com sua voz decidida.

O silêncio impera.

– Tudo isso começou – continua Vaughn, com os braços estendidos e parados, fazendo a capa preta cair, delicada como o vidro –, com doença e uma Lua do Abate fora do convencional. Antes que possamos comemorar, antes que pressionemos demais esses jovens, precisamos conferir se o pacto funciona.

Rhun lança um olhar sombrio para Arthur e, em seguida, sobe o morro do pasto. Seus passos são menos decididos do que o costume, mas não parece estar prestes a desmaiar. Arthur olha para Mair, que também o encara, e os dois balançam a cabeça juntos, lentamente. Mairwen aperta os dedos em volta da cintura de Baeddan. E, apesar de ficar claro que ele quer permanecer com a mãe, não se digna a protestar e, ao lado de Mairwen, acompanha Arthur, que segue Rhun.

Três Graces segue os quatro.

À medida que vai subindo o morro, com as pernas ardendo, as costelas feridas queimando, Arthur começa a se sentir melhor. A dor fica difusa, como em um ferimento antigo e inflamado. Está funcionando. A magia do pacto. O que quer que tenham feito está funcionando.

órbitas oculares vazias e negras observam dos crânios, presas com cipós serpenteantes ao enorme tronco, e escápulas, caixas torácicas e todos os ossos formam a armadura da Árvore de Osso e

O sol é um disco ardente a leste, aquecendo a brisa. O cheiro das cinzas de outono e da fogueira e do esterco de cavalo é tão conhecido quanto sua própria voz. Rhun está vivo logo à sua frente, e saber disso faz a amarra no pulso de Arthur pulsar: "vivo, vivo, vivo", como a batida de um coração. O rapaz sente Mairwen vindo logo atrás e ao seu lado também, tão viva e conectada quanto os dois. Os pés dos jovens entram em um ritmo natural, e todos os três, que se embrenharam na floresta, atravessam os montes de Três Graces à mesma velocidade, afinados no mesmo tom.

Baeddan Sayer bate os dentes afiados no mesmo ritmo dos passos dos três.

Arthur não tem mesmo medo de nada, nem mesmo do que possa ter esquecido. Sobreviveu. É forte, e nesta manhã será o que quer que queira ser.

Rhun os leva por uma trilha reta, nem um pouco parecida com a dança serpenteante de doze horas atrás, mas diretamente até o campo de cevada, colhido e arado pela metade. Ele dispara no meio do capim alto e peludo, ignorando que isso faz as sementes se espalharem. O som de seus passos é um rugido agitado, à medida que Arthur e Mair o seguem, à medida que toda a cidade vem atrás, botas e saias transformando a cevada em um mar revolto.

Ao chegar ao ponto onde interrompeu seu trabalho, três dias atrás, Rhun se abaixa, com um gemido de dor abafado. Arthur avança, mas para, sabendo que é melhor não ajudar Rhun neste exato momento. Mas fica atrás do amigo, com o joelho perto de seu ombro. Assim, se Rhun quiser, poderá se apoiar nele. Ele não se apoia.

– Vão ver como Rhos e o bebê estão. E aquele cavalo doente também – diz Rhun, rouco e exausto. – Mas a ferrugem se foi. – Ele fica de pé, segurando um punhado de cevada saudável, dirigindo o olhar para a multidão ali reunida. – A ferrugem se foi.

Sy Vaughn lança um olhar curioso para Rhun, e Arthur mal consegue conter seu sorriso de desdém, na defensiva. Aderyn Grace diz as palavras do ritual:

– E então a Lua do Abate se foi, e recebemos mais sete anos.

– Amém – responde Mairwen, e os habitantes repetem a palavra, fervorosos.

Baeddan Sayer também tenta pronunciá-la e acaba a transformando em um xingamento esquisito. Mair põe os dedos sobre os lábios dele.

Rhun declara:

– Não está certo.

– O que você quer dizer com isso, Rhun Sayer? – pergunta Vaughn.

O povo de Três Graces se aproxima.

Mairwen responde:

– Pode ser que não dure, de novo. Porque não há... – Ela se encolhe e sacode a cabeça, como se não conseguisse lembrar. – Baeddan está aqui, e isso significa que não morreu. Mas tampouco significa que sobreviveu, propriamente. Mas o pacto selado por ele durou sete anos inteiros. Baeddan se tornou isto e estava preso na floresta, mas ainda não sabemos por que a Lua do Abate chegou mais cedo desta vez, depois de John Upjohn e... e...

– Precisamos descansar – diz Arthur.

Ele cruza o olhar com os olhos, um de cada cor, do lorde Vaughn e então olha ao redor, para as demais pessoas.

– Vamos dar de comer a esses rapazes e deixá-los descansarem, e à nossa jovem bruxa também – declara Vaughn, dando um sorriso.

É assim que costuma ser o dia depois da corrida: o santo, caso sobreviva, é levado para casa, para comer e descansar. E, quando se recupera, a cidade inteira lhe dará as boas-vindas, com um banquete menos desesperado, na praça. Algo para homenageá-lo silenciosamente, uma oportunidade de lhe dar presentes ou pedir bênçãos adicionais. Da última vez, com John Upjohn, demorou mais de uma semana até o santo aceitar a festa, e, mesmo assim, ele só ficou sentado em um banquinho, com o corpo imóvel e calado, enquanto as pessoas ao redor comiam e entregavam presentes para sua mãe ou para Mairwen guardar.

Arthur imagina o que John Upjohn lembra a respeito do demônio.

– O que aconteceu lá na floresta? – pergunta Per Argall.

– À noite – diz Arthur, querendo ter um tempo primeiro só com Mairwen e Rhun. Quer saber se os dois lembram mais. Ou menos.

Mair lhe dirige o olhar, enquanto o sol da manhã reflete nos cabelos e espinhos amarrados em volta de seu pulso, e o pequeno osso que foi preso na palma macia da sua mão está bem em cima. Um osso delicado parecido encosta no pulso descompassado de Arthur, e há um amarrado desesperadamente ao pulso de Rhun também. De onde saíram aqueles ossos? Rhun franze o cenho.

– Sim – concorda Mairwen. – À noite, já estaremos bem e contaremos a nossa história.

Ao redor, os amigos, os vizinhos, primos e famílias sorriem, aliviados, com as mãos postas, dando os parabéns e fazendo previsões maravilhosas para os anos por vir. Nona Sayer toca na sobrancelha ensanguentada do filho, acaricia seus cachos, que estão meio presos, meio soltos, descabelados e bagunçados. Ela não sorri, mas o alívio é visível. E então se dirige a Arthur e o abraça pelo pescoço, o mais forte que já o abraçou na vida.

Arthur dá um sorriso e detecta o olhar vazio de Rhun, e o olhar enlouquecido de Mairwen em seguida.

O pacto está selado, por ora.

MAIRWEN NÃO SE PERMITE FICAR LONGE DE QUALQUER UM DOS rapazes. Ninguém discute com ela, mas sua mãe a abraça bem apertado.

– Eu também deveria estar com você enquanto descansa.

– Não, mãe – sussurra Mairwen.

Aderyn tem cheiro de fumaça de fogueira e flores amargas. Mairwen sente as lágrimas nos olhos fechados. Sua cabeça está latejando, o pulso também, repuxado por aquela amarra espinhenta. Depois da noite que teve, está com vontade de se afundar no colo da mãe e confessar todas as lembranças, que estão se apagando, antes que desapareçam. Mas Baeddan é a prova de que a história que as bruxas do clã Grace contam é mentira, e Mair não tem certeza se sua mãe sabe ou não. Aderyn disse que o santo não precisava morrer, apenas optar por morrer. Sendo assim, talvez esse Baeddan vivo e monstruoso seja exatamente o que sua mãe queria dizer, e esse era o verdadeiro destino de Rhun.

E o que será que Aderyn sabe a respeito de feitiços para a memória?

Soltando um leve suspiro, Aderyn pega nas pontas dilaceradas do cabelo de Mairwen.

– Você, pelo menos, vai me contar como isto aconteceu, filha?

– Eu mesma fiz – responde ela, com a raiva retorcendo os lábios, porque ela não consegue se lembrar direito por quê. Foi uma oferenda? Um feitiço? A pulseira no seu pulso tem cabelo. – Desculpe pelo vestido – completa, olhando para a saia azul manchada e esfarrapada. O corpete manchado de sangue seco: escarlate e violeta, vertido pelos quatro jovens.

o sangue salpica seu peito e seu pescoço, e ela grita: "Pare!". Arthur cai de joelhos, o demônio – não, Baeddan – está atrás dele

Mair treme de frio, e então transforma isso em um sacudir de cabeça. Passa os dedos no meio dos dedos gelados de Baeddan. Ele fecha a mão de repente, apertando demais.

Nona Sayer mantém a mão pousada no ombro de Rhun e diz:

– Eu prefiro que os meus filhos fiquem na minha casa.

– Mãe... – sussurra Rhun. Então segura a mão de Nona, a vira e lhe dá um beijo, encostando o rosto nela. – Só vou descansar, e prefiro estar com pessoas que...

– Que saibam – completa Arthur, quando fica claro que Rhun não quer ou não consegue terminar a frase.

Isso faz Mairwen procurar John Upjohn no meio da multidão. Será que ele sabe? Será que lembra? Em seu coração, brotam espinhos de fúria tão afiados que a deixam sem ar. Baeddan diz:

– Ninguém sabe. – E mostra as presas pela primeira vez.

A multidão solta um suspiro de espanto, incluindo a destemida Nona Sayer.

Sy Vaughn declara:

– Que criatura digna de pena – pronunciando as palavras com algo que parece ser pena sincera.

E então Baeddan geme, cobre os olhos com as mãos, enfia as unhas na pele da testa e a rasga.

– Não – pede Mairwen. – Pare.

Baeddan para.

Mairwen dirige o olhar autoritário para as pessoas, fazendo com que abram espaço, até que se forme um vão onde ela possa passar junto com os demais.

– Merecemos descansar – diz, dirigindo-se a todos. – Vão abraçar aqueles que amam e agradecer pelo pacto ter sido selado. Esta noite, eu contarei a nossa história.

Então ergue o queixo e vai embora, de mão dadas com Baeddan, e sua própria mão está melada de sangue. A menina não procura nenhum outro indivíduo no meio da multidão, nem mesmo Haf, que está morrendo de vontade de ver. Isso ficará para depois, quando sua visão não estiver turva, quando sua boca não estiver mais doendo, apesar de já estar cicatrizando. Baeddan é sua prioridade, Baeddan e o demônio.

O que aconteceu com o antigo deus da floresta?

É a própria voz que ela ouve dentro de sua cabeça, uma lembrança que ecoa. Mair não sabe o que significa. Só sabe que confia em Baeddan e que esta pulseira que está usando – que ela mesma fez –, de alguma maneira, sela o pacto. Por ora.

O caminho até em casa, saindo do campo de cevada, é uma estradinha estreita de terra que atravessa o pasto das ovelhas, pisada por duzentos anos de pés de bruxa, e Mairwen tenta manter a tradição dirigindo seus pensamentos, enquanto guia Baeddan, Arthur e Rhun. A menina sente grossos cordões de sangue atravessarem suas veias, se enroscando e girando, feito ramificações de cipós dentro dela. Tropeça. Baeddan a segura pelo braço, com a mão gelada, e a aperta contra o peito cheio de chagas.

– Mair? – chama Arthur, com uma inquietude indisfarçável.

Mairwen faz sinal para o rapaz se afastar, e se permite ficar apoiada em Baeddan por um instante. Suas têmporas estão ardendo contra o pescoço dele, e toda a lateral de seu corpo que encosta nele fica gelada, como se estivesse numa sombra. Isso faz um sorriso se esboçar em seus lábios, porque costumava ficar meio para dentro e meio para fora da floresta, aquecida pelo sol e resfriada pela sombra. Ela trouxe a floresta consigo, o coração da floresta, o demônio da floresta. E, sendo assim, aonde quer que o leve, terá as sombras da floresta para tapar o sol.

Os cipós que se enroscam pelo seu sangue deslizam com mais facilidade, mais tranquilidade. A respiração de Baeddan, perto do ouvido de Mair, é gorgolejante, e a criatura encosta os lábios no topo da cabeça de menina. Não como se fosse um beijo, mas como se quisesse sentir seu gosto. Mair treme e o abraça mais apertado. Baeddan está vivo, depois de dez anos, e o cerne do pacto é uma mentira.

– Vamos – resmunga Arthur, passando pelos dois. – Estou morrendo de fome, e Rhun vai cair no chão já, já.

Rhun não discute, só continua andando, lançando um olhar de preocupação para Mairwen. Para o que um dia foi o seu primo também e, por um instante, sua expressão fica sombria, mas se obriga a disfarçá-la e passa pelos dois.

A residência do clã Grace está vazia, o sol da manhã doura o sapê, as paredes lisas e brancas e, as esquadrias das janelas e a porta foram pintadas recentemente de um vermelho alegre. Rhun ajudou a pintá-las. Os dois trabalharam lado a lado, sentindo o cheiro de torta no forno. De maçã com sabugueiro, a preferida de Rhun, e foi a única coisa que ele aceitou em troca.

Agora não há nenhum aroma de torta, apenas o cheiro pungente de ervas secando, quando Rhun abre a porta e a segura para os outros passarem. Mairwen vai direto até o borralho, para acendê-lo, mas as brasas morreram ao longo daquela longa noite, e ela se abaixa para pôr mais lenha.

– Arthur? – chama, e ele aparece, segurando o iniciador de fogo.

Arthur atende ao pedido de Mairwen de acender o fogo do borralho. Ela se ocupa de pegar a chaleira e as folhas de chá enquanto ele aviva as chamas. Rhun pega uma braçada de lenha da pilha na cozinha e a atira aos pés de Arthur, depois vai para a escada que leva ao quarto e começa a subir.

– Espere, Rhun – pede Mairwen.

– Estou cansado.

– Nós temos alguns assuntos para conversar antes de irmos dormir e antes de ficarmos frente a frente com os habitantes do vilarejo novamente.

– Eu consigo ouvir lá de cima. – Rhun pisa no cômodo do andar de cima e some, encostado no teto inclinado onde fica a cama de Mairwen.

Artur fica rangendo os dentes, e Mairwen encosta em seu rosto, por impulso.

– Por que você fez isso? Por que entrou na floresta? – pergunta Mairwen, olhando para trás, para Arthur.

Ela mais parece parte da floresta selvagem: o cabelo emaranhado, feito cipós; o belo vestido esfarrapado, com a bainha pesada, de tanta lama e água; olhos insistentes e perigosos; lábios entreabertos; bochechas vermelhas. Com um machado na mão, como se fosse o espírito vingador de uma lenda terrível.

– Salvá-lo é a única maneira de ser alguém melhor – responde o rapaz.

– Melhor do que ele? – sussurra Mairwen, sacudindo a cabeça.

– Melhor do que eu mesmo.

Arthur tem vontade de perguntar por que Mair foi atrás de Rhun, mas já sabe por quê. Aquele é o lugar de Mairwen Grace.

Mair e Arthur se afastam de supetão. Aquela era uma lembrança do rapaz, mas agora ela também lembra. Até tocá-lo, tinha esquecido aquele instante.

– Mas isso é igual ao altar lá da floresta? – pergunta Baeddan, antes que Mairwen consiga dizer qualquer coisa para Arthur. O demônio fica de joelhos na frente do borralho, com as mãos espalmadas contra sua enorme pedra.

– Sim – responde Mairwen, apesar de ter esquecido isso também.

Baeddan se esparrama contra a pedra, movimentando os lábios, cantando uma canção silenciosa que Mair não consegue ouvir direito. Fica difícil pendurar a chaleira, tendo que se esticar por cima dele, mas a menina consegue.

– Você pode ir buscar água, Arthur? – pergunta ela. – Precisamos nos limpar.

O rapaz sai da casa, e Mair continua preparando a refeição. Encontra queijo e carne-seca de cordeiro, e ignora aquela estranha dor que sente nos ossos e o peso do próprio sangue que se arrasta em suas veias. Em suas clavículas também, brotam hematomas que parecem aumentar em vez de cicatrizar. Ela precisa manter o foco, conseguir comer e se limpar e precisam conversar, comparar as lembranças que cada um tem. Por mais parcas que sejam.

Mair dispõe a comida em cima da mesa e chama Rhun. Que não responde. Mairwen já ia subir a escada para buscá-lo quando Arthur escancara a porta da frente e diz, irritado:

– Ela não quer ir embora.

Surpresa, Mairwen olha nos olhos arregalados de Haf Lewis. Que está carregando uma trouxa de roupas. Haf sacode a cabeça, desesperada, e pousa o olhar em Baeddan, esparramado como o sacrifício que ele mesmo já foi, no amplo borralho.

– Mairwen – diz Haf, tensa.

E Mairwen se aproxima da amiga em um instante. Abraça Haf, que também a abraça, muito apertado. Arthur solta um gemido de desgosto e passa por elas pisando firme, derramando a água que traz dentro do balde. Mas Mairwen não se importa nem um pouco: assim como conhece aquela casa, conhece muito bem Haf.

RHUN OLHA FIXAMENTE PARA O TETO DE SAPÊ, DEITADO NO CHÃO do quarto e não na cama. Está sujo demais para encostar nas colchas e no macio colchão de palha. O chão de ripas de madeira está mais do que bom.

Galhos da largura de seu pulso, descascados e polidos até ficarem com um tom de marrom escuro encantador, mantêm o teto firme. Camadas de palha de trigo se espalham, em maços, abafando os sons que vêm de fora, conservando o calor. Apesar de a maior parte do telhado ter sido selada com cal, aquela parte do cômodo é coberta apenas com sapê. Por isso, parece ser mais antiga, mais escura, repleta de minúsculos segredos escondidos.

No andar de baixo, Arthur discute com Mairwen a respeito do tempo que o chá deve ficar em infusão, de quanta manteiga ela está espalhando no pão e até por que Mair permitiu que Haf Lewis ficasse ali.

E Rhun deveria achar graça e se irritar, mas sente tudo de uma distância oca. Até as rusgas de Arthur.

O rapaz fecha os olhos e vê a floresta escura: folhas passam de relance, o rumorejar da água do brejo, a luz alaranjada e bruxuleante.

Um véu branco. Arthur boquiaberto, sem ar. Mairwen com... Mairwen com o... não, com Baeddan.

Ele abre os olhos e vê o teto de sapê. Ainda deveria estar lá. Cortado em pedaços e amarrado pelo demônio, para atender às exigências do pacto.

Rhun põe o braço sobre os olhos, faz careta, querendo ser capaz de sorrir. Seus lábios esqueceram a forma que a felicidade tem.

E até este pensamento melodramático cava um oco mais fundo na caverna vazia do seu peito.

Tudo em que Rhun acreditava era mentira. Baeddan está vivo, e Rhun se sente traído. O pacto não funcionava assim. Não foi o que lhe prometeram. Baeddan deveria estar em paz, o destino de Rhun deveria ser ter morrido ou vivido – essa é a condição que os santos aceitam. Esse é o preço. Mas ele não vai esquecer que há vinte e cinco crânios na Árvore de Osso, e houve vinte cinco santos antes de Baeddan.

Rhun fecha os olhos.

Vinte cinco pares de órbitas vazias e negras...

O punho cerrado de Arthur surgindo do nada, batendo no rosto de Rhun...

Rhun não consegue lembrar, mas...

Ele está desmoronando.

Vinte e cinco. Ninguém sobreviveu. Jamais houve esperança – Rhun não consegue entender como isso é possível, já que quatro santos conseguiram sair da floresta, mas ele contou. Inúmeras vezes. Vinte e cinco.

Mair se afasta do crânio menos deteriorado, sacudindo a cabeça. Seu cabelo está curto e picotado, seus olhos, arregalados e negros. Ela está segurando a mão do demônio! – Meu pai – diz ela, e...

O cansaço e a decepção exaurem Rhun, e aquela coisa presa em seu pulso pinica e aperta. Ele a arrancaria, se não tivesse medo das consequências. Para o vale, para Baeddan Sayer.

– Santo, santo! Ah, aí está você! – sussurra o demônio. – Eu conheço esta túnica e esses ossos e o brilho da sua pele e o seu sorriso.

Rhun aperta o braço contra os olhos e se permite fazer uma careta. As lágrimas escorrem pelo seu rosto, afundando suas têmporas. Ele não está preocupado com sua falta de lembranças, porque tudo do que precisam saber a respeito da Floresta do Demônio e do pacto é que não há como sobreviver. Não há escolha. Não há esperança.

Baeddan sempre esteve condenado – assim como Rhun.

Fez-se silêncio lá embaixo. Rhun vai rolando até a escada, e leva um susto ao ver que Arthur está empoleirado ali, o observando com uma jarra na mão e um pedaço de pano em cima do ombro. Com o queixo manchado de sangue. Os olhos fundos com olheiras azuladas parecerem de um tom vivo de índigo. Sua boca está meio curvada para cima, meio amargurada e meio exangue.

– Aqui tem água – diz Arthur, colocando a jarra em cima do piso de madeira. – Para limpar o grosso do sangue.

Ele sobe os degraus que faltam, e Rhun chega mais perto, agachado, para não bater a cabeça nem os ombros no teto baixo. Exceto pelo sangue no queixo, Arthur parece já estar asseado. Está usando uma túnica limpa grande demais para ele, que chega quase em seus joelhos, por cima de uma calça pregueada. E está descalço. Arthur se ajoelha e mergulha o pano no jarro.

– Ande, Rhun. As suas costas estão em petição de miséria.

Rhun diz:

– Você não limpou o queixo direito.

Arthur passa o pano no queixo, que sai rosado de sangue. Então ergue as sobrancelhas, irritado.

– Melhor?

– Não – responde Rhun, mas ambos sabem que não está falando do sangue. Ele quer dizer que "nada vai melhorar".

Um instante de silêncio se instaura entre os dois.

Arthur encosta no joelho de Rhun, e ambos sentem o calor desse toque em suas pulseiras que pinicam no pulso, feitas de cabelo e agulhas de pinheiro.

– Eu estava com medo de que não fosse me perdoar por correr para cá antes de você. Por roubar sua oportunidade – sussurra Arthur.

No fundo da floresta, ele se reúne com Rhun debaixo das raízes de uma árvore caída por cima do leito de um regato, e Rhun saboreia a sensação do peso da cabeça de Arthur em seu ombro, o fato de o rapaz não se afastar quando encosta o rosto no cabelo dele. Os dois estão cegos por causa da escuridão, ansiosos por reencontrar Mairwen, com os corpos feridos, ensanguentados e doloridos. Rhun diz:

– Sempre vou perdoar você. Ainda não se deu conta?

Rhun bate na mão de Arthur, para afastá-la.

Um esgar de desdém bem conhecido entreabre os lábios de Arthur. Aquele, defensivo, aquele, furioso. Mas ele não faz nenhum comentário.

– Estão cicatrizadas. Não em petição de miséria – fala Rhun. – As minhas costas.

– Você vai mesmo me impedir de fazer isso? – diz Arthur, com um tom de incredulidade.

Rhun olha feio para ele.

– Tudo bem, seu imbecil. – Arthur atira o pano no chão e vai descendo a escada. – Termine sozinho, e eu jogo uma túnica para você. Depois, desça para comer, e podermos conversar.

O cabelo loiro espetado some debaixo da beirada do cômodo, e Rhun se encolhe, abraçando o próprio corpo. Entrelaça os dedos atrás da cabeça. Precisa se recompor.

Uma túnica é jogada pela beirada do cômodo, e a manga fica presa na escada. É uma túnica verde-clara, fina e gasta, mas limpa. Rhun tira o gibão – perdeu o capuz de caçador, não lembra quando – e vai tirando devagar a túnica de santo que fica grudada nele, colada pelo sangue, e puxa sua pele ferida. Rhun a arranca com violência.

A túnica de santo esfarrapada cai em seu colo, aos pedaços.

Bordados coloridos enfeitam as mangas, apenas na parte de cima e perto dos ombros. Flores e raios, estrelas e um sol alaranjado. E ali está o cervo, em três pedaços, cortados pelas garras do demônio. O cervo um dia teve um coração, Rhun se dá conta. Assim como ele.

MAIRWEN DÁ UM SORRISO – UM SORRISO CONTIDO, SINCERO – ao ver que Baeddan examina um pedaço de queijo, e então o encosta delicadamente na boca. Ele mordisca, em dúvida. E, em seguida, o enfia inteiro na boca, feito criança. O fogo crepita, caloroso, atrás dele, e o chá espalha quentura pela barriga de menina. Haf está sentada em silêncio ao lado dela. Baeddan ergue os olhos, que começaram lentamente a ficar com uma cor mais humana, as íris negras rajadas e salpicadas de verde. Verde de brotos de planta e de esmeralda, o verde-escuro das sombras e o verde do limo em um lago estagnado. Seus cílios são curtos e negros como o cabelo, vívidos em contraste à pele pálida e arroxeada que vai ficando de um tom de marfim de ossos mortos, com manchas amareladas. Feridas em forma de lua crescente, das unhas, emolduram suas sobrancelhas, reluzentes com o roxo profundo do sangue. Ele sorri para Mairwen, um sorriso delicado, ávido, e a menina consegue ver o contorno dos dentes de gato. O corpo de Mair estremece, e o sangue grosso corre mais rápido, mais liso em suas veias. Pelo menos isso Mairwen se lembra: que o lugar de Baeddan é ali. Ao lado dela. Ou será que o lugar de Mairwen é ao lado de Baeddan? O lugar de ambos é na floresta? Os detalhes são nebulosos, mas a sensação é real: a de pertencimento e da floresta.

Ela quer voltar.

Ao lado do borralho, Baeddan encosta a mão no peito, enrosca os dedos para arrancar a pele, mas como os dois estão se encarando, não o faz. Só bate o indicador no oco de sua garganta, *tum, tum, tum, tum*, no ritmo do coração dela. Mairwen se aproxima, atraída pelo ritmo. Ela o sente estremecendo sua pele, pulsando nos pontos doloridos ao longo de sua clavícula.

Baeddan desliza a mão para baixo e a coloca bem em cima do coração, na área de seu peito em que vinte e quatro pequenos ossos foram costurados em sua pele, e onde há três feridas escorrendo sangue.

Arthur desce a escada batendo os pés e atira lá para cima a calça, a túnica e o colete que Haf trouxe, da casa de Braith Bowen, para Rhun vestir. Ele embola tudo de qualquer jeito e atira no segundo andar. Em seguida, se vira para Mairwen e fala, com um tom meio maldoso:

– Ele tem que aceitar o combinado.

Mair levanta de repente. Deveria estar aproveitando aquele momento para se limpar também, não para ficar de intimidade com o vigésimo sexto santo. Mas Rhun está descendo a escada.

– Combinado com quem, Arthur?

– Conosco! Com o que aconteceu e descobrir o que vamos fazer a respeito.

– Era tudo mentira. É isso que eu lembro. – Rhun passa por Arthur, esbarrando no amigo, vai até a mesa gasta e pega um pedaço de pão. Antes de comer, olha para Baeddan e diz: – Como é que ele... Como é que você está? – corrige-se. Seu rosto está tenso, manchado, com a barba por fazer.

– Estou quentinho, primo – responde Baeddan. Então ri baixinho. A risada se transforma em um sorriso mais perturbado, que de repente desaparece. Baeddan faz cara feia e diz: – Meu nome é Baeddan Sayer.

Rhun fica olhando para ele, com uma cara exausta.

Baeddan murmura uma melodia estranha e segura o pulso de Mairwen, a puxa para baixo, até Mair se sentar do seu lado, no borralho. A menina faz isso de bom grado e fica tão perto que seus quadris se tocam e, quando ele levanta o braço, lhe parece natural aninhar a cabeça ali embaixo, apesar do olhar de reprovação de Arthur e do olhar de incerteza de Haf. Mair não consegue evitar: ficar perto de Baeddan é como ficar perto de seu ser por inteiro. Aquele chamado dentro dela se aquieta. A tensão e o anseio com os quais conviveu durante toda a vida têm resposta. Porque Baeddan agora é a floresta, de algum modo, o coração da floresta, e Mair é uma bruxa do clã Grace. Seu coração sempre pertenceu à floresta.

Rhun se acomoda em um banco, apoia os cotovelos na mesa e começa a despedaçar o pão.

Arthur respira fundo para tentar se acalmar.

– Conte para mim o que você lembra, Rhun, mesmo que não tenha importância.

– Eu me lembro de correr, de lutar contra lobos... negros e cinzentos, que sangravam um sangue roxo. Estavam quase mortos ou pareciam cadáveres que ressuscitaram para lutar. E... me lembro de um brejo fedorento com estranhas luzes alaranjadas. Você me deu um soco, Arthur.

– O quê? Eu não...

– E me lembro de ver um reluzir de dentes e de ouvir uivos. E que não era o demônio atrás de mim: era Baeddan. Dando risada atrás de mim, cantando uma antiga canção que falava de um pássaro?

– Eu conheço essa canção de ninar – diz Mairwen. – Eu é que estava cantando, não Baeddan.

Baeddan declara:

– Eu *sou* o demônio.

Mair dobra o braço até alcançar o rosto de Baeddan e acaricia seu queixo.

– Você é santo, um dos santos de Três Graces. O pacto o transformou nisso, amarrou seu coração à floresta como... – Ela sacode a cabeça e prossegue: – Talvez. Não sei bem o que foi que aconteceu. No que consiste a magia.

Ela dirige o olhar para a janela que dá para o norte, como se dali pudesse enxergar a floresta.

– Há vinte e cinco crânios na Árvore de Osso. – É Rhun quem fala, com um tom sombrio e seco.

O silêncio recai sobre eles.

– Meu pai – diz Mairwen, encostando em um dos crânios. O mais recente, branco e amarelando, com a ponta do nariz afiada como uma adaga,

– Nós deveríamos queimá-la – diz Arthur. – A Árvore de Osso.

– Mas aí qualquer um pode morrer! – grita Haf, ficando de pé de repente. – Bebês!

– De onde vieram os quatro crânios para completar vinte e cinco, se alguns santos sobreviveram e foram embora do vale? – pergunta Mairwen.

Rhun fala:

– É tudo mentira. As bruxas do clã Grace contam uma lenda para que a gente se disponha a correr.

Mairwen olha nos olhos castanhos e furiosos dele, e um tremor, também de fúria, deixa seus braços arrepiados. Sua mãe, sua mãe, sua mãe. A menos que...

– Talvez tenham esquecido também. As bruxas do clã Grace. Minha mãe. Estamos esquecendo. Talvez...

A menina só não quer que sua mãe seja a vilã.

– *Agora* conte para nós o que você lembra, Arthur – pede Rhun.

– Baeddan me estrangulando. Fantasmas, como se fossem a minha família, me provocando. Também me lembro de um brejo e... de me afogar. De correr, mas é tudo um borrão, como se fosse um sonho. E de um altar, acho que na base da Árvore de Osso.

– Sim! – grita Baeddan. – Igual a este.

E então passa a mão na pedra do borralho, onde está sentado.

Como se não tivesse sido interrompido, Arthur continua:

– E me lembro de Mairwen perguntando por que corri para a floresta, para começo de conversa, mas não lembrava até ela encostar em mim hoje de manhã. Eu me lembro de ficar escondido com você naquele leito de regato seco, desde que encostei em seu joelho, lá em cima. Talvez nos lembremos de mais coisas se... fizermos isso de novo.

A expressão de Rhun é bem fácil de interpretar. "Agora você quer encostar em mim", diz ele, sem dizer nada. Até Mairwen sabe.

A menina fala:

– Eu me lembro de Baeddan e de correr... Arthur, você subiu em uma árvore. Não na Árvore de Osso. Eu me lembro... de pássaros. De mordidas minúsculas. "O que aconteceu com o antigo deus da floresta?", eu disse isso. E também falei "Nós somos os santos de Três Graces".

– Eu também me lembro de ter dito isso! – Arthur fica de pé de repente, empolgado demais para ficar calmo. – "Nós somos os santos." Nós dissemos isso quando fizemos o feitiço, acho.

Baeddan sussurra:

– O gosto era tão bom...

Todos ficam olhando para ele por um instante, surpresos e sem palavras.

– Gosto do quê? – pergunta Mairwen, com cautela.

Ele encosta no próprio peito, e nas três feridas debaixo daqueles outros ossos pequenos costurados em sua pele.

a ponta da lâmina minúscula pressionada contra o canto do osso. – Você está preparado? – perguntou ela, para Baeddan, e o demônio mostrou os dentes. Ela respirou fundo e cortou

Mairwen vira o braço e fica olhando para o osso branco e protuberante amarrado à pulseira.

– É um osso da mão de John Upjohn, e os outros estão ali...

Ela olha para o peito manchado, cheio de cicatrizes, de Baeddan.

– Santa Maria mãe de Deus – exclama Arthur, e Mairwen pensa que nunca ouviu o amigo falar em um tom tão reverente.

Rhun enfia as palmas das mãos nos olhos.

Haf solta um suspiro de assombro e pergunta:

– Por que você fez isso?

– Não sei – responde Mairwen, franzindo o cenho, sua respiração fica acelerada, porque algo que beira o pânico se apossa dela. Mairwen olha para a pulseira, espremendo os olhos. "Lembre", ordena, para si mesma. Ela é uma bruxa do clã Grace! Deveria lembrar.

– Por que esquecemos? – indaga Rhun. – Por que isso faz parte do pacto? Ninguém nunca nos disse isso, disse?! John deveria ter dito. Será que ele também? Ou será que é... é diferente para nós?

Mair pensa em John Upjohn e em seus olhos assombrados, em seus pesadelos. Ele lembra alguma coisa, mas talvez não tudo.

– Nós esquecemos para impedir que aqueles que voltam da floresta contem a verdade – diz Arthur, como se fosse óbvio. – Os quatro que sobreviveram e John, se tivessem nos contado que viram o santo que veio antes deles, a lenda teria desmoronado.

– Isso é dar muita importância a Três Graces. Presumir que alguém se importa – fala Rhun.

Sua amargura revira o estômago de Mair. Aquilo parece pesado e feio demais saindo dos lábios do rapaz.

Arthur lança um olhar para ela, obviamente tão preocupado com o amigo quanto Mairwen.

– Também é presumir... – argumenta Mair – ...que é isso que sempre acontece: um santo entra na floresta, é amarrado a ela e se torna igual a Baeddan. E então ficam esperando o próximo santo, e esse santo toma o lugar do anterior, no papel de demônio? A menos que saiam da floresta novamente.

Baeddan geme baixinho.

– A magia... funciona – insiste Mair, pensando "Vida, morte, e bênçãos unindo as duas coisas".

– Do que se lembra, Baeddan? – pergunta Haf. E, em seguida, fica mordendo o lábio e observando o santo.

Baeddan encosta em uma cicatriz que desce pelo peito, saliente e roxa. Sacode a cabeça, com movimentos rápidos e minúsculos.

– O demônio que veio atrás de mim era o santo anterior, tinha chifres e era cruel – sussurra. – Eu corri, corri, corri e, então, eu estava... perseguindo. Eu persegui John Upjohn porque ele tinha o cheiro certo. Seu hálito tinha gosto de sacrifício. Assim como o seu, Rhun Sayer. – E então enfia as garras na própria pele, despedaçando-a, e o sangue violeta volta a brotar. Com o branco absoluto dos ossos costurados em cima do seu coração, o peito dele parece uma pradaria salpicada de flores na primavera.

Mairwen põe a mão sobre a da criatura. Baeddan mostra os dentes afiados e levanta tão rápido que Mairwen mal tem tempo de sair da frente. Ele diz:

– A floresta cantou para mim, canções de ninar e hinos tranquilizantes, e fizemos coisas juntos, criaturas e... e flores novas. Eu tentei. Tentei ser o que a floresta precisava que eu fosse, mas não sou bom o bastante. Eu não... não lembro, a menos que... Se eu amarrar Rhun Sayer na pedra do altar, estarei livre! Minha cabeça ficará na Árvore de Osso, junto com os demais, para que Rhun Sayer se torne o demônio em meu lugar. – Baeddan está ofegante, e sua testa manchada brilha de suor. – Ela está me chamando – murmura.

– Baeddan – Mair tenta tranquilizá-lo. – Baeddan Sayer.

Muito, muito devagar, os lábios de Baeddan vão descendo, tapando seus dentes, e sua testa se alisa. Ele pisca sem parar, encolhendo os ombros.

– Baeddan Sayer – sussurra ele.

Mairwen segura o ombro dele empapado de suor, e olha para Haf. As bochechas da amiga estão de um tom de rosa vivo, mas ela ainda está parada. "Desculpe", diz Haf, sem emitir som.

– Eu também sinto – declara Rhun. – A floresta me chamando. Ela me quer de volta.

Mairwen está com a frase na ponta da língua, querendo dizer que quer voltar para a floresta: talvez eles se lembrem, se voltarem.

"Mairwen Grace."

"Filha da floresta."

Ela segura a mão de Baeddan e tem uma visão em que Rhun aparece, o seu Rhun, com o peito aberto e amarrado ao altar da Árvore de Osso, e com cipós atravessando seus pulsos e suas coxas, atravessando sua caixa torácica, transformando-o em um demônio. Não é uma lembrança, mas

Baeddan geme de novo, e sua mão treme sob a dela. O calor segura seu pulso, e Mair vê a boca de Rhun se remexendo. Arthur cerra os dentes. Os dois também sentem, por causa do amuleto que amarra aos três.

Mairwen não sabe como fez as pulseiras ou quanto tempo falta para o pacto ser rompido novamente, e fica zonza de repente. Sua clavícula dói, seu crânio lateja, e o sangue se arrasta por suas veias, lento e espesso.

Se ela for para a floresta, tudo ficará bem.

"Mairwen Grace."

Mair fica de pé, distanciando-se do toque de Baeddan, distanciando-se de todos.

– A floresta chama os sobreviventes de volta – sussurra. – Eles até podem ir embora do vale, mas voltam. E morrem. Deve ser isso que compreendemos lá na floresta. Não há como sobreviver.

– Não há esperança – completa Rhun. – Eu me tornei santo só para ser abatido.

– Vou consertar isso – sussurra Mairwen. – Eu preciso... me deitar.

E então vai correndo para o quarto da mãe, nos fundos da casa.

Fecha a porta, pressiona as costas contra ela com força e enfia os dedos no peito, exatamente como Baeddan faz. Sua respiração se acelera, e suas clavículas doem e coçam.

De repente, seus olhos se abrem, porque seus dedos arrancaram a pele de cima das clavículas. Debaixo da pele, ela sente pequenos caroços, como se estivessem surgindo furúnculos ali. Passa os dedos neles, olhando bem para a frente, para aquele leque de lindas penas de ganso penduradas na parede. Baeddan tem uma fileira de espinhos curtos que brotam, em forma de gancho, de suas clavículas.

Mairwen estende as mãos diante dos olhos e as examina. A pulseira feita de cabelo, osso e espinhos se retorce, apertando seu pulso, pinicando em diversos lugares diferentes. Mas nada mudou visivelmente em suas mãos. Suas unhas estão lascadas e mais azuis do que de costume, por ter passado frio por tantas horas. Ela toca no rosto e no cabelo, explorando com os dedos tudo o que está ao alcance. Tira o corpete e a sobressaia, remove a combinação e a calça, as meias e as botas, até ficar nua dentro do quarto da mãe, tremendo e passando as mãos por todo o corpo, em busca de irregularidades. Só encontra as cascas de ferida e os arranhões superficiais da noite anterior, a maioria nos braços, no pescoço e no couro cabeludo, mordidas minúsculas, e as feridas que se fecham, criadas por árvores invasivas que a levantaram do chão.

Do baú da mãe, tira uma longa túnica de lã e a veste. Sobe na cama e se encolhe debaixo do edredom, respirando fundo o cheiro de flores de Aderyn que ficou entranhado no travesseiro e no cobertor.

MAIRWEN DEIXA UM VAZIO QUANDO SAI DA COZINHA. Os demais ficam se olhando até que Haf, muito pragmática, põe mais chá para ferver e Rhun ataca a carne de cordeiro, franzindo o cenho.

Baeddan se agacha perto do borralho de pedra, com as mãos enfiadas no cabelo e nos espinhos afiados, murmurando com seus botões.

Arthur está louco para dizer alguma coisa para Rhun, tirá-lo daquele mau humor, mas o rapaz nunca foi de fazer belos discursos nem de consolar. Principalmente com Haf Lewis e o demônio servindo de testemunha. Ele se concentra em não se contorcer, em continuar parado, quando quer tanto sair por aquela porta e atear fogo em tudo. Fazer a escolha por todos. Rhun tem razão: o pacto é mentira e não deveria ser refeito. Deveriam pôr fim a ele. Três Graces deveria ser obrigada a acordar.

Rhun diz "vou dormir" e se levanta. Antes de subir para o quarto novamente, agacha diante do demônio.

– Baeddan, fique aqui. Não sei se também está cansado, mas precisamos descansar. Se dormir, o pacto pode... pode curar você também, se puder ser curado.

– Sim, primo – diz Baeddan, pousando a mão descorada no joelho de Rhun.

Arthur pensa que Rhun parece ser o mais velho dos dois, o mais cansado. Isso parte seu coração, e odeia isso. Está tomado por um anseio de conseguir algum consolo para o amigo, mais forte do que nunca. Por um instante, nada mais importa a não ser fazer Rhun Sayer sorrir. É a pulseira – só pode ser – que os une, mas quando Rhun sobe a escada, Arthur se obriga a perguntar para Haf se ela ficará bem, e ao ouvir a resposta afirmativa, sobe atrás de Rhun. Seu amigo se aninha na cama, de costas para a escada, com o cabelo castanho formando uma nuvem de cachos bagunçados.

Arthur fala:

– A gente deveria descer e ficar com Mair. Acho que deveríamos ficar juntos agora. Isso irá nos fortalecer, fazer com que saremos mais rápido. Lembremos mais coisas.

Rhun sacode a cabeça.

Arthur meio que suspira, meio que resmunga, e senta ao lado da pilha de colchões e colchas. Funga, bravo. Jamais quis ficar naquela situação. Levanta os joelhos, os abraça e encosta a cabeça no antebraço. Espera, encontrando uma paz sonolenta, até Rhun parar de se mexer ou sua respiração continuar estável por vários minutos.

Então Arthur se espicha, com todo cuidado, ao lado de Rhun, de costas para ele. Mal respira, porque tem plena consciência do corpo de Rhun, com raiva por isso, com raiva de si mesmo por estar com raiva, e finalmente cai no sono mantendo o corpo rígido e bem esticado.

• • •

ARTHUR CORRE MUITO, PULANDO SOBRE OS TRONCOS CAÍDOS E SE embrenhando no meio dos galhos, que se partem, com as criaturas em seu encalço. Tenta achar uma área mais aberta, para que possa se virar e lutar, mas não há tempo, não há lugar. Um menino-rato esquelético pula em suas costas, arranca seu capuz e dá uma risadinha estridente, fazendo o cabelo de Arthur de rédeas. O rapaz saca uma das facas e golpeia para cima, tentando acertar o monstro minúsculo. A faca corta, mas a criatura continua firme. Obriga Arthur a diminuir o passo, e outros monstros de osso tentam agarrá-lo.

Grunhindo, Arthur se vira e bate as costas em uma árvore, esmagando o monstro em cima dele. Fica livre apenas por um instante, porque outro se agarra em sua coxa. Arthur chuta, golpeia a faca longa para baixo. A lâmina desliza com a maior facilidade, e Arthur arranca a cabeça do rato-esqueleto.

Ouve risos por todos os lados.

Ele volta a correr.

As criaturas que o perseguem são minúsculas e brancas, com joelhos e cotovelos protuberantes. Algumas estão de pé, outras de quatro, com barrigas inchadas, peitos côncavos, as costelas saltadas, feito escadas. As cabeças são os crânios do que um dia foram: ratos e esquilos, corujas, cães, todos têm dentes e olhos vazios e negros. Alguns usam capas esfarrapadas de pelos ou penas. Todos meio apodrecidos.

A escuridão esconde as folhas e traiçoeiras armadilhas cavadas no chão, e Arthur apenas consegue continuar de pé e à frente. Ele não pensou em nenhuma direção específica, apenas em fugir e levá-los para longe de Mairwen.

Seu calcanhar fica preso, e ele tropeça, deixa cair uma das facas para não empalar a si mesmo e cai com tudo no chão. Rola rápido, golpeia com a faca que lhe resta, mostra os dentes e uiva. A criatura feita de ossos dá uma gargalhada aguda, que mais parece o som de sinos minúsculos, bate palmas e dança ao redor. Outra, pálida como a barriga de um peixe, com o crânio de um jovem cervo, segura a faca caída. E então as criaturas se aproximam.

Arthur grita, tenta levantar com um pulo, mas prendem suas pernas, e duas criaturas pulam de uma árvore em cima do seu peito. Isso expulsa o ar dos seus pulmões, e ele tenta inspirar novamente. Não consegue rolar. Não consegue se mexer. E então sente uma lâmina fria no pescoço, e as órbitas vazias e negras de um crânio de corvo.

Esse não pode ser o fim. Ele não vai morrer ali, tendo começado a correr há tão pouco tempo. Ele não vai morrer nas mãos daqueles malditos monstros minúsculos.

Só que sua cabeça está zunindo, e seu peito arde. Estão rasgando o casaco, abrindo buracos e tentando abri-lo para revelar a túnica de lã. Uma das criaturas resmunga algo parecido com palavras.

Outra responde, depois outra.

A respiração de Arthur está voltando ao normal, mas seu coração bate acelerado, e a cabeça dói. Ainda segura uma faca na mão esquerda, enquanto observa as criaturas de osso. Que o cercaram, pelo menos vinte delas, sussurrando, sibilando para si mesmas. Ele precisa arriscar, ou irão enterrá-lo ali. Em um único movimento, ergue a faca e a desliza para o lado. A faca que as criaturas seguram contra sua garganta corta, mas ele mal sente. A faca de Arthur corta o menino de osso que está segurando sua cabeça, e o rapaz se liberta, grunhindo, sob o ataque das garras que tentam segurar seus braços, pernas e peito. Uma delas segura seu cabelo. Arthur chuta com todas as forças, mandando mais criaturas pelos ares.

E então ele está de pé, prestes a voltar a correr, só que as criaturas de osso se dispersam.

Em parte, ele sabe que o motivo mais provável para terem fugido é porque algo pior está por vir, mas se encosta na árvore mesmo assim, encosta o braço nela, e a testa no braço, e respira fundo. A dor se espalha, formando *uma linha reta que atravessa seu pescoço, mas a ferida mal sangra, ele consegue respirar, e consegue virar a cabeça, deve ser superficial.*

Com cuidado, Arthur se encosta na árvore e olha em volta. Está sozinho, cercado por árvores pretas e retorcidas, que pingam uma seiva de um brilho avermelhado ao luar. Feito sangue. Mas o cheiro que paira no ar é floral e doce. Arthur se aproxima da faca caída. Está presa entre as raízes. Suas costas doem, dos hematomas que brotam, e se surpreende por mal ter notado que o chão era espinhento, emaranhado, enquanto estava deitado. Solta a faca das raízes e a embainha, e também a outra. Sua aljava está quebrada e inútil, por ter batido naquela árvore para tirar a criatura de osso de cima dele, ou da queda, Arthur não sabe. Ele pega o punhado de flechas, as prende na parte de trás do cinto o melhor que pode. Isso vai fazê-lo perder tempo quando tiver que atirá-las. Mas, pelo menos, pode contar com elas. Refaz seus passos devagar, por alguns minutos, para tentar encontrar o arco.

Não demora para Arthur se dar conta de que isso é impossível. Esta é apenas a direção que ele acredita ter corrido e não sabe ao certo quando foi que perdeu o arco. Pode ter sido lá atrás, perto daquela árvore em que Mairwen subiu para orientá-los.

Arthur não diz o nome dela em voz alta, apesar de ter vontade, só para se lembrar da sensação.

Ao ouvir um leve ruído à sua esquerda, o rapaz se vira, brandindo a faca. Fica olhando para as sombras, sem piscar, como se, quanto mais tempo olhasse, mais fosse capaz de ver através da escuridão e enxergar o que movimentou as folhas.

Uma luz pisca.

E se movimenta, como um ser vivo, como se alguém estivesse vindo em sua direção, atravessando toda a densa floresta com uma pequena vela branca na mão.

Arthur se esconde atrás de uma árvore e continua olhando fixamente para a luz.

Poderia ser Mairwen? Será que ela teria conseguido encontrar fogo? Mas Mair faria mais barulho, com certeza.

A luz se aproxima e fica maior: é um vulto claro, andando lentamente, com o corpo inteiro coberto por um véu branco transparente.

Em volta, o ar é enevoado, transformando-se em uma bruma encantadora que o faz se lembrar do nascer do sol, quando os campos lá embaixo ficam na neblina, e o orvalho se espalha, parecendo diamantes, por todo o vale.

O vulto velado se aproxima, e Arthur sai de trás da árvore.

A estranha figura para. Por trás do véu, Arthur consegue enxergar um rosto encantador, um rosto de mulher. Ou de menina. Ela está sorrindo. O véu cai em cima de pés brancos.

– Arthur Couch – sussurra ela.

Seus lábios não se movem.

Aquele sussurro surge de novo, atrás de Arthur. Ele se vira: nada.

Quando Arthur olha para trás, a menina de véu se foi.

A FLORESTA NÃO É COMO RHUN ESPERAVA. ELE SEGUE MAIRWEN E Arthur sem parar através da escuridão, ignorando o sussurro dos movimentos ao redor e os uivos ocasionais. E então... então ouve os passos.

Passos firmes, fortes até, como os de botas pesadas ou enormes patas.

Deve ser o demônio.

Rhun vai mais rápido. Mantém a respiração regular. Precisa encontrar Arthur e Mairwen antes que o demônio os encontre.

A menos que o demônio esteja atrás dele, e Rhun possa despistá-lo, obrigando-o a se afastar de seus amigos.

Mas como ter certeza?

Ele para quando se dá conta de que a trilha se bifurca na base deste amplo trecho: as pegadas dos passos largos de Arthur marcadas na vegetação rasteira, em frente, indo para a esquerda; os galhos quebrados de um arbusto em frente, indo para a direita, onde Mairwen passou com suas saias, de forma tão destrutiva.

Sombras se arrastam na sua direção.

Rhun segue o rastro de Arthur, tentando se convencer de que é porque acredita que Mairwen está mais segura. Filha de bruxa com santo, pode contar com o próprio poder, mas Arthur é vulnerável. Perder Arthur é um risco que não sabe como correr.

A trilha se estende para longe: Arthur estava correndo, e ali se veem pegadas menores em volta das dele, algumas parecem de cachorros minúsculos, outras de cascos de bode, mas formando um padrão de duas patas; algumas são de garras, como as das aves de rapina. Ele encontra um arco e o tira do chão lamacento. É o arco de Arthur, e Rhun o segura bem apertado, cerrando os dentes.

– Arthur? – grita ele, sem se preocupar com o fato de poder chamar a atenção. É melhor que a floresta perceba que ele está ali do que ataque Arthur.

Sua única resposta é o silêncio. E Rhun continua seguindo as pegadas, fazendo o mínimo de barulho, de olhos arregalados, prestando atenção em cores que surgem ou movimentos, de ouvidos abertos, os sentidos em alerta, para qualquer mudança na luz ou corrente de ar frio.

A trilha termina em uma pequena clareira, com sinais de luta bem visíveis, na casca arrancada de uma árvore e nas folhas amassadas espalhadas pelo chão. Uma mancha de lama. Uma flecha quebrada. As árvores são estreitas e negras ali e pingam uma seiva de um marrom avermelhado e escuro. Mais parece mel do que o sangue que faz lembrar, e Rhun passa o dedo nela, que sai grudento e com cheiro de cobre.

Uma mancha escarlate chama a sua atenção no chão da floresta.

Sangue.

Mas não em quantidade suficiente para fazer o coração de Rhun parar de bater. Apenas alguns respingos espalhados em um monte de folhas *de carvalho caídas. Rhun observa o entorno e percebe um trecho em que pegadas minúsculas se reuniram e se espalharam, saindo dali sem Arthur, diretamente para o lado onde Rhun tem quase certeza de que a Árvore de Osso fica, à espreita. É como se ele pudesse enxergá-la, pulsando no meio da floresta. Em parte, o rapaz quer atender a esse chamado, mas gira os ombros, rompendo aquela atração. Vai na direção oposta, atravessando a densa vegetação rasteira, torcendo para que seja a escolha certa e que continue encontrando sinais do amigo.*

Logo adiante, o luar fica tremeluzente, formando um padrão que ele reconhece ser de água. Rhun não ouve gotejar nem fluxo de um córrego, e presume que encontrou um lago ou algo assim, e fica se perguntando se pode beber. Provavelmente não, mas ele tem um cantil cheio amarrado em suas costas.

Não demora muito para as árvores se encolherem e ficarem mais finas, crescendo como elegantes agulhas no mato alto. Uma luz alaranjada brilha da terra. Ele sente cheiro de umidade e decomposição, e um vento baixo geme, trazendo um cheiro pungente de ferro derretido. Não é um lago, é um brejo.

As botas de Rhun afundam na lama, e o mato verde vivo se agarra às suas panturrilhas com dedos grudentos.

– Arthur! – grita ele. Sua voz ecoa, depois some, deixando um silêncio ainda mais pesado do que antes.

Um ruído de água chama a atenção, de alguma coisa grande caindo, e ele corre nessa direção, levantando bem as pernas para conseguir se movimentar na lama.

É Arthur, com o rosto no chão, imóvel. Rhun geme de pânico, segura o amigo pelo ombro e o vira. O cabelo de Arthur está grudado no rosto, a boca aberta e cheia d'água. Sua pele está encharcada. Ele não respira.

– Arthur – chama Rhun, batendo no rosto dele, enfiando o dedo na boca para esvaziá-la, sacudindo seu corpo. Nada. Nenhuma reação. – Arthur! – grita Rhun.

A água e a lama o puxam, se esparramando em seu corpo enquanto ele se debate freneticamente.

Rhun ouve o eco de seu próprio nome, alguém gritando para ele, longe dali.

É a voz de Arthur.

Rhun pula para cima, e o corpo se afasta dele rolando, afundando, desaparecendo. Ele vai para a frente, batendo as botas no lodo, se abaixando para afundar as mãos na água diversas vezes. O corpo sumiu. Não era Arthur.

Alívio e pavor o deixam sem ar, de um jeito ímpar.

– Arthur! – grita, de novo.

– Rhun!

Ele vai na direção da voz. Pelo menos, é isso que pensa estar fazendo. Os sons ecoam de maneiras estranhas naquele brejo. A luz alaranjada o deixa desorientado, e as sombras não são projetadas pelo que deveria projetá-las. Rhun tropeça em outro corpo. O de sua mãe, Nona Sayer, também afogada, com a mão espalmada e cinza, os olhos vidrados e brancos como a lua. Rhun mostra os dentes ao vê-la, pisa por cima dela, seu coração bate querendo sair do peito, forte e doloroso. Ali está Mairwen, e o primo Brac, e ali – ai meu Deus – as mãozinhas de Genny Bowen. Seu irmão mais novo, Elis. Seu vilarejo, sua família e seus amigos, mortos e afogados. Rhun sabe que aquilo não é real, mas pode tocá-los, levantá-los, sentir o cheiro da morte úmida, enquanto o brejo reluz, transformando os corpos em formas monstruosas.

– Arthur! – berra.

– Rhun!

Ele está mais perto, e Rhun corre, chutando a água rasa com as botas pesadas.

Rhun vê Arthur em um trecho estagnado do brejo, girando como se estivesse cego, atacando o nada, com lábios retorcidos em uma careta feroz.

– Arthur – diz ele, firme, correndo até o amigo. – Arthur, não tem nada aqui, só eu. É o Rhun.

Arthur ataca, mas Rhun bloqueia o golpe e gira para segurar os braços do amigo. Os dois se digladiam, e Arthur sacode a cabeça.

– Você não é real – fala, desesperado.

– Sou, sim. Arthur. Eu segui você, segui seu rastro. Está tudo bem. Você está bem.

– Não. NÃO.

Arthur se solta. Suas bochechas estão quentes e rosadas de excitação, os olhos azuis têm uma expressão louca, o sangue mancha sua testa e o cabelo molhado.

– Não posso me dar ao luxo de acreditar. Não vale perder a minha vida para acreditar em você.

Rhun toca nele de novo, sentindo-se impotente.

– Por favor, Arthur.

– Desculpe, não posso.

Arthur se afasta, tremendo, encolhendo-se todo. E olhando para Rhun de cima abaixo com tanta saudade que parte o coração de Rhun.

Ele sabe como provar que é de verdade, mas também teme, tem medo de que a solução torne a situação ainda pior. Uma luz incandescente os cerca, como se os dois existissem no centro de uma fogueira. A água turva bate nos tornozelos. Os rostos brancos dos que se afogaram e morreram encaram Rhun com olhos vazios e negros. Tudo o que ele conhece e ama está morto, destruído. Seu pior pesadelo. Ele avança. Arthur espera. O que será que Arthur está vendo? Qual medo?

E então Rhun ataca. Segura o rosto de Arthur e o beija.

Espera que Arthur se afaste, grite e bata nele, mas acredite nele.

Em vez disso, Arthur relaxa e se aproxima, dando um leve grito de alívio, beija o maxilar de Rhun, o abraça tão apertado que os dois tremem.

– Rhun – diz. – É você.

• • •

A FLORESTA SE AGARRA A MAIRWEN. RAÍZES SE DESENROLAM, SAINdo da lama, se atiram em suas botas, e flores negras como a noite tentam segurar seus tornozelos. Dedos invisíveis pressionam seu rosto e puxam seu cabelo. Suas mangas se rasgam, assim como o vestido, e a menina deixa um rastro de lã azul, que fica atrás dela aos pedaços, com fios emaranhados.

– Tudo bem, tudo bem – murmura ela, para a floresta, e cantarola uma melodia frágil. Uma canção de ninar que fala de dois pássaros que se cortejam, uma cotovia e um gaio, que não deveriam estar juntos, mas reconhecem o canto um do outro. As raízes se enroscam menos nela, e as árvores se mexem e saem de seu caminho. Mair canta baixinho, depois mais alto, apesar de nunca ter achado que seu canto era lá grandes coisas. Repete o refrão inúmeras vezes, enquanto atravessa a Floresta do Demônio lentamente, com a voz trêmula. Não de medo, mas com um prazer que se torna cada vez maior. Tudo o que vê a faz pensar que tomou a decisão certa ao entrar ali. Ela se encaixa. Luz e sombra juntos, todos os ângulos e todas as promessas.

Mairwen depara com um bosque de pés jovens de cornus floridos, com flores nevadas que desabrocham mesmo agora, na época da colheita. As pétalas atraem o luar feito espelhos, e Mair inspira o perfume limpo e alegre. Essas flores de cornus ficariam lindas em uma coroa, trançada em seu cabelo. Com seus botões em forma de cruz, tons pastéis de rosa e miolos de um verde vivo, as minúsculas folhas ovais. Às vezes, são chamadas de "árvores de bênçãos".

A menina se certifica de que seu xale está bem amarrado e enfia nele o cabo do machado de Rhun, para guardá-lo. A cabeça do machado pressiona a parte de trás das suas costelas. Cantarolando entredentes, Mairwen caminha sobre o mato macio e comprido até chegar ao meio do bosque de cornus. Uma brisa quente sopra, sacudindo e soltando algumas pétalas brancas, que flutuam ao seu redor.

Mair se senta. Sua saia forma um balão ao redor dela e se acomoda no chão com a mesma suavidade das flores. Ali é o seu lugar.

Ela pousa as mãos no colo e se permite parar por um instante para sentir o luto pela perda da bela lã cor de índigo e passa o dedo nos pedaços de seda das mangas. Arthur a censurou, assim que entraram na floresta, dizendo que suas saias retardariam o avanço dos dois.

A brisa quente atravessa suas tranças caídas e a faz se lembrar do sol, e ela torce para que Arthur esteja vivo. Cerra os dentes. Cerra os punhos em cima do colo.

– Por que parou de cantar? – pergunta uma vozinha aguda.

Mairwen levanta de um pulo, tropeça na saia e cai agachada no chão, em uma posição estranha.

É uma mulher do tamanho de um pardal, nua a não ser pela penugem marrom das asas de pássaro, dobradas em suas costas. Seus olhos também são negros como os de um pardal, queixo pontudo, e seu corpo, esbelto, frágil, com leve volume nos seios e nos quadris. Ela está a um braço de distância de Mairwen.

– Achei que só as árvores estavam ouvindo – responde Mairwen, pensando que ser sincera é o único rumo a tomar.

A mulher-pássaro sorri, e seus dentes parecem agulhas.

Mairwen solta um suspiro de assombro, porque de repente imaginou seus próprios dentes ficando compridos, afiados e diferentes.

– Nós gostamos de ouvir você cantar – diz uma vozinha aguda diferente, que obriga Mairwen a olhar para cima, no meio dos galhos de cornus, onde outra mulher-pássaro está empoleirada, abrindo as asas sarapintadas.

– Sim, gostamos – várias delas dizem em uníssono.

Por trás das pétalas, surgem outras. Que afastam as flores, esfregando o rosto nas pétalas macias, abraçando-as como se fossem amigas. Uma mulher-pássaro pula, abre suas asas cor de ferrugem e voeja, em um círculo contido, em volta da cabeça de Mairwen.

A primeira mulher-pássaro sacode as próprias asas e dá alguns passos na direção de Mairwen.

– Sim, cante de novo. Cante sobre seus pássaros.

– É melhor eu ir embora – diz Mairwen, ficando em pé devagar. – Tenho coisas para resolver.

Todas as mulheres-pássaro fazem careta. Deve haver quase cinquenta. E, apesar de serem minúsculas, Mairwen não gosta nem um pouco da ideia de ter uma revoada delas a mordendo com seus dentinhos de agulha.

– Preciso encontrar um amigo – explica.

– Não vá embora – pede a primeira delas.

– Cante – fala outra.

– Cante! – repetem doze outras, em uma harmonia dissonante.

Mairwen abra a boca para dizer "não", mas acha que não há nenhum motivo para não cantar para elas mais uma vez.

– O gaio piou seu canto solitário – canta, entredentes, se afastando da primeira mulher-pássaro.

O bater de asas atrás delas a faz lembrar que está completamente cercada. Não consegue lembrar o próximo verso, apesar de ter acabado de cantá-lo infinitas vezes.

Uma mulher-pássaro pousa em seu ombro, roçando as asas no rosto de Mairwen. A mulher puxa seu cabelo e a gola de seu corpete.

– Cante! – grita ela, no ouvido de Mairwen. Os dentes minúsculos batem. – Filha da floresta!

– Eu... eu não posso – responde Mairwen, com firmeza. – Preciso encontrar meu amigo. Tenho que ir embora.

A mulher puxa seu cabelo com força, e outras três atacam as saias e o rosto de Mair. A menina bate nelas, tentando tirar a mulher que está no seu ombro, mas as criaturas se agarram ao seu cabelo.

– Então, vamos comer seus dedos!

– Vamos comer seus dedos do pé também!

– Vamos comer seus lindos olhos!

– Ou vamos ouvir você cantar!

Mairwen tapa o rosto com os braços, cerrando os dentes por causa da dor lancinante em seu couro cabeludo. Cantarola a melodia, desesperada, e as mulheres-pássaro dão vivas minúsculos. Pelo menos quatro se enroscam em seu cabelo, voejando, puxando seus cachos, e uma segura seu tornozelo, e seu peso, em cima do pé de Mair, é igual ao de uma maçã. A menina sente uma das mulheres no seu ouvido, dedos minúsculos puxando o lóbulo da sua orelha. Outra – ou mais duas – seguram sua mão esquerda, em volta de seu dedão e de seu dedo mindinho. Uma pousa em seu peito, batendo as asas tão rápido quanto o coração de Mairwen.

Ela cantarola, ficando completamente parada, ainda que seu corpo trema, querendo correr.

Quando a canção termina, e Mairwen fica em silêncio, há um segundo de paz e um leve suspiro dado pelas mulheres-pássaro.

– Cante! – grita uma delas.

– Cante – implora outra.

– Não – responde Mairwen. – Tenho que encontrar o meu amigo.

Ela sente uma dor na orelha, de picada, E, em seguida, as mulheres--pássaro puxam seu cabelo e picam seus dedos. Mairwen as afasta com um grito. Bate na mulher que está em seu ombro, e o sangue escorre pelo seu pescoço.

– Não! – grita Mair.

– Cante! Cante!

– Ela tem gosto de santo.

– Ela tem gosto da floresta!

– Cante para nós, santa menina-da-floresta!

A exigência ecoa e rodopia em torno de Mairwen, porque o bando está voando em círculos, atacando e arranhando sua pele, arrancando seus cachos. Ela tenta correr, mas as criaturas atacam seu rosto, batendo as asas nos olhos e picando os lábios. Puxam seu cabelo para trás, rasgando o couro cabeludo. Dão risadinhas e gritos estridentes, emaranhando seu cabelo nos galhos das árvores de cornus.

– Cante! Cante! Cante! Nos dê sua voz ou então nos dê seus dedos das mãos e dos pés! Nos dê seus olhos e nos dê seu nariz!

– Sou filha de santo – grita Mairwen, ficando parada novamente, com as mãos estendidas e tremendo, respirando fundo demais, porque seu coro cabeludo arde, seus dedos doem e sua orelha está sensível. – Sou uma bruxa do clã Grace e já cantei para vocês!

– QUEREMOS MAIS! – gritam elas. – Fique conosco a noite inteira! Não vamos deixar você ir embora! Você é nossa, bruxa Grace!

Mairwen abre os olhos. Ela exerce um poder ali. As criaturas conseguem sentir o gosto. Mulheres-pássaro se empoleiram em suas mãos estendidas, mostrando aqueles dentes de agulha. Mulheres-pássaro se agacham nos galhos de cornus, na altura dos olhos de Mair, e arrancam flores, assim como querem arrancar pedaços da pele dela. Mulheres-pássaro ficam de pé no chão, cercando-a, formando círculos e mais círculos.

– Vou lhes dar algo melhor do que uma canção – diz Mair. – Algo que vai durar.

– Para sempre?

– Canções duram para sempre!

– Nós amamos a sua canção!

Mairwen sacode a cabeça, puxando os cachos dolorosamente emaranhados em torno do rosto e do pescoço, esticados até os galhos da árvore, como se fossem cipós enroscados.

– Eu vou dar para vocês um pouco do meu cabelo.

As mulheres-pássaro ficam encarando a menina com olhos negros e vazios. Piscam, todas juntas.

– Uma mecha de cabelo! – pia uma delas: Mair já não consegue saber qual viu primeiro.

– Sim! – trina outra. – Cabelo! Trançado e cacheado para nós!

– Que cabelo lindo ela tem!

Mairwen diz:

– Soltem-me, que vou sentar. Vou pegar meu cabelo e dar para vocês até que cada uma tenha sua própria mecha. Mas primeiro me soltem e me deixem sentar.

Várias mulheres-pássaro a empurram, tão rápido que vai para trás, arrancando os cachos emaranhados. As criaturas seguram as pontas do cabelo de Mair presas nas árvores, o desenroscam todo com habilidade, desemaranhando e destrançando, até que Mairwen sente que o último cacho se soltou.

Ela se ajoelha, aliviada, cercada por mulheres-pássaro que se aproximam, sacudindo as asas e batendo os dentes.

Os olhos de Mairwen se enchem de lágrimas quando ela pega o machado enfiado no xale. Coloca-o no colo e então trança todo o seu cabelo grosso e cacheado. Segura o machado com uma mão, o levanta e, antes que possa pensar, corta a trança com cinco golpes firmes e fortes.

O dobro de lágrimas cai em sua saia.

As mulheres-pássaro riem e dão vivas. Uma voa até o rosto de Mairwen. Que solta um grito triste, mas a mulher apenas lambe uma lágrima grande e salgada.

– Oh! – pia a mulher-pássaro alegremente.

Outra toma o lugar dela, e também lambe, depois vem uma terceira e uma quarta. A quinta mulher-pássaro bica o rosto de Mairwen, e a menina solta um suspiro de dor, enxotando todas.

Seu cabelo está esparramado em seu colo, escuro como madeira de cerejeira, emaranhado e sujo, com pedaços de casca de árvore e algumas flores de cornus brancas como a neve.

– Venham – murmura Mair, com a voz embargada de tristeza. – Peguem para pôr no seu ninho, fazer cintos ou amuletos.

As mulheres-pássaro vão até a menina, dançando, saltitando ou voando. Algumas pegam pequenos punhados de cachos, outras esticam os braços para que Mairwen amarre cabelos nele, como se fossem pulseiras. Batem suas asas nela delicadamente, dando risada e bicando umas às outras, trançando o cabelo ou indo embora com ele.

Finalmente, todos os fios se vão. Sete das mulheres-pássaro continuam agachadas, de asas abertas, como se tivessem um manto em volta do corpo. Mairwen tira o que restou do cabelo do rosto. Está curto demais para prendê-lo, curto demais para atrapalhá-la. Ela morde o lábio para segurar as lágrimas, está triste, mas irritada consigo mesma, por sentir a dor de uma perda tão fútil.

Está feito, e seu cabelo crescerá de novo. Apoia as mãos nos joelhos e diz:

– Agora vou embora.

As mulheres-pássaro balançam a cabeça, e uma delas, talvez a primeira, fala:

– Vamos encontrar o seu amigo.

Mairwen diz:

– Ele canta muito mal. – Apesar de não lembrar de ter ouvido Arthur cantar. Então se dá conta de que o seu cabelo está tão curto e espetado quanto o dele.

As mulheres-pássaro piam, e todas, menos a primeira que Mairwen viu, alçam voo, batendo asas com força, e desaparecem no meio da noite. A primeira dela diz:

– Siga-me, bruxa Grace! – E sai voando. Mairwen corre atrás dela.

MAIRWEN ACORDA DO SONHO COM OS PUNHOS CERRADOS debaixo do queixo, tensa e com frio.

A lembrança das minúsculas mulheres-pássaro continua clara.

Assim como...

A mulher-pássaro bate as asas e vai para a esquerda. Mas, antes que Mairwen possa ir atrás, um demônio sai do meio das sombras e, com um único movimento, agarra a mulher-pássaro no ar e a enfia na boca.

Mairwen vai para trás.

O demônio sorri, mostrando os dentes claros e afiados. Penas saem dos seus lábios, e ela ouve o ruído dos ossos sendo esmagados.

– Linda bruxa, você não é fantasma nem menina verde – diz o demônio, cuspindo as penas presas em seu queixo manchado. Dá um pulo para a frente e segura a cabeça de Mairwen com a mesma velocidade que pegou a mulher-pássaro. Os pés de Mair escorregam e

Baeddan.

Mair boceja e se espreguiça lentamente debaixo da colcha da mãe, sentindo-se forte fisicamente. Sai da cama. Os dedos dos pés encostam no chão de madeira, e ela se apoia na planta dos pés.

A túnica longa que Mairwen usou para dormir fica repuxada de um jeito estranho perto de seus seios, e a menina leva a mão à gola. Aqueles pequenos nós agora pressionam sua pele sem que precise tocá-los. Mair fica sem ar. Torce para que não haja mais sinais óbvios de mudança. Passa a língua nos dentes: parecem normais. Examina as mãos de novo. Por acaso as unhas estão mais escuras? Se transformando em garras ou espinhos?

Mairwen passa os dedos nos cabelos em busca de chifres e só encontra nós e emaranhados. Pega um pente de osso na mesinha da mãe e, sem demora, desembaraça-os. Sangue e terra continuam grudados nos fios: ela não chegou a se lavar pela manhã.

Um ímpeto de sair correndo e acordar Baeddan ou Haf para confirmar que não houve mudança na cor de seus olhos ou no formato de sua boca toma conta de Mairwen, mas a menina permanece calma. Veste uma velha saia cinza da mãe e um corpete faltando vários ilhoses, que estava esperando ser desmanchado para reaproveitar a estrutura. *Estou parecendo uma mendiga*, pensa, apesar de jamais ter visto uma mendiga. Enrola um lenço em volta do pescoço, o cruza em cima do peito e põe para dentro da saia, escondendo as clavículas o melhor que pode. E então vai, pé ante pé, até a frente da choupana.

Baeddan está encolhido perto do fogo, encostando o corpo tanto quanto pode na pedra do borralho, encaramujado dentro de seu casaco de couro esfarrapado e de suas calças. Está tão imóvel que, por um instante, Mair teme que tenha morrido – que tê-lo tirado da floresta o tenha matado. Mas seu peito sobe de repente e fica parado, depois desce lentamente. O mesmo ritmo lento da respiração de Mairwen. Aliviada, dirige o olhar para Haf, cochilando sentada em uma cadeira, com a cabeça caída em cima do peito. As mãos estão sobre o colo, soltas, e a menina parece estar completamente mole e relaxada.

Mairwen solta um longo e vagaroso suspiro e pensa no sonho que teve, com as mulheres-pássaro batendo os dentes. "Filha da floresta." Havia mais alguma coisa? Sim, a sensação que teve naquele bosque, de que ali era o seu lugar.

Aqui não é o seu lugar.

A pulseira belisca o pulso. Mair precisa examiná-la com mais atenção e ficar ao ar livre. Mais perto da floresta. Chega a pensar em acordar Arthur e Rhun para irem com ela, mas não. Deixe os dois dormindo. Deixe os dois lembrarem tudo o que puderem. Os rapazes a impediriam de ir para a floresta. Depois de calçar as botas, ela abre a porta de casa e sai para encarar a luz do sol.

Mairwen se dirige ao seu campo de ossos.

Depois do pasto dos cavalos, indo reto pelo lado direito da casa, fica o abatedouro, em um buraco entre dois morros, onde um jovem carvalho cresce sozinho, protegido do vento. Mair pendura gaiolas cheias de esqueletos em decomposição no carvalho, para que a natureza possa ajudá-la com a tarefa de limpar os ossos, e os predadores não consigam roubar partes úteis. Ela tem barris de água para soltar a carne mais resistente e os tendões sem usar fogo ou calor, que amaciariam os ossos e os tornariam inúteis. É um lugar imundo e fedido na maior parte do tempo, mas sua avó cavou um sistema de drenagem para que a água de refugo seja levada para a Floresta do Demônio, e Mair sempre acreditou que os espíritos famintos gostavam dos petiscos.

A menina tem uma banqueta e um jarro de vinho, assim como ferramentas para transformar ossos em agulhas ou facas, pentes, anzóis ou amuletos. Ou até em tigelas, quando alguém lhe traz o tipo certo de crânio, intacto.

Ninguém vê Mairwen se dirigindo para lá, e é pouco provável que veriam, porque os moradores de Três Graces sempre evitam passar pelo abatedouro, pois o consideram um território de bruxa. Com exceção de algumas das crianças mais corajosas ou caçadores, que vêm lhe trazer ossos.

Mair terá que confrontar sua mãe.

A brisa da tarde balança delicadamente as gaiolas penduradas nos galhos do carvalho. Mairwen dirige o olhar para o cercado que ela mesmo construiu, três anos atrás, para proteger o declive, onde dispõe ossos para branquear ao sol. Costelas e fêmures de dois cervos estão espalhados em um pedaço de lã que não foi tingido, quase prontos. Ficaram ali o ano inteiro e mal perderam a cor. A lã até que funcionou. Sua avó costumava espalhar os ossos nos telhados, mas o sapê ou as telhas de ardósia sempre manchavam a parte de baixo deles.

Ao lado da cerca, fica a área em que Mair enterra algumas das carcaças, bem fundo na terra, com estrume de cavalo, para que se decomponham lentamente e do modo correto, também dentro de gaiolas, para não perder os ossos menores. É mais seguro do que pendurá-los, quando não quer perder nenhum dos dentes.

Mairwen respira fundo.

Só faz três dias desde a última vez que esteve ali, mas tudo parece diferente.

Mair se empoleira na banqueta, põe a mão no colo e examina a pulseira. Fica óbvio que ela a fez com pressa. Será que estava tentando selar o pacto? Ou salvar Baeddan? As duas coisas? A pulseira é uma coisa tão feia e mal-ajambrada, vista à luz do dia. A menina abre a lata onde guarda suas ferramentas e tira uma pinça: as delicadas pontas de metal permitem que puxe um fio de cabelo por vez e examine sua forma ao mesmo tempo em que presta atenção em suas sensações. Na maneira como a magia passa por eles e faz sua pele formigar por baixo da pulseira, repuxando o sangue espesso que corre em suas veias.

Parece que o cabelo entrelaçado é dela, de Rhun e de Arthur e forma um emaranhado castanho, negro, dourado e cor de cerejeira, misturado com cipó espinhento. E amarrado em volta de uma única falange da mão de John Upjohn. Baeddan se embrenhou na floresta há dez anos e foi amarrado a ela. Transformado. Sete anos depois, a Lua do Abate surgiu no céu, e John foi para a floresta, mas conseguiu sair. Só sua mão ficou lá, e Baeddan a amarrou em seu próprio corpo. E então a Lua do Abate chegou, apenas três anos depois.

Se Mairwen pensar como bruxa, pensar no que sempre soube e no que acabou de aprender, deixando espaço para coisas que não sabe ou esqueceu, faz sentido que o corpo inteiro de Baeddan tenha servido de combustível para o sacrifício durante sete anos, e a mão de John ter durado apenas três.

Col Sayer, Marc Argall, Tom Ellis e Griffin Sayer sobreviveram às suas respectivas Luas do Abate, mas há vinte e cinco crânios na Árvore de Osso. Alguém morreu a cada sete anos.

Mairwen consegue sentir o chamado da floresta, um misto de curiosidade, anseio e desespero. Seria o motivo para aquele feitiço de memória?

Para atrair os sobreviventes de volta para a floresta? Será que o mistério do lugar os atrai lá para dentro e nunca mais conseguem sair?

Mas Aderyn lhe disse que o santo não precisa morrer. Apenas optar por morrer.

Das duas, uma: ou a mãe de Mairwen mentiu ou alguém mentiu para ela.

Na lenda – tanto na história secreta das bruxas do clã Grace quanto na que contam para os moradores da cidade –, o demônio e a primeira Grace se amavam, e Grace entregou seu coração para a floresta, para que o vale pudesse prosperar. O demônio, nas duas histórias, disse que só a corrida tinha importância.

Quem mentiu primeiro? O demônio ou as bruxas?

Há uma lacuna enorme na mente de Mairwen quando tenta encontrar a resposta: uma lacuna específica demais para ser natural. A menina sabia a resposta, mas esqueceu.

A frustração a faz ranger os dentes. Mair deveria se dirigir para a floresta agora mesmo. Ir direto para a Árvore de Osso. Está descansada e preparada.

O ruído de um passo na trilha coberta de grama chama a sua atenção. Mair olha para cima e dá de cara com John Upjohn, parado na soleira do abatedouro. A menina fica olhando, sentindo-se, pela primeira vez, pouco à vontade na companhia do santo. John está com o corpo rígido, sem expressão. Tem uma mochila de lã pendurada no ombro e está de casaco e botas novas e resistentes.

Mairwen fica de pé. A pinça cai no chão.

– Como foi capaz de fazer isso? – pergunta ele. Sua boca mal se mexe.

– Isso o quê? – responde ela, chegando perto de John.

Upjohn se encolhe e fala:

– Trazer aquele demônio da floresta. Ele me *atormentou*. Ficou me seguindo por horas e horas e...

John fecha os olhos e tira o pulso de dentro do bolso a mais que há no seu casaco.

Quando Mairwen entende o que ele está querendo dizer, a fúria faz suas bochechas ficarem vermelhas.

– Você se lembra dele!

O santo mal respira. Mair reconhece a tensão que ferve dentro dele, a mesma presente em suas explosões tarde da noite, na porta da residência do clã Grace – John esmurrando a porta, implorando que o deixassem entrar e dormir na pedra do borralho ou com a cabeça no colo da Mairwen. Seus pesadelos o compeliam a arranhar o próprio peito, a tremer e a se sacudir. E, enquanto dormia, o santo esticava as duas mãos, aflito por não conseguir pegar nada com a esquerda. John fala:

– Às vezes, era Baeddan que estava nos meus pesadelos, mas eu não... não achava que era verdade. Achava que era uma ilusão que queria me apavorar! Todas as minhas lembranças estão embaralhadas.

Em seus lábios, se esboça um esgar tão fundo que Mair consegue ver as covinhas de John.

Mairwen segura no braço de John e o puxa para perto. O pesar e a pena se misturam, criando algo parecido com amor de novo ou um eco disso.

– Sinto muito, John. Minhas lembranças também estão todas misturadas.

Os músculos do maxilar de John se retraem.

– Você sempre me acalmou. Você e aquele borralho lá da sua casa. Quando meus pesadelos ficavam pesados demais, quando lembrava coisas demais, eu só queria voltar para a floresta. Meus sonhos me diziam que só a Árvore de Osso seria capaz de me tranquilizar, pôr fim a tudo. A primeira noite depois da minha corrida foi tão terrível, Mairwen. Só você conseguiu me acalmar. Quando a única coisa a fazer era voltar para a floresta, eu podia pensar em você ou segurar sua mão e... conseguia ficar aqui.

– John – sussurra Mair. – Eu também escuto. A floresta. Ela sempre me chamou.

– Eu quero ir embora do vale – declara John.

– O quê?!

– Acho que Vaughn vai me dar os fundos, como a família dele fez com todos os... todos os sobreviventes. Quem sabe, se for para bem longe, o chamado perde força. Quem sabe, assim, eu consiga dormir de novo.

– Acho que não, John. Mas talvez eu possa lhe ajudar. Eu...

– Você não basta para eu ficar aqui. E não posso... não posso! Continuar aqui enquanto o demônio que me assombra a cada instante vive e anda livremente pelo vale.

– Conte-me o que mais se lembra, John. E, talvez, eu consiga encaixar todas as peças.

– Mairwen – diz ele. Só isso.

Mair olha nos olhos de John, decorando as finas linhas no canto de seus olhos, os fios de cabelo loiro que saem do lugar, emoldurando as têmporas e roçando o queixo.

– Não quero ficar sozinho para sempre – completa John, por fim. – Preciso ir embora.

A menina levanta o pulso, colocando a pulseira entre os dois, com a delicada parte debaixo do braço erguida para o céu.

– John – sussurra –, está vendo este osso estranho?

Parece um pedregulho, com cinco cantos arredondados, branco como a lua.

– Estou vendo – sussurra o santo.

– É um osso de sua mão.

John vai para trás, cambaleando.

Mairwen estica o braço, tenta segurá-lo, mas ele se afasta.

– Escute, John! – Mairwen fala rápido. – Baeddan está com todos, todos os ossos da sua mão, costurados na pele do peito, em cima do coração, amarrando você a ele e à floresta. Isso foi o máximo de poder que Baeddan conseguiu arrancar sem que você ficasse lá, e é por isso que o pacto durou tão pouco! Porque sua mão era poderosa, mas não o bastante para o sacrifício durar sete anos. Agora o pacto só se mantém graças à minha força de vontade, graças ao meu amuleto minúsculo! Não vai durar nem até a próxima estação. Conte-me o que se lembra, para que eu possa entender do que o pacto precisa. Para que possamos garantir a segurança de todos. Até a sua.

John sacode a cabeça, se afasta, e seus calcanhares espalham pedregulhos e tufos de grama. Ele parece tropeçar e se movimentar como um espantalho desengonçado que ganhou vida.

– Eu achava que minha mão estava na árvore.

– Na Árvore de Osso?

– Sim. Estava coberta de ossos. Não se lembra nem disso? Era o centro de todos os meus sonhos, aquela maldita árvore. Toda amarrada, com crânios, caixas torácicas, fêmures e vértebras pendurados, como um móbile de berço de bebê. E o altar entre aquelas enormes raízes brancas, enterrado lá, bem firme e seguro.

Mairwen balança a cabeça lentamente, lembrando-se dos crânios.

– O demônio deu risada enquanto tentava me arrastar até ele, Mairwen. Baeddan Sayer... dando risada, cantando uma canção que eu conhecia. Minha mãe costumava... e eu... pensei em cantar com Baeddan. Ele ficou tão encantado com o fato de eu conhecer a canção que me soltou, e corri em direção à luz.

– Não vou deixar Baeddan chegar perto de você – garante Mairwen. Ela precisa convencê-lo a ficar. Seja lá o que John estiver pensando, Mairwen agora é a única coisa que o mantém fora da floresta. – Eu juro, John Upjohn, que Baeddan Sayer não vai importunar você. Vou arrancar as lembranças dele também e entender tudo isso. Fique, por favor. Pelo menos por alguns dias.

John está apavorado: fica óbvio pelos olhos apertados, lábios retorcidos. Pela tensão no bolso de couro, onde ele enfiou o cotoco com muita força.

– Alguns dias – sussurra John.

– Juro que vou encontrar respostas para você – diz Mairwen, aproximando-se até encostar a testa no ombro dele, ficando com a boca perto das clavículas, no mesmo lugar do seu próprio peito em que os espinhos pressionam, tentando sair, se enganchando em sua pele, feito foices.

A CRIATURA QUE UM DIA FOI E, OCASIONALMENTE, AINDA É Baeddan Sayer ouve a bruxa do clã Grace sair da choupana. Como um cachorrinho que corre atrás de sua bola preferida, Baeddan levanta e vai atrás. Mas, em vez de segui-la até o abatedouro, dirige seu olhar para baixo e para a direita, na direção de Três Graces.

O sussurro da floresta gorjeia em seus ouvidos ou em seus pensamentos ou ambos. Ele aperta os olhos, soca as próprias têmporas.

– Baeddan Sayer – diz, para seus botões, com a mesma clareza que Mair diria. O próprio nome enche seu peito, torna sua língua mais humana, e ele dá alguns passos trôpegos em direção à cidade. – Baeddan Sayer – repete, endireitando a coluna.

Ele segue pela trilha íngreme, coberta de grama, atraído pelo brilho das choupanas brancas e da fumaça que sobe, sobe, sobe, em direção ao céu, claro demais. Baeddan não consegue recordar o rosto de sua mãe, ainda que tenha certeza de tê-la visto, há poucas horas. Como ela se chama? Baeddan arranha o peito, e a dor aguça seus pensamentos: Alis Sayer. Será que está na cidade ou no topo da montanha, na residência do clã Sayer? Sua mãe passa boa parte dos dias com as irmãs, no vilarejo. Ah! Sim, ele se lembra disso!

Baeddan também está com fome. Seus dentes rasgam seus lábios, e ele sente gosto do próprio sangue, só uma gotinha. O sol que bate em suas costas, atravessando o couro rasgado de seu casaco, está tão quente...

E a bruxa do clã Grace o tirou da floresta. Trouxe-o para o sol.

Ele sorri, ah, ele sorri, um sorriso largo e apavorante, pensando em como Mairwen é selvagem, no gosto de sua boca e de seu sangue, no toque ardente de seus dedos no rosto dele, nos pulsos, no calor da menina em seus braços enquanto dançavam em meio às luzes bruxuleantes do alegre fogo-fátuo.

– Você não é um fantasma nem uma menina verde – diz ele, perplexo, dando um pulo para a frente e segurando o rosto da menina. Para olhar em seus olhos castanhos que crepitam, para os cachos cortados na altura das orelhas, para os arranhões ensanguentados ao longo do maxilar. Para seus lábios, estreitos e rosados, com vontade de comê-la, de aninhar seu rosto no pescoço dela e experimentar a pele mais macia. A menina parece ser tão deliciosa quanto Grace.

– Me solte! – ordena a menina, e ele obedece.

Simples assim, sem lutar, sem raiva. Ele a obedece assim como a floresta obedece a ele.

– O que você é? – pergunta Grace.

– O demônio – responde ele.

A menina espreme os olhos. Estica a mão, hesitante, até o peito dele, toca nos sulcos cheios de sangue que há ali, nas saliências das feridas, nas cicatrizes duras que cresceram por cima dos ferimentos. Ele também tenta tocá-la, e a menina tira a mão.

– Não é, não – diz ela, firme e determinada.

Uma risada escapa de sua boca.

– Não sou, não! – grita ele, alegre.

– O que você é? É parecido com o meu amigo.

– Por acaso o seu amigo é o santo de Três Graces? Eu vi a lua surgir no

céu. Sei que o santo está aqui, correndo, correndo, correndo. Vou encontrá-lo, sabia? Pelo faro. Ele sempre tem esse cheiro. Igual ao seu, hmmm.

A menina fica com os braços arrepiados e diz:

– Eu vim para cá sozinha.

O demônio se aproxima, encosta o nariz na testa da menina. Respira fundo e desliza o nariz pelo pescoço dela. Está tão perto que seus chifres afiados arranham de leve aquele rosto. Será que Grace foi para lá sozinha? Ele não lembra. Deveria lembrar?

– Não – ela diz, ainda que não seja uma resposta para nenhuma pergunta.

– Você é a Grace – responde o demônio, ruminando o nome como se o ronronasse do fundo do peito.

A menina solta um suspiro de assombro. Ele consegue ouvir o coração dela batendo descompassado e, em volta dos dois, a floresta é um palco, cheio de olhos e esperanças, transformando aquele instante em um espetáculo sinistro.

– Eu sou bruxa – sussurra ela. – E você, o que é?

O demônio encosta na pele do pescoço da menina, logo acima das mangas do corpete. Ela o encara de olhos arregalados, como se o demônio fosse algo tão assombroso para ela quanto ela é para ele. O demônio sobe os dedos pela garganta dela até chegar à mandíbula, e uma centena de minúsculos tremores descem por sua coluna e por seus braços, fazendo as palmas das mãos formigarem. O hálito da menina chega nele gelado, com um adocicado cheiro de mofo, e o demônio levanta o queixo dela.

– Santo – responde. E a beija em seguida.

É só um instante, os lábios se encostam, mas o demônio sente o gosto do coração dela.

A menina se afasta e grita:

– Baeddan Sayer!

A criatura fica parada por um instante. Pisca. Aperta as mãos contra os olhos e vai para trás.

– Meu nome – sussurra.

O vento sopra através das árvores.

– Você é Baeddan – diz ela. – Você está aqui há dez anos. Era o santo até agora.

– Não, o santo é meu – retruca o demônio, ficando agressivo de repente, mostrando os dentes. – Eu preciso encontrá-lo e arrastá-lo até a Árvore de Osso! É isso que eu preciso fazer. Enfiar meus dedos em volta de seus ossos. Não ficar com os ossos dos seus dedos em volta do meu coração! Ha, ha!

– Baeddan Sayer, não. Preste atenção.

Ele afunda os dedos no próprio peito, por baixo dos ossos minúsculos.

– Diga meu nome mais uma vez – implora ele.

– Baeddan.

Arranhando a própria pele, ele vai arrastando as mãos para baixo.

– Baeddan – sussurra a criatura.

Baeddan levanta a cabeça e olha para o sol até as lágrimas arderem em seus olhos. Ainda é capaz de chorar.

Tenta se lembrar da cadência do coração dela, do ritmo da sua melodia, que não era a melodia da floresta. Deveria ter ido atrás da bruxa. Não de Grace, mas de Mairwen. Outra Grace. Mas ali está ele, se esgueirando em direção à cidade, com todo o cuidado, a ponto de ter consciência que está tentando não ser visto por ninguém.

Seus pés descalços esmagam a grama seca, desvencilhados da atração da floresta. A magia que costumava fluir através dele com tanta força que fazia flores brotarem por onde Baeddan passava, fazia cipós se enroscarem nos seus tornozelos, se ele ficasse parado por muito tempo, atraía os olhos das árvores, as raízes, fazia tudo se espichar em sua direção. A sua floresta. O seu coração e a sua floresta.

Aquela terra não anseia por ele. É silenciosa e tranquila. Baeddan poderia se espichar e cochilar, imóvel como uma pedra, talvez até por anos.

Ele respira fundo e solta um suspiro.

As construções do vilarejo parecem rochedos, pensa, avançando silenciosamente, vindo pela direita, onde não existe trilha, até chegar nelas. Pula o muro de um quintal com facilidade, entra em uma construção lateral, em cima de um teto de sapê bem grosso, porque não perdeu nada de sua força anômala.

As pessoas se movimentam lá embaixo, não muitas, porque são as primeiras horas da tarde, e muitas ainda se recuperam da longa vigília. Baeddan as ouve se remexendo na cama, murmurando baixinho entre si, algumas saem de casa e vão até a taverna ou até a capela. Esses ruídos o tranquilizam, como se fossem canções de ninar há muito tempo perdidas. Ele murmura, acompanhando os sons.

O que eu era, imagina, *que não precisava de nada além disso?*

A Floresta do Demônio é uma sombra mais ao norte. Abraçando o vale, chamando por ele.

Baeddan fica de pé no alto da casa que escolheu, para que o vento atinja seu peito dolorido e sacuda as pontas do casaco. O sol desliza pelo cabelo, até encontrar os chifres que coroam sua cabeça, repuxando os espinhos que brotam de suas clavículas e transformando sua pele manchada em algo que lembra pérola ou uma ametista bruta, áspera e bela.

Ali, debaixo do sol, entre o vilarejo que está a seus pés e a vista da maldita Árvore de Osso – tão distante e, ainda assim, costurada em seu coração –, Baeddan sente-se selvagem e em carne viva. Por que não trouxe Mairwen Grace até ali, para segurar sua mão, para que ela lhe prometesse aquele lar novamente?

Baeddan abre os braços, como se estivesse abraçando a floresta sombria, como se fosse segurar Três Graces junto de seu peito, protegê-la, porque foi para isso que ele morreu. Baeddan sussurra o próprio nome com seus botões.

No centro do vilarejo, a jovem Bree Lewis olha para cima, vê o demônio do centro das espirais de paralelepípedos, pensa que veio com suas asas negras, veio para destruir todos agora que está livre. E grita.

RHUN ACORDA SEM FAZER BARULHO. APENAS ABRE OS OLHOS.

Arthur o beijou. Lá na floresta. Agora, ele consegue se lembrar perfeitamente.

Algo se abre dentro do seu peito, e Rhun pensa *eu teria morrido só por isso*.

Sente um calor reconfortante em suas costas.

Devagar, se dá conta de que Arthur está ali, com as costas viradas para as suas. Os dois estão deitados juntos, fazendo o colchão de palha afundar, bem no meio.

Rhun se senta com cuidado, desliza para fora do colchão baixo, e ali se ajoelha, olhando para Arthur Couch, que dorme tranquilamente. Ah, como ele já desejou que os dois se sentissem assim, tão à vontade...

Arthur franze o cenho e se vira para o calor que ficou onde o corpo de Rhun estava.

Rhun encosta no tornozelo de Arthur e sente a força brotar de seus dedos novamente. Sem dúvida, esta magia amarrou a saúde e o poder deles não apenas ao pacto, mas uns aos outros. E, por algum motivo, parece que Arthur não vê nenhum problema nisso.

A choupana do clã Grace está em silêncio. Os raios de sol atravessam a minúscula janela do quarto, se difundem por todo o cômodo abaixo. Rhun pega as botas e desce a escada pé ante pé. Haf Lewis está dormindo, sentada em uma cadeira. Baeddan Sayer sumiu do borralho. Rhun bebe o que restou de uma xicara de chá frio e entra no quarto dos fundos. O vestido azul de Mairwen, todo esfarrapado, está no chão, aos pedaços, mas Mair não está ali.

Rhun sai da casa para colocar as botas. As calças que lhe emprestaram estão levemente compridas. Ele enfia a bainha dentro das botas e põe o casaco de caçador em frangalhos por cima da túnica nova. Esfrega o rosto e segura todo o imenso cabelo para trás, e fica irritado por não ter nada com o que prendê-lo. É uma nuvem enlouquecida que bate em seus ombros. Rhun separa algumas mechas e as trança. A textura, o suor e o sangue seco mantêm as mechas entrelaçadas e duras quando ele solta a trança.

O rapaz sai pelo quintal e começa a subir o primeiro morro, examinando o vale: tudo parece bem e encantador. Rhun deveria estar se sentindo muito satisfeito, deveria estar feliz e maravilhado porque, seja lá o que tenha acontecido, ele se embrenhou na Floresta do Demônio quatro anos antes da hora e sobreviveu.

Mas, no coração do pacto, reside um segredo. Uma mentira.

Rhun odeia segredos e também odeia mentiras.

– Eu deveria ter posto fogo na Árvore de Osso quando tive oportunidade – diz Arthur, baixinho, bem atrás dele.

Rhun se encolhe, sob o sol claro da tarde.

– Talvez tenha tentado e eu não tenha permitido.

– Isso me parece bem provável. – Arthur dá risada.

Rhun suspira tão fundo que seus ombros se sacodem e vira para o amigo, que está a vários passos de distância, parado de lado, fazendo careta e mordendo o lábio. Arthur ficou ridículo naquela túnica grande demais. Mas bonito.

– A gente deveria ir para casa e pôr nossas próprias roupas – sugere Rhun.

– Você acha que fiquei com a aparência tão ruim assim? – pergunta Arthur, abrindo os braços.

Rhun o observa, os traços angulosos do rosto, do pescoço, o modo como a túnica se agarra às suas costelas do lado em que bate o vento e está solta do outro, observa o cabelo espetado e olhos azuis e brilhantes, observa a boca. Ele ainda consegue sentir, mas é algo distante, vindo do mesmo lugar onde residem todos os seus desejos, todas as suas necessidades e esperanças. Lembra da bifurcação daquela trilha lá da floresta e de ter decidido seguir as pegadas de Arthur.

– Acho que morri, afinal de contas – fala, curto e grosso.

– Ai, meu Deus, Rhun – resmunga Arthur. Ele se aproxima do amigo e o segura pelos ombros, depois põe as mãos no seu pescoço, pressionando os dedões em seu maxilar.

– Saia de cima dele! – grita Rhun, puxando o cabelo e o casaco de Baeddan, arrancando-o de cima de Arthur, que está caído no chão. Baeddan ruge, e Arthur enlouquece, levanta a faca, com um sorriso de desdém e ataca novamente...

Rhun fecha bem os olhos, baixa a cabeça, e Arthur aproxima o seu rosto do dele.

– Rhun. Você não morreu. Está aqui conosco. Comigo. Deixe de ser tão dramático.

Isso faz Rhun cair em uma gargalhada descontrolada. Arthur o solta.

Mas lágrimas brilham nos olhos de Rhun quando ele os abre.

– Só que tenho a sensação de ter morrido, Arthur. Eu me sinto perdido. Deveria contar isso para Mairwen. É o tipo de coisa que eu revelaria para ela, não para você. Sempre quis que você pensasse que eu sou imune à... à dor. Aos danos. Eu queria que pensasse que jamais poderia me fazer mal, independentemente do que acontecesse, para continuar ao meu lado.

Arthur resmunga:

– Sou tão imbecil. E um péssimo amigo.

Rhun sacode a cabeça e fala:

– Pedi demais de você.

– Não, nunca. Nunca pediu demais. Você só queria... amor, Rhun. E eu achava que lhe dar amor era uma fraqueza, ou, no mínimo, faria de mim um fraco. Eu é que fui imbecil por desprezar você por isso.

Rhun fica olhando para Arthur, com o cenho franzido. Por que não consegue se lembrar o que foi que aconteceu para Arthur mudar tanto? Não pode ter sido apenas a morte. É melhor lembrar-se de Arthur do que de tudo o mais que aconteceu na Floresta do Demônio.

Os dois jovens – que envelheceram tanto de ontem para hoje – não se dão conta, por um bom tempo, que estão respirando no mesmo ritmo. Rhun ergue o pulso direito, e Arthur imita o gesto, até as duas pulseiras que os unem ficarem juntas, não exatamente encostadas, mas existindo no mesmo ar, formigando, emitindo calor, de uma para a outra. O vento sacode a grama dourada em volta dos tornozelos dos dois, murmurando pelas colinas do vale, levando o cheiro de fumaça e do gelo límpido do inverno. Arthur abre a mão, e Rhun abre a sua em seguida, e os dois as encostam, inspirando ao mesmo tempo, tendo aquela estranha sensação que dança pelos pulsos, seguindo as linhas traçadas pelas veias.

– Parece que fizemos o ritual de atar as mãos – diz Arthur, mas o deboche não se reflete nos olhos.

Ele olha bem nos olhos de Rhun, que quase sente alguma coisa. Fica sem ar.

– Você me beijou lá na floresta – sussurra Rhun, sem conseguir se conter.

Arthur leva um susto e franze o cenho.

– Não me lembro.

Rhun jamais pensou que um dia fosse se acostumar à sensação do desespero.

– Mas eu *acredito* em você – completa Arthur ferozmente. – Eu saí vivo daquela floresta, Rhun, e é assim que me sinto. Vivo, com um fogo dentro de mim. Não tenho mais medo de você. Não tenho mais medo de nada.

– Você nunca teve medo de mim.

Arthur o olha de esguelha, incrédulo.

– Eu tinha medo do que você era e do que eu achava que eu era.

Rhun encolhe um dos ombros, sentindo-se anestesiado.

– Você sempre teve esse fogo.

E então, Mairwen aparece, correndo na direção dos dois, com um traje feio, cinza e marrom. Rhun acha que deve haver algo simbólico no fato de nenhum dos três estar usando as próprias roupas, como se tudo o que existia até então tivesse mudado tanto que nada mais lhes servisse. É Arthur que estende a outra mão para Mair, conforme ela vem descendo do morro do pasto. A menina acelera o passo, saltitando, e estende a própria mão até encostar nos dedos de Arthur. Rhun segura a outra mão de Mairwen e vai para trás ao sentir a grande descarga de energia que subitamente os une.

Os três apertam as mãos, e Mairwen solta um suspiro, fazendo careta como se estivesse sentindo dor. Entre os pés deles, a grama brota, verdejante, e se alonga, trazendo novas sementes.

– Mair? – chama Rhun.

Arthur a puxa mais para perto, e dois rapazes a abraçam, deixando-a no meio. Os três pares de mãos continuam entrelaçados. Mair sacode a cabeça com força, com os olhos fechados, lábios bem apertados. Rhun e Arthur se entreolham, amedrontados, por cima do cabelo da menina. Rhun dá de ombros. Arthur sacode de leve a cabeça.

Os rapazes ficam ali, parados, observando-se e a observando, observando os sutis rastros das nuvens que se espalham, vindas do oeste. Rhun está imóvel, com os calcanhares e os dedos dos pés firmes na terra, e tem uma sensação boa, de que tudo está certo, ali com os dois, de mãos dadas, mesmo que tudo fora do círculo que formam esteja corrompido e manchado por segredos.

... eles sobem juntos no altar em ruínas, de mãos dadas, todos tremendo, porque os galhos da Árvore de Osso tremem lá em cima, e os crânios chacoalham, os dentes batem, dando uma risada sinistra...

Rhun solta um grunhido diante da lembrança.

A cabeça de Mairwen cai para trás. Seus lábios voltam a ter cor. A pele do próprio Rhun está quente demais, mas é agradável. Lembra raios de sol e risadas. Três minúsculas flores roxas abrem suas pétalas em forma de lágrimas aos pés de Mair.

– Violetas – diz Mairwen, piscando, com o olhar confuso. E, em seguida, completa: – Preciso perguntar para Baeddan a respeito da Árvore de Osso.

– E *onde* está Baeddan? – pergunta Rhun, olhando para o morro do pasto atrás de Mair, de onde ela veio.

A menina franze o cenho.

– Na minha casa?

– Não – responde Rhun.

E Arthur completa:

– Ele não estava com você?

– Ah, não. – Mairwen solta a mão dos dois e gira nos calcanhares, um tanto desesperada. – Aonde ele pode ter ido?

Arthur dá uma risada irônica.

– Por aí, matando tudo o que vê pela frente? Ou será que está saltitando pelo pasto das ovelhas, cantando antigas canções pastoris? Quem é que sabe o que ele é capaz aprontar?

Rhun fala:

– Voltou para casa.

OS TRÊS SE SEPARAM.

Não é a melhor das ideias, mas é muito pior deixar Baeddan Sayer andar livremente por aí. Mair se dirige à floresta para vasculhar a fronteira nordeste do vale, caso Baeddan tenha sido atraído ao seu lar mais recente; Rhun vai para a residência do clã Sayer; Arthur acaba ficando com a pior parte: procurar na própria Três Graces.

Meu Deus, Arthur se sente aceso, acordado, pleno, mesmo tendo dormido apenas poucas horas. O sol está claro, seus olhos enxergam longe, e ele está pronto para agir. Arthur saiu da Floresta do Demônio destemido. E isso o torna poderoso.

"Não são vocês que decidem quem eu sou ou deixo de ser!"

Essa é uma revelação que ele gostaria de ter tido anos atrás.

Arthur vai atravessando o mato, rodeando os campos de cevada e margeando os pastos das ovelhas, e sorri. Este vale sempre teve alguma coisa errada, e ele sempre soube, ainda que tenha se enganado a respeito do que estava errado. Três Graces é governada pelo medo. Medo da morte, da doença, de ter uma má colheita, de chover demais! Medo até de menininhas e de santos. Ele se lembra de pensar que só a Lua do Abate era capaz de manter todos em seu devido lugar, há duas noites, durante o banquete do sacrifício. Mas não é o pacto. É o medo. Não do demônio, mas medo da mudança. Medo de fazer qualquer coisa de diferente que possa abrir uma brecha e tudo desmoronar. Medo de um menininho de vestido, porque não se encaixava na estrutura do vilarejo, nas regras.

Nunca houve nada de errado com Arthur.

Com exceção de sua maldita memória. O rapaz está com raiva e não consegue lembrar-se de ter beijado Rhun lá na floresta. Uma ideia louca vem à sua cabeça. *Você terá que beijá-lo de novo, então.* E, como isso deixa Arthur apavorado, ele dá risada.

Um grupinho de meninas – duas da família Howell e Bethy Ellis –

vem em sua direção, vindas do limite do vilarejo. Param para observá-lo, cochichando, tapando a boca com as mãos, e Bethy, com certeza, põe as mãos nos lábios, em um gesto sedutor. O sorriso de Arthur fica um tanto convencido demais.

E então, da esquina da última fileira de choupanas, aparece Alun Prichard, gritando alguma coisa para Taffy Howell. Só que ele para de repente ao ver Arthur, fica levemente boquiaberto e então assume uma expressão sugestiva.

– Couch – diz Alun –, pegou roupas de homem emprestadas do seu papai... ou do papai de Rhun Sayer?

É uma alfinetada típica de Alun, mais gratuita do que ofensiva, mas isso nunca impediu Arthur de confrontar a estupidez.

Naquele momento, algo incrível acontece: Arthur dá risada. Que vai diminuindo até se tornar um sorriso que não deixa de ser presunçoso.

– Você, Alun, é a última coisa que me mete medo agora.

A confusão toma conta da expressão de Alun, e um dos meninos que está com ele dá um tapinha no seu ombro, rindo junto com Arthur. Alun sacode os ombros para tirar a mão do amigo, e Bethy Ellis diz:

– Arthur é santo agora.

Como pode se dar ao luxo de fazer isso, Arthur sacode a cabeça.

– Não, só Rhun Sayer é santo. Eu continuo sendo apenas filho de minha mãe. – Ninguém pode mudar quem ele é a não ser ele mesmo: nem um ritual de santo nem um vilarejo ignorante e amedrontado nem uma noite passada na floresta nem um vestido e, muito menos, um beijo. Ele se aproxima de Alun e completa: – Filho de minha mãe que ainda pode bater muito em você, se quiser. E quem há de dizer o contrário?

Um grito ecoa pelos telhados.

Todos os jovens se assustam, se viram na direção do grito, para o centro do vilarejo.

Arthur é quem reage mais rápido – ainda está em alerta – e corre na direção do som. Acotovelando-se com a multidão que se forma perto da praça do vilarejo, cerra os dentes e torce para não ser Baeddan, apesar de saber que é. Mais habitantes saem correndo das casas, cercando Arthur, mas a maioria não se dá conta de quem ele é, o que o irrita. O rapaz passa raspando por dois homens corpulentos no seu caminho, ignorando o palavrão que o mais velho diz e chega na frente de todos, cercado pelos rostos preocupados, amedrontados e carrancudos dos vizinhos.

Baeddan está agachado por cima dos restos de cinza e carvão da fogueira comemorativa de duas noites atrás. Suas mãos feridas cobrem seu rosto, e ele fica com as costas arqueadas, encolhido, tentando parecer o menor possível. A bainha rasgada de seu velho casaco de couro rachado se espalha ao redor do corpo, parecendo uma saia. Seus ombros estão tensos, e ele se balança devagar, apoiado nas pontas dos pés descalços.

Arthur já o viu naquela posição: se todos calassem a boca, com certeza ouviriam Baeddan cantando com seus botões, versos sem sentido e rimas toscas.

O demônio se agacha, resmungando, e Arthur diz:

– Ele não é tão assustador quanto eu...

A criatura se ergue, sussurrando, e mostrando os dentes para Arthur. Que vai para trás, brandindo a faca longa. Só que a mão de Arthur treme – está cansado demais, dolorido demais, furioso demais!

– Afaste-se – berra o rapaz, e o demônio bate os dentes para ele, dando risada.

– Você pode correr sem parar, mas não pode correr mais do que eu, seu não santo, nunca santo, assanto, insanto, santo santo...

– Baeddan – tranquiliza Mair –, venha comigo. Deixe-os aí. Você não precisa persegui-los.

– Ele pode me perseguir se quiser – retruca Arthur. – Fique à vontade, demônio.

– Ah! – dispara o demônio, ignorando a faca que corta a lateral de seu corpo, e enfia as garras no rosto de Arthur.

Arthur corre até Baeddan e se apoia em um dos joelhos, para ficarem na mesma altura. O rapaz tinha razão: o demônio está murmurando baixinho com seus botões.

– Baeddan Sayer – diz Arthur, baixo, mas com um tom firme, como Mair diria. – Levante daí e venha comigo.

– Não santo, nunca santo, é você? – fala a voz cantarolada, abafada pelas mãos.

– É Arthur Couch. Chame-me pelo nome, assim como tenho a educação de chamá-lo pelo seu.

– Educação! – Os ombros largos do demônio sacodem de tanto rir.

Isso faz a boca de Arthur se retorcer, transmitindo ironia semelhante. Ele põe a mão no ombro do demônio, despreparado para a faísca de energia que se acende entre os dois. A amarração em seu pulso se contrai, machucando sua pele em carne viva. Arthur não tira a mão de Baeddan. O demônio ergue os olhos negros como carvão, monstruosos e perdidos.

– Por que veio para cá? – pergunta Arthur. – Vamos, vamos encontrar Mairwen.

– Sim, sim. Mairwen Grace, a bruxa Grace, onde é que está? – sussurra Baeddan.

– Este é mesmo Baeddan Sayer? – grita uma mulher.

Pelo menos metade do vale está ali, e mais pessoas vão chegando à medida que a notícia se espalha. Todo o clã Lewis, com exceção de Haf – que ainda deve estar dormindo na residência do clã Grace –, e a mais nova das meninas esconde o rosto atrás do ombro da mãe; Cat

Dee, de braço dado com o neto, Pad, enrugada demais para ver direito; primos do clã Sayer e os dois irmãos Parry, curiosos, que olham fixamente para Arthur. O ferreiro, o tanoeiro, todos da família do açougueiro e homens saem da taverna. Incluindo seu pai, Gethin Couch.

– Sim, é Baeddan – responde Arthur.

– Baeddan?

Outra mulher se aproxima, hesitante. É Effa Crewe, bela e ágil, que deve ter uns dez anos a mais do que Arthur. Debaixo da mão do rapaz, o demônio solta um uivo grave e nostálgico.

Per Argall, de quem Arthur não esperava tamanha ousadia, grita:

– Conte-nos o que acontece lá na floresta, Arthur. Como foi que você fez isso?

Arthur levanta, apoiando-se no ombro do demônio.

– Eu adoraria contar, Per. Mas vamos esperar pelos demais.

O lorde Vaughn sai do meio da multidão. Ele está com os homens da taverna. Veste um traje simples, de veludo marrom, que não se sobressai em relação às roupas dos homens que o cercam, e seus cachos castanhos ficam avermelhados no sol da tarde. Na opinião de Arthur, parece ainda mais jovem do que antes. Ou talvez seja Arthur que esteja se sentindo mais velho.

– Como estão Rhun e Mairwen? – pergunta o lorde.

Arthur dá de ombros e responde:

– Eles já vão chegar. E vão responder à sua pergunta.

Vaughn faz uma cara de compaixão e dirige seus olhos, um cinza e um castanho, para Baeddan.

– Pobre criatura, pobre santo. Gostaríamos de ouvir sua história.

Baeddan fica de pé de supetão, encarando Vaughn, e Arthur quase acha que ele vai atacá-lo, mas Baeddan só bufa e ri baixinho com seus botões. E então tapa com a mão os ossos minúsculos costurados em sua pele. Baeddan gira nos calcanhares e sai correndo, deixando

Arthur ali, sem ação. Não é assim que Arthur gostaria de ir embora dali, mas o rapaz sai correndo atrás do demônio.

RHUN ESTÁ LONGE DEMAIS PARA OUVIR O GRITO, JÁ SUBIU MAIS da metade da trilha de tábuas que leva à residência do clã Sayer. Sente suas pernas fortes e firmes, o coração bate determinado, ainda que ele quase prefira estar todo acabado, cansado demais para encarar a luz do dia, encarar sua família ou qualquer verdade que seja.

As folhas caem suavemente, amarelas e alaranjadas, pedaços de raios de sol que partiram do céu. Ele anda com a discrição de costume, ainda que sinta um súbito e louco desejo de sair correndo pela trilha, fazer o máximo de barulho para estragar a beleza silenciosa da floresta que cerca sua casa. Para e se obriga a respirar fundo várias vezes. Sente o gosto agudo do outono na língua, e o primeiro vento gelado do inverno tensiona sua nuca. "Vale a pena lutar por este lugar", lembra, para si mesmo. Precisa acreditar nisso. As pessoas são tão honestas e sinceras quanto no dia anterior. Como ele mesmo antes de saber que havia uma mentira no coração da floresta. Rhun tinha fé nos rituais, na santidade, em si mesmo. Deve essa fé ao povo de Três Graces.

Um sorriso amargo retorce seus lábios. Arthur diria que o povo de Três Graces é que está devendo para Rhun, e Mairwen diria que ele já deu demais. Mas Rhun foi ordenado santo, lhe entregaram o fardo de garantir o cumprimento do pacto, ainda que parte dele fosse mentira. Era para ser uma honra, e o rapaz a encara como se fosse. Não pode decepcionar seus irmãozinhos. Ou, pelo menos, não pode decepcionar seus pais.

Sendo assim, Rhun Sayer tenta desfrutar da atmosfera dourada e do canto alegre dos pássaros, dessas minúsculas pinceladas de vida inexistentes na Floresta do Demônio. Cantarola, mas apenas as primeiras notas de canções diferentes. Não consegue se entregar completamente a nenhuma.

A porta da casa do clã Sayer está aberta, e a fumaça sobe graciosamente pela chaminé. Se tudo estivesse fechado, ele conseguiria entrar de fininho e pegar roupas, desde que Baeddan não estivesse ali.

– ...não vai demorar muito – sua mãe está dizendo, quando Rhun pisa no chão de madeira da casa, espremendo os olhos para que se acostumem à combinação da esparsa luz do sol com a quente luz do fogo.

Faz-se um silêncio, e uma mulher solta um suspiro de assombro. Há quatro delas sentadas em volta da mesa entalhada da cozinha de Nona Sayer: a própria; a tia de Rhun, Alis; Hetty Pugh e Aderyn Grace. Como o rapaz não faz ideia do que dizer, permanece calado.

– Rhun... Ai, meu Deus.

Nona levanta da cadeira em que está sentada – que não combina com as demais –, mas não se aproxima do filho. Ela não é assim. Hetty sorri, apesar do cansaço que se acumula debaixo de seus olhos alegres, e Aderyn fica olhando para Rhun como se o rapaz fosse um fantasma, como se ela não fosse a mais dilacerada pelo ressurgimento deles aquela manhã. E ali está Alis Sayer, mãe de Baeddan, que vai até Rhun e abraça seu pescoço cuidadosamente, tão apertado que tem que ficar nas pontas dos pés. O rapaz abraça a tia, levantando-a do chão lentamente, expressando o que pode expressar.

– Sinto muito por tudo ter sido tão chocante – sussurra no ouvido dela.

– Eu não sinto muito por nada hoje – sussurra Alis, que se solta do abraço com os olhos brilhantes e um lindo sorriso úmido. Ela segura o rosto de Rhun com as duas mãos e sacode a cabeça alegremente. – Meu filho está vivo. Como posso sentir qualquer coisa que não seja gratidão?

Rhun não sabe bem como responder sem revelar demais da existência torturante que, suspeita, Baeddan teve durante aqueles dez longos anos. Ele balança a cabeça.

Nona limpa as mãos no avental.

– Conte tudo, Rhun. A sua mãe e as dos outros jovens ficaram desesperadas por tempo demais, e não deveria nos obrigar a passar mais tempo assim.

– Não seria melhor – argumenta Aderyn Grace, com cautela, – contar para nós agora, antes do banquete, quando não há crianças por perto, que podem ficar assustadas?

É a única coisa que ela poderia ter dito, talvez, para consolidar a determinação de Rhun de não contar nada do que sabe, especialmente para aquela mulher, antes que Mairwen tenha oportunidade de falar. O rapaz cerra os dentes e os punhos também. E diz:

– É das crianças que se espera que abram mão de tudo por causa do pacto, se espera que sacrifiquem a própria vida. Acho que as crianças merecem ouvir essa história, mais que qualquer uma de vocês.

Aderyn se afasta, leva as mãos à cintura, e Hetty estala a língua. Alis Sayer encosta as mãos nos lábios, e seus olhos vão se fechando, deixando escapar uma lágrima de cada um. A mãe de Rhun põe os punhos cerrados na cintura e diz:

– Você mudou, filho.

Rhun passa mão na pulseira amarrada no pulso, deliciando-se com a dor.

– Não sou mais um menino, só isso. Agora entendo certas coisas que não entendia. A respeito... das pessoas.

Nona lança um olhar enraivecido para as outras mulheres e se dirige a Rhun em seguida:

– Eu esperava que um vale como esse jamais lhe ensinasse tal lição.

– Das duas, uma: ou eu aprendia ou morria.

A expressão de sua mãe fica perturbada, e Rhun sente apenas uma pontada de vergonha.

– Jamais prometemos inocência aqui neste vale – declara Hetty Pugh.

– Tal pacto exigiria um preço ainda mais alto – concorda Aderyn discretamente, examinando Rhun com um olhar pesado e criterioso. – Onde está minha filha?

– Com Haf Lewis – responde Rhun, sem o menor interesse em revelar que os três não sabem onde Baeddan está e se separaram para tentar encontrá-lo.

– Ela também mudou tanto, como você?

Rhun fica só olhando: não sabe ao certo. A floresta sempre esteve dentro de Mairwen, ele sabe. Mas a noite anterior intensificou Mair, a purificou, de certo modo. A menina é mais ela mesma do que Rhun acreditava ser possível.

O rapaz diz:

– Mairwen agora é a versão mais verdadeira de si mesma. Talvez todos nós sejamos.

O LIMITE DA FLORESTA DO DEMÔNIO ESTÁ REPLETO DE SOMBRAS. Mairwen aperta a mão de Haf Lewis e o ultrapassa completamente. Haf solta um suspiro de assombro, mas a acompanha, apertando tanto a mão da amiga que seus ossos estalam.

Mairwen tem a sensação de que entrar de novo na floresta é a coisa certa a fazer. O ar se torna mais frio e, lá dentro, reina o mais completo silêncio. Ela lembra de algo quente e tranquilo bem no meio do lugar. O altar.

a sensação da pedra cinza, áspera e quente, em seus dedos. Mair evita tocar nas faixas mais escuras, talvez de manchas da chuva ou antigos cipós mortos, talvez sangue. Mairwen se imagina deitando em cima da pedra e caindo em um sono relaxante e longo. Está tão cansada, e aquela cama receberia seus ossos de braços abertos. Receberia seu coração. Não lhe mete medo, mas talvez devesse. Uma brisa sacode os espinhos e as folhas secas caídas na superfície do altar. A aurora chegará em breve. Dentro de uma hora ou até menos. Atrás do altar, a Árvore de Osso é bela: branca como a lua, coberta com uma armadura de ossos. Meio viva. Mair poderia torná-la completamente viva.

– Mairwen Grace.

Ela levanta a cabeça.

– Nunca pensei que estaria aqui – sussurra Haf.

Mair aperta o ombro dela, abraçando a amiga.

– Tem um altar, na base da Árvore de Osso, igualzinho ao borralho da casa de minha mãe. E, quando encostamos nele, está quente, apesar de ser puro granito. Esse calor é o coração da floresta, e a magia pulsa por todo o conjunto de raízes e copas, do mesmo modo que o sangue chega aos nossos dedos das mãos e dos pés.

– Pelo jeito que conta, parece magia de conto de fadas.

– Ah, Haf... – Mair olha para o interior da floresta, para as árvores altas e negras e para a vegetação rasteira verdejante, para as minúsculas flores brancas aqui e acolá e para cada uma das camadas de sombras que se espalham, se espalham e se espalham. – Tudo isso é um conto de fadas.

Haf passa a mão na cintura de Mairwen e fala:

– É real demais para tanto.

– Nós contamos como se fosse uma lenda, a lenda das três irmãs chamadas Grace e do demônio. É uma lenda que fala de se apaixonar por monstros e abrir mão do próprio coração em troca de um lar. Nós a contamos para os rapazes, para que a usem como um escudo. Nós a contamos para toda a cidade, para que nenhum de nós queira saber os detalhes do pacto.

O vento sopra na copa das árvores, bem lá em cima, fazendo cair sobre as duas minúsculas folhas ovais, secas, amarronzadas e levemente amarelas. Haf estremece, fazendo um movimento involuntário, como se fosse correr de volta para o sol.

Bem na hora, os machucados ao longo das clavículas de Mairwen latejam, e ela pensa ter ouvido galhos crepitando, crescendo e se dobrando por causa de um vento forte. Mair fecha os olhos e se concentra na dor, até se dissipar. No que a menina está se transformando?

debaixo de seu véu transparente, a menina encosta o dedo nos lábios, pedindo silêncio

Mairwen fecha os olhos e estica a mão, como se fosse possível tocar essa lembrança.

Uma vozinha aguda grita "Mairwen Grace!" mais ao fundo da floresta. Haf se assusta e se afasta da amiga.

– O que foi isso? Quem está aqui?

Mair avança, esmagando com seus pés um leito de folhas caídas. Não foi Baeddan, mas uma voz aguda e encantadora, como a de um pássaro. Ela sorri.

– Algumas mulheres-pássaro, acho, criaturas minúsculas de dentes afiados. Tome cuidado.

– Ah... – murmura Haf, maravilhada.

– Mairwen Grace!

Vindo em direção delas, pulando de galho em galho, uma mulher marrom. Ela voeja e pula, em um arremedo de voo.

– É você? Mairwen Grace?

– Olá, bonita – grita Mair, estendendo a mão com a palma para cima. O pássaro pousa de leve nela e segura no pulso de Mairwen.

Haf cobre a boca com as mãos.

– Que maravilhoso e apavorante – diz, ainda com os dedos pressionando os lábios.

– Esta é Haf Lewis, minha amiga – apresenta Mairwen.

A mulher-pássaro sorri, mostrando os dentes de agulha.

– Apesar de ela ter assaltado nossa floresta, qualquer amigo da bruxa Grace é nosso amigo.

Então a mulher-pássaro fica de pé, e seus pés descalços fazem coceira na palma da mão de Mair. Põe as mãos na cintura, que tem uma trança de cabelo castanho avermelhado amarrada, como se fosse um cinto.

– É uma honra conhecê-la, Lady Pardal. – Haf até chega a fazer uma referência.

A mulher-pássaro adora. E pia alegremente.

– Gostei de você. Você canta?

– Depois – censura Mairwen. – Como assim, assaltei sua floresta?

– Você roubou nosso deus e não nos deu um novo! – acusa a mulher-pássaro.

– Que deus?

– As bruxas o chamam de demônio!

Ela abre as asas completamente – que talvez cheguem a trinta centímetros, arredondando para cima.

– O que aconteceu com o antigo deus da floresta? – grita Mairwen.

A lembrança continua sendo um eco da própria voz de Mair, apenas aquela pergunta, que se repete sem parar.

Mairwen passa a mão nas penas compridas da mulher-pássaro, tentando entender o que ela sabe.

– Baeddan. O vigésimo quinto santo, ele ficou na floresta e... se tornou o deus. É isso que chamamos de demônio.

– Agora não temos mais conforto na floresta. Nossos corações precisam de um coração.

– Minha mãe sempre disse que ele era um deus, não um demônio – fala Mair, olhando para Haf.

– Sim, sim. Você entende, bela menina, bruxa Grace. Ah, é tão sábia quanto bonita. – A mulher-pássaro dá um sorriso sedutor e malicioso.

Mair aproxima a mulher-pássaro de seu peito.

– Há quanto tempo o demônio existe na sua floresta? Você sabe?

– O demônio sempre muda, sem parar, rapazes novos, corações novos, canções novas.

– E antes do demônio, existia o quê?

A mulher-pássaro inclina a cabeça, bem como um pássaro.

– Sempre existiu um demônio.

– E... e o demônio sempre mudou ? – pergunta Mair, cautelosa. – O primeiro, o antigo deus?

– Não – pia a mulher-pássaro. – O antigo deus abandonou a árvore do coração, a árvore que fica no coração da nossa floresta, e aí tudo mudou.

Com falta de ar, Mairwen segura a mulher-pássaro bem perto de si, lembrando como Baeddan gostava de comê-las, e acaricia suas longas penas primárias. O ritmo de suas carícias é o ritmo de seu próprio coração, o ritmo de sua respiração e da coceira que sente no peito. Mair também sente a floresta: nos dedos da mão, por toda a espinha, subindo em cada centímetro da sua pele. Transformando-a. Ela atira a mulher-pássaro para cima delicadamente. E, assim que a criatura voa, a menina se agacha. Ainda que Haf murmure, confusa, Mairwen desamarra o cadarço das botas e as tira. Em seguida, encosta os pés descalços na terra da floresta. Tão fresca e reconfortante que seus ombros relaxam, e ela deixa a cabeça cair para trás.

O antigo deus da floresta se libertou da Árvore de Osso. Mairwen seria capaz de apostar a vida de todos que esse foi o instante em que o pacto teve início. O antigo deus e a bruxa, a mais nova das irmãs Grace. De acordo com a história, os dois se amavam. Mas será que dá para acreditar em alguma parte da história?

Mairwen Grace fica ali parada, com os dedos dos pés enfiados na Floresta do Demônio, de olhos fechados. O vento sacode o seu cabelo junto com as folhas outonais da copa das árvores. De repente, fica apavorada e tenta enterrar seu medo.

– Mairwen, não sei o que está acontecendo – murmura Haf.

Mair olha para cima de repente, olha para baixo, para seus pés. Ramificações bem verdes saem da terra, se enroscam em seus dedos dos pés e em seu tornozelo, e delas brotam flores roxas em forma de estrela, ainda menores.

O PÔR DO SOL DESTA NOITE É UM ESPETÁCULO ELABORADO. Nuvens etéreas se espalham pelo horizonte marcado com tons de rosa vibrantes, e o céu está tingido com o tom de roxo escuro que costumava fazer Baeddan Sayer pensar em violetas. Mas que, agora, o fazem se lembrar de seu próprio sangue.

Ele se abriga na igreja, escondido pelas sombras, esperando pela bruxa do clã Grace.

Arthur Couch, alto, cruel e ardente como a estrela da manhã, vem em sua defesa, ficando entre Baeddan e o restante do vilarejo, parado de lado, bebendo uma caneca de vinho. Arthur a oferece para Baeddan, que bebe como se fosse água. O gosto azedo fica em sua língua, como se o vinho tivesse vida própria.

Baeddan não pode fechar os olhos, senão tudo aquilo vai desaparecer. Voltará para o coração ardente da floresta. A Árvore de Osso se enroscando em volta dele, com os minúsculos fios de raízes perfurando seus tornozelos e pulsos, penetrando nos músculos acima de suas costelas, se retorcendo e atravessando seus ossos, em uma agonia atroz. A floresta devorou sua pele e seus ossos e o cuspiu transformado nesta coisa, o demônio com melodias e canções de ninar que não fazem o menor sentido, repetidas em seu pensamento, rostos e nomes que se confundem, e aquela enorme necessidade que o fustiga sem parar. As palavras se encontram, e ele as entende quando ouve: "Encontre o santo, o santo, o santo. Encontre-o".

É difícil, quase impossível, para Baeddan olhar até para Arthur Couch, que não é santo, nunca foi santo, e fazer qualquer coisa que não seja atacar. Quando Rhun Sayer chega à praça do vilarejo, moreno e belo, de roupas limpas e bem cortadas, ungido como santo, Baeddan não consegue respirar, por causa da compulsão que arranha seu coração. Enfia os punhos cerrados nos olhos e aperta, causando dor até ver estrelas na escuridão, até enxergar faixas e pontos brancos e borrões vermelhos.

A balbúrdia da multidão conversando, se movimentando, esperando, bebendo, dispondo a comida e arrastando mesas compridas, crianças gritando, pés correndo, tudo isso se junta em uma descarga, como a descarga de sangue em seus ouvidos, como o vento uivante que sopra nos galhos corrompidos da Árvore de Osso. Isso o deixa transtornado. Ele morde os próprios dentes, rangendo, batendo, ah, sim – o bater dos dentes e dos galhos minúsculos, o bater dos delicados cascos, *bate, bate...*

– Baeddan Sayer.

Ele fica arrepiado. Ramificações da magia da floresta fazem cócegas em seu rosto.

– Baeddan – repete a voz.

Mairwen Grace.

A criatura olha para menina, enlouquecida, então segura o lenço que está amarrado no peito dela, a puxa para perto e a beija.

Então, de todos os lados, surgem suspiros de assombro e protestos, mas não de Mairwen. Que permite que Baeddan a beije, que segure o seu rosto e acaricie suas têmporas. Mair faz parte dele, é seu coração, e Baeddan consegue respirar de novo, consegue pensar em outras coisas que não seja arrastar o santo até o altar, para que seus ossos possam ser amarrados, para que seus ossos possam se transformar no corpo da floresta. A Árvore de Osso se ergue em seus pensamentos, cresce entre eles, laçando e unindo o coração dos dois.

A voz da floresta se cala.

Mairwen vai para trás. Seus olhos – ah, têm tantos tons delicados de marrom, escurecendo juntos, enegrecendo... Disso ele tem certeza.

Seu coração bate sobressaltado. Mairwen Grace aperta o lenço cruzado no peito, o põe para dentro da cintura da saia.

Ela encara o vilarejo.

– Eu me chamo Mairwen Grace – grita. – Todos sabem meu nome, mas a Floresta do Demônio também sabia. E me conhecia. Ela me reconheceu, porque corre nas minhas veias o sangue das bruxas do clã Grace e o sangue de Carey Morgan, o vigésimo quinto santo. – Mairwen encosta os dedos na boca, que saem ensanguentados. – Por causa de meu sangue, fiquei a salvo na floresta e descobri o seu segredo.

Baeddan fica de pé abruptamente, sabendo que Mair está falando dele. Então mostra os dentes, ávido.

Arthur Couch aparece à direita de Baeddan, e Rhun Sayer, à sua esquerda. Os dois jovens pousam a mão nos ombros da criatura, que treme ao sentir a onda do poder que os une. E lhe causa coceira por baixo da pele.

Mairwen prossegue:

– Nós três encontramos a Árvore de Osso, onde Baeddan Sayer

sobreviveu ao longo desses dez anos, amarrado à floresta. O sacrifício que santificamos e enviamos para lá, para que corresse e morresse. Porque esse é o verdadeiro destino do santo de Três Graces: tornar-se o demônio da floresta até terminar seu período de sete anos.

A multidão murmura e resmunga, olhando para ele, para Baeddan. As pessoas não querem acreditar. Algumas apontam. Outras se benzem contra o mal.

– Este é Baeddan Sayer. Ou o que sobrou dele.

A voz de Mairwen esquenta os ouvidos de Baeddan, e ele vê traços do que um dia foi: rindo, alegre, dançando, um rapaz pronto para encarar seu destino.

– O que o torna o melhor de todos, Baeddan Sayer? – pergunta o lorde. Baeddan é o terceiro rapaz a responder e não faz ideia do que dizer.

Ele dá de ombros e exibe seu sorriso mais encantador.

– Eu não sei se sou o melhor, milorde, mas sei que estou disposto a tentar, e a morrer, por Três Graces. Se esse for o preço a pagar.

– O que sobrou de todos nós – cantarola Baeddan, baixinho.

A bruxa do clã Grace – a sua bruxa – olha para ele. Em seguida, vai até o banco mais próximo, ergue um dos lados e o arrasta, fazendo barulho pelos paralelepípedos. A menina solta o banco no chão e sobe nele. Rhun corre para o seu lado, para que Mair apoie a mão no ombro dele e se equilibre. Ao redor, os moradores do vilarejo observam, de olhos arregalados como os dos crânios, lívidos e ávidos, amedrontados, excitados e famintos, famintos, famintos.

– Eis o que eu sei – declara Mairwen, estendendo as mãos. – Nós entramos na floresta, encontramos Baeddan e, no altar que fica entre as raízes da Árvore de Osso, fizemos um feitiço para selar nosso pacto. Sei que os santos não morrem imediatamente: são amarrados à árvore, seus corações são oferecidos em sacrifício ao coração da floresta. Sei que um dia existiu um deus da floresta, mas esse deus se foi. Morreu, sumiu ou fugiu, não sei dizer. A lenda que contamos não é a história toda.

– Por quanto tempo esse seu feitiço vai durar? – pergunta um homem de barba, usando um casaco amarelo desbotado.

Baeddan afunda os dedos fortes entre duas pedras da praça.

– Não sei, mas não será por muito tempo – responde Mairwen. – A floresta está sem coração.

Mair é uma coluna de luz parada ali, acima de todos, e o sol que se põe transforma seu cabelo emaranhado em uma tocha. Seus pés descalços estão sujos de terra, e Baeddan entende por que os dois são as únicas pessoas de Três Graces que não estão usando calçado: "a floresta, a floresta, a floresta".

– Devíamos permitir que o pacto se encerre – declara Arthur Couch e Baeddan concorda.

– Não podemos – argumenta uma mulher desengonçada, de cabelo negro e revolto.

– Não devemos – responde a mulher ao lado dela. Irmã da primeira, disso Baeddan sabe, mas não consegue lembrar o nome das duas.

Arthur sobe no banco, ao lado de Mairwen.

– Olhem só para nós. Três Graces nunca muda. Nós nunca mudamos. Logo, não vivemos. É praticamente a mesma coisa do que este lugar estar morto! Ninguém se arrisca. Mas, sem riscos, não há vida. Se não há fumaça, nunca haverá fogo.

– Fogo queima – grita Beth Pugh. Outras pessoas em volta dela balançam a cabeça. Mas muitas franzem o cenho, muitas seguram a mão de quem está por perto e abraçam suas famílias.

– Amar também – retruca Arthur, irritado.

– E desde quando damos ouvidos a este menino?

Baeddan não vê quem foi que gritou, mas Arthur sacode a mão, em um gesto de desprezo.

– Desde que eu me embrenhei na Floresta do Demônio e saí vivo dela, Dar.

– Nós vivemos. Nós amamos – diz o lorde de cabelo castanho cacheado. – Sabemos o risco que a morte representa, Arthur. É possível entender os riscos e o perigo sem se lançar neles.

Arthur sacode a cabeça.

– Entendemos por meio de um intermediário. Vocês entendem por meio do santo, apenas naquela única noite. Será que não se lembram da tensão, da expectativa de ontem à noite? Em que outras ocasiões sentiram algo com tanta intensidade?

Mairwen encosta no braço dele e intervém:

– E tem mais. A história toda deveria ser contada antes que tomemos qualquer decisão.

– Vocês lembram a história toda? – pergunta Arthur.

Sua irritação provoca risadas em Baeddan.

Aderyn Grace pergunta:

– Como você selou o pacto, Mairwen?

– É!

– Conte!

Mairwen levanta o braço direito e responde:

– Com este amuleto. Que me amarra, assim como Rhun e Arthur, à Árvore de Osso.

– Isso significa que podemos cumprir o pacto sem perder um de nossos filhos? – pergunta Alis Sayer, olhando para Baeddan.

– Não. – A voz cansada que todos ouvem é de Rhun. Que não sobe com os amigos no banco, apenas sacode a cabeça. – Há vinte e cinco crânios na Árvore de Osso.

Suspiros ecoam pela multidão, bem como gritos de espanto.

Baeddan fecha os olhos. Suas costelas estão doendo, e o homem afunda os dedos no meio dos paralelepípedos. Ele cerra os dentes e declara:

– Estão todos mortos!

Aqueles que estão perto o bastante para ouvi-lo ficam em silêncio.

– Baeddan? – É Mairwen que o chama, inclinando-se para ficar mais perto dele. E toca em suas têmporas.

– Vocês não enxergam? Não lembram?

Baeddan segura a própria cabeça e se afasta de todos. Sacode a cabeça e mostra os dentes de novo, com os olhos bem fechados. Os crânios dos santos rindo dele, enroscados na Árvore de Osso. A criatura rosna, e gritos ecoam: perguntas e acusações, tanto duras quanto trêmulas.

– Parem. Baeddan... – Mair segura o rosto da criatura novamente. Sua mãe está atrás dela.

Baeddan se lembra de Addie Grace. E, enquanto olha para os olhos castanhos e vivos dela, para o cabelo castanho-escuro, para as mãos firmes e quadris curvilíneos, para a certeza que o formato da sua boca representa, pensa naquela mulher no tempo em que ele era criança. Quando Addie era mais afável e mais triste, grávida da filha de Carey Morgan.

Carey Morgan, o santo antes dele.

– Sabia, Addie? – diz Baeddan, em uma voz rouca da qual gosta, mas mal reconhece. É a voz do demônio da floresta, a voz do caçador, do assassino, do monstro amarrado à Árvore de Osso. – Fui o último a ver Carey Morgan, quando corri, quando fui o santo de vocês. Ele me perseguiu, sua pele era verde e amarelada, cor de doente. Tinha chifres na cabeça, garras e dentes afiados! Carey ficou atrás de mim, dando um passo por vez, me provocando e me assustando. E, quando o sol estava prestes a raiar, ele me arrastou até a Árvore de Osso e... –

Baeddan levanta o braço, dobrando os dedos como se fossem garras, como se segurasse um homem grande pelo pescoço. – Ah! Carey abriu meu peito! E a floresta brotou de dentro de mim. Ai, como doeu, como doeu, e... ele estava...

Mairwen põe as duas mãos no peito de Baeddan, acariciando suas feridas expostas e as antigas cicatrizes.

– Meu pai estava vivo até você tomar o lugar dele. Você se tornou o demônio depois dele.

Baeddan respira fundo, entrecortado, balança a cabeça e diz, em alto e bom som, para quem quisesse ouvir:

– Ele estava vivo até dez anos atrás. Carey Morgan viveu na forma de demônio da floresta até eu tomar o lugar dele, e seus ossos foram amarrados na Árvore de Osso, seu crânio foi pendurado junto com todos os demais! – Baeddan dá risada, desesperado, deliciado. – Todos os demais!

– É assim que o pacto se mantém? – pergunta Mairwen, como se já não soubesse a resposta.

– Sim, sim. Um sacrifício a cada sete anos, uma vida para selá-lo, amarrada à Árvore de Osso, para que o poder crie raízes na terra, se espalhe feito uma doença por todo o vale.

– Como é que você sabe? – pergunta Aderyn Grace.

– É o único modo. É preciso haver um coração!

Murmúrios de incerteza e incredulidade se espalham entre os habitantes do vilarejo. Todos se transformaram em sombra, já que o sol está se pondo, deixando apenas seu pálido brilho no horizonte cor de creme.

– E você não é o demônio, tentando nos enganar? – pergunta uma jovem. Corajosa, ainda que seu queixo esteja erguido, em uma expressão desafiadora, e suas mãos entrelaçadas, para controlar os tremores de medo. É a menina morena e baixinha que gritou para ele da praça.

Baeddan estremece e se agacha, encolhendo-se, fazendo jus à sua aparência de monstro. Arranha o próprio peito com as unhas afiadas e balança a cabeça.

– Sou o demônio, bela menina. Sou, sim. Sim.

A menina continua fazendo cara de corajosa, e um menino, moreno como ela, só que mais alto e mais velho, pergunta:

– Mas, às vezes, o corredor sobrevive.

Outras vozes se juntam ao protesto.

– Alguns sobrevivem!

– John!

– Col Sayer! Griffin!

– Tom Ellis!

– Marc Argall!

– Não sei! Não sei! – grita Baeddan. – Mas alguém morre. O santo morre, porque o santo entra na floresta ungido, para a árvore! Foi assim que eu reconheci John Upjohn e... e Rhun Sayer. Eles já estavam amarrados à Árvore de Osso quando entraram na floresta.

Baeddan tapa os olhos, depois os ouvidos, enquanto os moradores do vilarejo fazem dúzias de perguntas. Rhun Sayer se aproxima dele e se ajoelha ao lado. O ombro de Rhun encosta no de Baeddan, que esfrega as orelhas com os punhos cerrados.

MAIRWEN SE SENTE ENERGIZADA E EXALTADA, OLHOS ARREGALADOS demais, não consegue respirar pelo nariz, apenas engolir ar, como se estivesse provando tudo aquilo, precisando sentir o sabor de tudo. A floresta sussurra seu nome sem parar. Ela sente o chamado como se fosse uma sequência de relâmpagos, que vai dos espinhos que crescem em cima de seu coração e chega até suas vísceras.

Mair pede que a mãe explique o feitiço para todos: morte, vida e as bruxas do clã Grace unindo as duas coisas; que explique a túnica benta e a unção. Aderyn faz isso, e a maioria dos habitantes mal se surpreende, já estão acostumados a ver as bruxas do clã Grace benzendo a praça e entoando preces, fizeram isso a vida toda. O óleo da unção é feito de ervas colhidas no limite da floresta, mais a gordura e os ossos do cavalo sacrificado na Lua do Abate anterior e uma gota de sangue de bruxa do clã Grace. Foi assim que a mãe lhe ensinou. Ela, por sua vez, aprendeu com sua respectiva mãe, e assim sucessivamente, até chegar à primeira mãe e à primeira filha, ambas bruxas do clã Grace.

– O que mais a sua mãe lhe ensinou que a história não conta ? – pergunta Mair.

A mãe da menina fica examinando a filha com sua tão conhecida expressão de impaciência.

– Que o demônio é um deus, o antigo deus da floresta, como você disse, e que o santo entra lá para que o coração do pacto continue forte. Que todas nós, da nossa linhagem, acabamos sendo chamadas pela floresta quando chega a nossa hora de ficar por lá. E... que uma bruxa do clã Grace pode desfazer tudo isso.

– Eu sempre ouvi o chamado – conta Mairwen, dirigindo-se a todos. – Desde que era criança. Porque meu pai já fazia parte da floresta. O coração dele.

– Você correu o risco de desfazer tudo ao entrar na floresta – diz Aderyn.

– Se eu não tivesse entrado, Rhun estaria morto.

Ninguém está disposto a refutar o argumento. Por ora.

Mas o vilarejo refuta, sim, a afirmação insistente de Baeddan, de que todos os santos morreram, mesmo aqueles que saíram vivos. Eles foram embora do vale porque suas lembranças eram terríveis demais, porque queriam viver novas aventuras e nunca, jamais, voltariam sem avisar a família! Alguns dizem que, talvez, outras pessoas tenham morrido no lugar dos santos, pessoas de fora. Ou que os corações das bruxas do clã Grace dos últimos duzentos anos é que selam o pacto, entre um santo e outro. Ou que Baeddan está simplesmente enganado: olhem só para ele, como está destruído. Ninguém concorda. O lorde Vaughn diz que irá procurar, nos registros de sua família, mais informações, mas não sabe se adiantará de alguma coisa.

Como não podem perguntar para o antigo deus, Mairwen duvida que exista alguma maneira de saber ao certo. A não ser voltar para a floresta. Para lembrar. Seu estômago queima ao ouvir a voz da floresta, em seus pensamentos e em seu coração.

"Mairwen Grace. Mairwen. Filha da floresta."

O povo do vilarejo repete as mesmas perguntas, inúmeras vezes. E Mair responde, inúmeras vezes, ainda que suas respostas não mudem. Ela não lembra o suficiente para dar mais explicações.

A menina está morrendo de fome e, enquanto trazem pão e carne, enquanto as batatas com alecrim perfumam o ar com um aroma delicioso, Mair fica afastada dos demais, respirando com dificuldade, sem conseguir se tornar parte do todo. Por incrível que pareça, é Arthur que leva Baeddan até a gamela cheia de carne e o ajuda a escolher um pedaço, que devora. Arthur continua com os nervos à flor da pele, mas parece menos interessado em esfaquear pessoas indiscriminadamente. Mairwen não pode deixar de gostar disso. Rhun fica do seu lado, firme e calado, sem sorrir. A menina encosta o ombro no do rapaz. Mair treme, mas não está com frio.

– Está com fome? – pergunta Rhun.

Mair balança a cabeça. Ele sai do lado dela e volta com comida e duas facas, que espetam nas batatas e na carne assada. E é assim que comem, da mesma tigela, com os ombros encostados. Com uma refeição quente no estômago, Mair se sente menos efêmera.

Arthur e Baeddan sentam juntos e devoram o dobro de comida que Mairwen e Rhun. Mair percebe que as crianças estão chegando de fininho, se aproximando cada vez mais, principalmente os primos do clã Sayer. Baeddan come com as mãos, mas com cuidado, de olho nos meninos e nas meninas menores, mostrando os dentes de quando em quando, mesmo com carne presa neles. Arthur se encolhe uma ou duas vezes e faz um comentário mal-humorado para as crianças. Baeddan arranca um pedaço de pão da mão da menininha do clã Crewe que o encara de olhos arregalados, faz careta e em seguida exige o pão de volta, batendo a mãozinha branca insistentemente.

Outras pessoas do clã Sayer se reúnem em volta de Baeddan enquanto ele e a menina negociam. Incluindo sua mãe, Alis, que passa a mão no cabelo castanho-escuro do filho. Ela leva um susto e põe as mãos na cabeça dele, protetora, enquanto Evan, pai de Baeddan, inspeciona a cabeça do filho. O próprio Baeddan se encolhe, tapa os ouvidos e, mais uma vez, é Arthur que o tranquiliza.

Rhun percebe que Mair parou de comer e fica com tudo para ele. Acaba se reunindo com o restante de seu clã, em volta de Baeddan, e Mairwen sai de fininho, contente por Rhun ter resolvido buscar o abrigo de sua numerosa família. Ela procura Haf Lewis no meio das pessoas e a encontra com seu futuro marido, Ifan Pugh, também comendo da mesma tigela.

Ifan engole a comida, constrangido, quando Mair chega. Equilibra a faca na beirada da tigela e põe a mão na nuca de Haf.

Haf se encosta no noivo. Provavelmente, sem se dar conta, e Mairwen dá um leve sorriso. Então fala:

– O que acha, Ifan? O que foi que aconteceu com os santos que sobreviveram?

– Se você mesma não tivesse entrado na floresta, eu diria que a sua família arrasta os santos de volta para lá, até aquele altar – responde o rapaz, e Haf solta um suspiro de assombro. É o mais próximo da fúria que ela consegue chegar.

– Ifan Pugh! – censura a menina.

Ele reforça o argumento ficando em silêncio.

– Ifan tem razão – concorda Mairwen. – Se eu fosse a responsável, pelo menos teria todas as respostas.

É para *Mair* que se dirigem a maioria dos olhares de desconfiança, é ela a diferente dos demais naquela noite. Ah, se soubessem que a menina está se transformando, nem sequer lhe dariam ouvidos. Pensariam que, no mínimo, ela foi corrompida pela floresta.

E talvez tenha sido mesmo.

Mairwen Grace jamais se sentiu tão bruxa. Mas o que deve fazer a esse respeito? Como deve se comportar? O que *deseja* fazer, afinal? Salvar o pacto, mas também salvar os santos. Isso parece impossível.

"Como minha mãe consegue se encaixar tão bem aqui?", pergunta-se Mair, procurando por Aderyn. A bruxa, a mãe sem marido, que nunca foi tão diferente dos demais quanto Mairwen, que sempre foi.

A melhor maneira de encontrar Aderyn sempre foi procurar pela alta Hetty Pugh. Como era de se esperar, as duas estão juntas, acompanhadas de Bethy, Nona Sayer e Cat Dee. Aderyn também está olhando para Mairwen.

A menina vai em direção à mãe sem se despedir de Haf e de Ifan. Mas, depois de três passos, alguém a chama.

Rhos Priddy está parada, sob a luz de uma tocha, segurando uma trouxa feita com uma colcha de bebê. O cansaço fica visível pelos seus olhos e pelo cabelo mal trançado, mas ela dá um belo sorriso.

– Obrigada, Mairwen – diz, abaixando um dos ombros para Mair conseguir ver o bebê dormindo dentro da trouxa. – Ela está viva por sua causa. Sei que está chateada, que todo mundo está chateado, mas não posso evitar de não me sentir assim.

Isso aquece minúsculos pontos do coração de Mairwen que ela nem sabia que haviam esfriado. Mair entreabre os lábios, encantada, encosta o dedo no nariz do bebê, depois em uma de suas sobrancelhas sem pelos. O bebê é tão pequeno, tão delicado... Mairwen lembra aquelas horas terríveis que passou esfregando seu corpo para aquecê-lo, encostando em suas bochechas encovadas, ignorando os olhinhos fundos tanto quanto podia, e a respiração ofegante e engasgada.

– Fizemos o que tínhamos que fazer – responde, baixinho. Rhos Priddy aperta seu braço.

– Mairwen, você pode me dar um minutinho?

Para surpresa de Mair, é o lorde Vaughn. Ele lança um olhar terno e tranquilizador para Rhos, que faz uma reverência e vai embora. Vaughn aponta para o muro do cemitério, e Mairwen se dirige para lá, observando o brilho da tocha refletido em seu olho mais claro. Ao chegar ao fim da praça, o lorde diz:

– Espero que venha me ajudar a verificar os registros de minha família. Você pode ver alguma coisa que eu não vi. Já que esteve na floresta.

– Não lembro muita coisa.

– É mesmo?

– Faz parte do feitiço, creio eu, fazer nós todos esquecer.

– Mas por quê?

– Porque, se o santo sobreviver e se lembrar de tudo, irá lembrar que o rosto de seu demônio é igual ao do último santo?

Vaughn aperta os lábios e argumenta:

– Mas será que isso faria alguma diferença? Tem certeza de que não há mais nada para esquecer?

Mairwen fecha os olhos e vê novamente a menina de véu branco.

– Talvez. Fantasmas ou antigos espíritos. A primeira Grace, quem sabe? Vi uma menina de véu, e não sei quem mais poderia ser. Minha imaginação. Ou até eu mesma.

O lorde encosta no ombro da menina. Mairwen se lembra *dele* de repente, quando era bem pequena, colhendo mil-folhas no pé da montanha. Vaughn a ajudou por um instante, agachado ali, sorrindo para Mair, como se ela fosse o sol. Com seu cabelo cacheado, olhos castanhos e jovens.

Não poderia ser ele, há doze anos: era o pai de Vaughn, o lorde anterior. Em sua lembrança, ambos os olhos eram castanhos.

– Como era seu pai ? – pergunta a menina.

Surpreso, Vaughn hesita.

– Meu pai?

– Ele era parecido com o senhor. Eu sou parecida com meu pai?

O lorde segura a ponta de um cacho, na altura do queixo de Mairwen.

– O cabelo dele também era cacheado. Ele gostava da floresta. Queria ir para lá. É disso que eu me lembro.

– O senhor estava presente na cerimônia dele?

Mair acha que Vaughn deveria ter mais ou menos treze anos na época. Talvez tivesse a idade certa.

– Sim. Lamento por ter sido obrigada a crescer sem pai.

Mairwen fecha os olhos. As lágrimas pinicam seus cílios.

– Ele estava vivo até eu completar sete anos. Até Baeddan entrar da floresta. Meu pai. Eu não sabia.

E se ela tivesse ignorado tudo e se embrenhado na floresta quando era criança? Será que teria conseguido salvar o pai, assim como salvou Baeddan?

"Baeddan ainda não foi salvo", lembra uma voz dentro da sua cabeça, que rosna, parecida com a de Arthur.

– Preciso ir – diz a menina e sai correndo. Sai do centro do vilarejo e entra nas escuras ruas laterais que levam para o norte. Sopra um vento gelado, ressecando os lábios de Mair, e ela os sorve, apertando o lenço que cobre suas clavículas ardidas.

"Mairwen Grace. Volte para casa."

"Filha da floresta."

Mairwen vai mais devagar quando ouve uma voz de verdade chamar seu nome, vinda de trás dela. A voz de Aderyn. A lua ainda não surgiu no céu, mas ele já está cheio de estrelas. Mair para diante do menor portão do pasto. Dúzias de ovelhas estão bem juntinhas.

Encosta na cerca e fica esperando sua mãe se aproximar. Aderyn traz uma vela de sebo comprida, protegendo a chama com a mão, e gruda a base dela na estaca do portão. Fica olhando para a filha, com o cenho franzido.

Por fim, Aderyn diz:

– Você mudou, filha.

– E não foi pouco – admite Mair, em um sussurro.

Aderyn segura o rosto da filha com as duas mãos, passando os dedões no seu rosto. Inclina a cabeça para o lado, fazendo Mair se recordar das mulheres-pássaro, mas é a tristeza e o luto que pesam na expressão de Aderyn, não curiosidade.

A bruxa abraça a filha, e Mairwen também a abraça, tomando o cuidado de manter a mãe um pouco afastada de seu peito, onde os espinhos já estão prestes a furar.

– Posso ver aquela pulseira que mostrou para todo mundo? – pergunta Aderyn, afastando-se da filha.

Mair estende a mão para a mãe, que a traz mais para perto da luz da vela. Aderyn se debruça sobre a pulseira, passa o dedo pelos minúsculos espinhos afiados.

A pele machucada por baixo do amuleto fica quente ao ser tocada.

– Está bem feito – diz a mãe de Mair. – Você deveria estar com pressa. Mas o equilíbrio ficou excelente. Qual é a morte neste feitiço? A sua dor?

Aderyn ergue os olhos para a filha, curiosa e orgulhosa.

Mairwen balança a cabeça. Fica imaginando de que cor seriam os olhos de Carey Morgan. Quando será que sua mãe se apaixonou por ele?

– Você tem certeza de que não ficará amarrada, assim como o pobre Baeddan Sayer? Que não vai se transformar, como ele? Se ele era o sacrifício, e agora vocês três o são, será que não vão se transformar em um monstro como Baeddan?

– Por enquanto, não – responde Mairwen, bem devagar.

– E os ossos da mão de John Upjohn? Meu Deus, que amuleto eficiente e tenebroso você fez, filha. Acho que eu não deveria ficar surpresa, dado o amor que sempre teve pelo abatedouro.

Mairwen puxa a mão delicadamente e faz careta para a mãe. A luz da vela deixa o cabelo de Aderyn avermelhado, assim como o seu, e bruxuleia nos espelhos de suas pupilas negras.

– Mãe, a senhora sabia que Rhun ia morrer?

Aderyn franze o cenho.

– A senhora sabia disso quando tentou me consolar e disse que, se o amor é capaz de salvar alguém, esse alguém seria Rhun? Quando me deu o vestido e permitiu que eu o ungisse? A senhora sabia que estava me transformando em um instrumento de morte certa?

– Mairwen...

Mair se afasta, não fica mais sob o brilho da vela.

– Por acaso a senhora mentiu para mim? Sempre soube que os santos morrem, não é mesmo? Eu tento encontrar qualquer outra explicação e não consigo. Os santos sempre morrem e sempre morreram. Somos nós que os matamos? As bruxas do clã Grace? Não minta a respeito disso. Ainda mais que meu próprio pai...

A menina vira o rosto: o luto retorce seus lábios e enruga seu nariz.

Um silêncio se estabelece entre as duas. Diversas ovelhas se aproximam e enfiam o focinho na cerca. Mairwen fecha os olhos com tanta força que vê pontinhos brancos.

– A senhora é a bruxa do clã Grace. Sabe como tudo isso funciona – sussurra. – E não me contou tudo. Sabia que, na verdade, a corrida levaria à morte. Sabia que não havia esperança para Rhun.

Aderyn a segura pelos ombros e fala:

– Acalme-se. – Então segura o queixo de Mairwen e obriga a filha a olhar para ela. – Nós somos as bruxas do clã Grace e protegemos este vale e este pacto. É isso que fazemos e sempre fizemos. Nós *fizemos* o pacto com o demônio e, agora, o cumprimos. O óleo da unção contém nosso sangue. Ele amarra os santos à Árvore de Osso, pois o coração de uma bruxa do clã Grace também está enterrado lá. Nós não matamos os santos nem os levamos de volta para a floresta à força. Eles voltam para a árvore porque foram ungidos. Isso fica estabelecido no momento em que o santo aceita a coroa. Eu teria lhe contado tudo depois, teria lhe passado todo esse fardo. Seria um segredo nosso. Você seria capaz de entender, tendo acalmado seu luto e compreendido o verdadeiro sacrifício, o que significa cumprir o pacto. É a única maneira de ser uma bruxa do clã Grace.

– Ai, meu Deus, mãe! – Agora, a raiva recobre os sussurros de Mair.

A menina se solta, bate na cerca, assustando algumas ovelhas. As estrelas no céu piscam, exatamente como a vela perto de seu braço.

Aderyn tenta encostar na filha de novo, mas Mairwen diz "não", em um tom profundo e furioso.

– Você vai entender quando pensar bem nisso. Preste atenção. Será capaz de enxergar o que sempre soube, no seu coração, por causa de quem você é. Sempre entendeu a floresta. É vida *e* morte! As duas coisas. Você a ama, anseia por ela. E eu sempre permiti que sentisse isso, nunca tentei tirar isso de você, porque estava se preparando. A única mentira que perpetuamos é a esperança, porque a esperança é a única coisa que permite que os santos façam o que precisam fazer. Ao destruir a esperança, você destruiu o pacto como um todo. Todo mundo sofrerá as consequências.

– Mas Rhun está vivo – argumenta Mair.

Aderyn solta um suspiro.

– Ah, se eu pudesse acreditar que você o ama tanto, e tão pouco todo o resto, que seria capaz de sacrificar tudo por ele.

– A senhora por acaso já amou alguma coisa?

– Como pode me perguntar isso?

– A senhora por acaso sabe qual é a sensação de tocar nos ossos de meu pai? – indaga Mair, com os dentes cerrados, rosnando, desesperada feito um monstro.

Sua mãe lhe estende as mãos e fala:

– Eu te amo. Tudo o que fiz foi permitir que fosse livre, que fizesse o que precisava fazer por si mesma e pelo vilarejo.

– Não acredito. Como pode permitir que ele fosse o santo, se o amava e sabia de tudo? Se eu soubesse disso, jamais teria permitido que Rhun corresse.

– Você teria permitido outro rapaz?

– Eu... – Mairwen sacode a cabeça, surpresa, furiosa e até amedrontada. – Não sei. Não! É errado enganá-los. Sempre foi errado! Todo mundo deveria saber de toda a verdade e, aí, se ainda quisessem ser santos ou ainda estivessem dispostos a viver como nós vivemos, deveriam saber qual o verdadeiro preço a pagar. Qual é a verdadeira fundação sobre a qual nosso pacto foi construído. Como a senhora tem coragem de manter isso em segredo?!

Mairwen lhe dá as costas, para ir embora, mas sua mãe a segura pelo braço.

– Você pôs fim ao pacto agora, com suas próprias mãos, e ninguém vai lhe agradecer por ter revelado a verdade, Mairwen. O povo não quer saber da verdade.

Mair se solta e fica encarando Aderyn, horrorizada. Sua mãe também a encara, tão furiosa quanto.

O luar brilha por todo o vale, e Mairwen sente o tranco da floresta. Ela indaga:

– Mãe, a senhora sabe o que foi que aconteceu com o antigo deus da floresta quando a primeira Grace morreu?

Aderyn tira a vela da cerca, deixando um círculo de cera derretida.

– Você já sabe tudo o que eu sei a respeito do pacto, Mairwen. Vou dormir de novo na casa de Hetty hoje à noite. Mas, amanhã, quero minha casa de volta.

Quando Mairwen fica sozinha na escuridão, no meio das ovelhas adormecidas, ela cai de joelhos e abraça o próprio corpo, abrindo a boca para soltar um grito silencioso.

Dói demais: seus olhos ardem, o amuleto belisca seu pulso, suas clavículas latejam, e seu coração, seu coração! Ela pressiona os dedos dos pés contra a terra gelada e baixa a cabeça. Todos aqueles cachos curtos, emaranhados e ceifados dão coceira no seu pescoço e nas suas orelhas. São um lembrete do quanto ela mudou, e Mair fica ali, encolhida, em meio à escuridão e ao silêncio. Fecha a boca, range os dentes, com os lábios espremidos, os ombros encurvados. Seu peito arde em chamas, latejando de forma persistente.

Sua pele se rasga, e ela sente o nascimento dos espinhos em forma de gancho, que brotam de seus ossos. O sangue quente escorre pela pele, por baixo do lenço e da gola da túnica de lã, acumulando-se, formando uma linha fina ao longo de seus seios, apertados pelo corpete.

RHUN ESTÁ RODEADO DE PESSOAS DO CLÃ SAYER. TOMARAM CONTA de uma mesa comprida inteira, com Baeddan no meio, Arthur ao lado, e Rhun ao lado de Arthur. E então vêm os demais: primos, tios e tias, reunidos e espremidos, compartilhando tigelas de comida e bebidas. Brac, o primo que se casou mais recentemente, divide um caneco de cerveja com ele. Assim cercado, Rhun quase consegue se sentir normal. As mentiras acabaram, e isso arrancou algumas das camadas mais duras de seu coração. Três Graces sabe do que ele sabe: ainda que nada tenha sido decidido, o povo precisa de um tempo para se acostumar às revelações.

Só que o rapaz não consegue relaxar na companhia de seu grande clã. Está inquieto e, quando se dá conta, está olhando de novo em direção ao norte, em direção à floresta. Como se seu lugar fosse ali, não no seio da família. A Árvore de Osso o aguarda, esticando seus galhos brancos e gelados na escuridão. "Santo", sussurra ela.

– Estou orgulhoso de você.

Rhun pai pousa a mão em seu ombro, como se sentisse que é melhor não abraçar o filho. Rhun filho não consegue responder. Se abrir a boca, a voz da floresta pode escapar.

Elis, seu irmão mais novo, vai se aproximando, com todo o cuidado, de Baeddan, por trás. Apoia-se nas costas de Arthur, e seus cachos curtos e bem encaracolados ficam amassados contra a túnica emprestada de Arthur. Ele se afasta para abrir lugar para Elis, mas o menino não quer chegar mais perto de Baeddan.

– Elis – chama Rhun, baixinho, e estende a mão.

Seu irmão aceita o convite e sobe no banco ao lado dele. Metade do corpo desengonçado do menino de nove anos se esparrama no colo de Rhun. Prendendo-o ali. Com alguém sentado em cima dele, Rhun não pode levantar e correr de volta para floresta.

Ele não se sentia assim quando o sol estava no céu.

Olha para a lua, à direita. Que surgiu atrasada e não está mais tão cheia.

– Você se lembra do que me disse antes da Lua do Abate? – sussurra Elis.

Rhun lembra e balança a cabeça. "Eu te amo e amo tudo isso. E é disso que você deve se lembrar", falou, antes de ir para casa e cair na cama, em paz com a própria morte. Algo bem parecido com o que Baeddan lhe disse, dez anos atrás.

Elis apoia a cabeça no ombro de Rhun e fala:

– Eu, provavelmente, vou me lembrar mais disso: de jantar com o demônio da floresta.

– Eu também – confessa Rhun, conseguindo dar um sorriso. Do nada, ele pensa que gostaria de ver Elis daqui a sete anos, ou dez, ou de comparecer ao seu casamento.

Brac está contando uma história a respeito de botas perdidas, e o tio Finn o interrompe constantemente, corrigindo-o, como sempre. Os dois já contaram essa história uma centena de vezes. Baeddan, de repente, bate a mão na mesa e exclama:

– Mas o cachorro estava debaixo da cama!

O silêncio toma conta da mesa do clã Sayer em uma longa onda. Era a revelação final da história, contada antes da hora.

Baeddan respira ofegante, e as pontas de seus dentes afiados ficam à mostra.

Então Brac dá risada, Arthur também, e o restante do clã, enfileirado nos bancos acaba caindo na risada.

– Isso mesmo – concorda Finn, enrolando a língua. – O cachorro estava debaixo da maldita cama.

O clã Sayer começa a falar de outra lembrança, e Rhun fecha os olhos e tenta ignorar os gemidos da floresta que ecoam dentro de sua cabeça. Ele não vai conseguir dormir de jeito nenhum. Será que é isso que acontece com John Upjohn, o tempo todo? Sentir-se deslocado, com medo do que terá que encarar em seus sonhos? Se Rhun procurar Mairwen e for para a residência do clã Grace, será que a pedra do borralho e os braços de Mair silenciarão a Árvore de Osso?

Quando abre os olhos, dá de cara com Gethin Couch, saindo do meio das sombras, indo em direção ao filho. Ele chama:

– Arthur.

Arthur se vira e fica olhando para o pai. Rhun se prepara para o pior.

Gethin cruza os braços em cima do peito e declara:

– Que grande homem você é, meu menino.

Arthur dá uma risada maldosa. É a risada favorita de Rhun, ainda que não devesse ser. O rapaz diz:

– E como é que você sabe? Você nunca foi homem, Gethin. Eu agora sei a diferença entre parecer homem e ser um de verdade.

O susto e a raiva obrigam o pai do rapaz a abrir a boca:

– Ah, sabe, é?

– Quem finge ser homem está sempre segurando as rédeas. Mas quem é homem não precisa se segurar em nada. Simplesmente é o que é.

Seu pai franze o cenho e retruca:

– Se você diz...

– Digo, sim. E é isso que importa.

Ele dá de ombros e se vira prontamente para o clã Sayer.

Gethin continua ali por um instante, mas ninguém lhe dá muita atenção. Rhun sussurra para Elis lhe alcançar a cerveja e fica observando o pai de Arthur de esguelha. Por fim, Gethin dá uma risadinha irônica e vai embora.

Rhun cutuca Elis para ele sair de sua frente e chama:

– Arthur?

O rapaz lança um olhar de ódio para o amigo. E faz careta em seguida.

– Desculpe. É ele, não você.

– Eu sei.

– Elis, você está na minha frente – avisa Arthur. E então pega Elis pela cintura e o puxa até sentá-lo ao lado de Baeddan.

O menino fica com uma expressão tensa e arregala os olhos castanhos.

Baeddan fica espiando, espremendo os olhos para ver na fraca luz da tocha.

– Eu não me lembro de você.

– Eu ainda não tinha nascido quando você correu – resmunga Elis.

O sorriso de deleite em Baeddan faz Elis – e Rhun – sorrir de leve.

Baeddan exclama:

– Algo novo!

Então cutuca a bochecha de Elis. Arthur chega mais perto de Rhun, tanto que o braço deles se encosta quando um dos dois se movimenta.

– Você ouve a floresta? – murmura Rhun, com a cabeça inclinada para Arthur.

– Não. Você ouve? – Arthur solta um palavrão. Segura o joelho do amigo, e os seus dedos queimam a pele de Rhun através das calças lã. – Não vou deixar você voltar para lá.

Rhun fica observando o rosto de Arthur, seus lábios apertados e a testa enrugada, a certeza refletida nos olhos azuis, e lembra...

– Pare! Não vou deixar você morrer aqui!

– Eu não quero morrer, mas se tiver que escolher entre eu e você, prefiro morrer mil vezes.

– Eu também, seu imbecil. E por que você é quem vai ter esse prazer?

O demônio dá aquela risada aguda e incessante e grita:

– Ah, vocês dois vão morrer, por tentarem morrer um pelo outro! A floresta sussurra tantas coisas, e a briga dos dois tem um gosto tão bom...

Arthur ergue as sobrancelhas, surpreso. Rhun segura sua mão.

Faltam poucos minutos para o sol raiar, mas o demônio os impede de passar.

A garganta de Rhun dói, e o peito está ofegante. Ao seu lado, Arthur inclina o tronco para a frente, cospe sangue no chão morto. A Árvore de Osso comanda aquele bosque e comanda toda a floresta, como se fosse uma rainha, coroada pelo luar e vestindo o manto feito com os ossos de vinte e cinco rapazes mortos.

Rhun fecha os olhos.

Arthur diz:

– Agora quem vai morrer é o demônio.

Mairwen mostra os dentes e fala:

– Você não está ajudando, Arthur Couch!

– Baeddan Sayer já está morto – argumenta Arthur. – Sinto muito, demônio, mas você está, sim.

– Morto, morto, morto e ainda respiro – sussurra o demônio.

– Pare de ficar lembrando – pede Arthur, trêmulo.

Rhun põe as duas mãos sobre o altar, tirando os cipós secos da superfície, esfarelando sangue e uma podridão negra e ancestral.

– A floresta precisa de seu coração – choraminga o demônio ao lado.

– Não consigo parar – responde Rhun. – Isso fica me fustigando. Mas, se eu for para a floresta, vai parar.

– Ouça o que eu falo e não a voz da floresta. Ouça Baeddan falando com o seu irmãozinho e ouça toda a sua família.

– Vou tentar.

– Não vou sair do seu lado.

– Não vou sair do seu lado. Nem agora nem nunca, Rhun Sayer. Está me ouvindo?

– Vou obrigar você a cumprir essa promessa, Arthur.

Arthur ergue o queixo e olha feio para o amigo, apesar do borrão de sangue que mancha sua sobrancelha e pinga sobre o olho esquerdo.

Diante de todo o clã Sayer, Arthur encosta sua mão alva e forte no rosto de Rhun, e Rhun respira cautelosamente, sem pensar em nada além daquele toque, em nada além dos ruídos da conversa, da risada de alguém. É uma sensação boa, e ele está ali, vivo.

– Vamos procurar Mairwen – declara Arthur.

A NOITE É FRIA, E MAIR SE ENCOLHE, ENCOSTADA NA CERCA DAS ovelhas. Seu rosto está melado por causa das lágrimas, seus olhos estão inchados, mas agora a menina consegue respirar normalmente. De olhos fechados, pode ouvir a floresta sussurrando, chamando por ela.

"Mairwen Grace. Filha da floresta."

Ela só sente o cheiro do próprio sangue, o odor adocicado do esterco e da grama seca. O vento também tem cheiro de chuva.

Mair estica o braço, tremendo, e se agarra à grama. Vai avançando de barriga no chão, rastejando em direção à floresta. É lá que é o seu lugar. Ao contrário de John Upjohn, é onde a menina *quer* estar. No coração da floresta, encolhida em meio às raízes da Árvore de Osso: elas irão protegê-la do vento. Conseguirá dormir, finalmente relaxar. Está tão, tão cansada.

– Mairwen!

Ela para.

Não foi a voz da floresta que a chamou.

– Mairwen!

É Rhun.

Seu corpo inteiro treme. Sim, sim, o santo pode entrar com ela na floresta. Juntos, depositarão um coração no... na...

ela levanta o véu e diz

– É você, Mair? – É a voz de Arthur, que se aproxima de Rhun.

As botas dos dois batem com força na terra, como se estivessem correndo na direção dela, e a menina sente a vibração atravessando o vale.

Mairwen fica de pé. A floresta precisa dela.

– Já vou – sussurra.

– Mair – chama Arthur, ofegante.

Em seguida, Rhun encosta na mão da amiga.

Uma dor esmigalha seus ossos, os espinhos em seu peito parecem se encolher e crescer ao mesmo tempo. A floresta sussurra uma canção tão inflexível que suas pernas ficam bambas. Mairwen cai no chão de novo e fica ali, encolhida. Está tremendo, de cabeça baixa, os dentes cerrados, resistindo à floresta, sangrando, até que sente braços envolvendo seu corpo. Deixa que a levantem do chão e se aninha no peito de Rhun. Que se distancia do vilarejo, e Arthur os acompanha durante todo o trajeto que os leva de volta para casa.

Os três se entocam na escuridão do isolado andar de cima da residência do clã Grace. Mairwen é a que vai mais para o fundo, encosta-se na parede, onde o teto de sapê encontra as superfícies caiadas. Rhun segura sua mão gelada enquanto Arthur a tapa com uma pilha de cobertores. E não sai do lado dela, feito um velhinho preocupado.

– Vocês estão ouvindo? – sussurra Mair, de olhos fechados, pois não há muito que ver, a não ser o brilho dos olhos dos três e seus contornos borrados de sombra.

– Eu ouço – responde Rhun.

E Arthur diz, ao mesmo tempo:

– Não.

Mair se agarra às mãos de Rhun, depois solta uma para segurar a de Arthur.

– E Baeddan?

Rhun responde:

– Está com a minha mãe. Ela, com a ajuda de todo o clã Sayer, consegue controlá-lo. Baeddan me parecia mais calmo, depois de comer, e de ficar na companhia de todos.

– Ele contou uma história que lembrou, de antes da floresta – comenta Arthur, movimentando os dedos de Mair, espalmando sua mão e contornando cada um deles.

– Que bom. – Mairwen puxa os dois jovens para perto. – Estou tão cansada – murmura.

– O que foi que aconteceu? – Rhun não sai do lugar. Permanece agachado, todo torto, com metade do corpo no colchão, e a outra metade para fora. – Eu ouço a floresta, mas ela não fez isso comigo.

Irritada por ele não querer simplesmente se aninhar nela, deixá-la dormir, Mair revela:

– Falei com minha mãe, e ela sabia que todos os santos morreram. Sabia que você precisava morrer, Rhun! Minha mãe disse que as bruxas do clã Grace sempre souberam que os santos morrem! É nosso dever garantir que sejam ungidos, para cumprir o pacto. Nós mentimos.

Arthur bufa e comenta:

– Eu sabia.

Rhun olha feio para os dois, mas a escuridão engole esse olhar.

– Eu sabia mesmo – insiste Arthur. – A gente deveria ter ateado fogo na Árvore de Osso, e aí seríamos obrigados a fazer um novo pacto. Um pacto em que todos vamos conhecer as regras. Precisamos pôr fim nesse, mesmo que não possa ser refeito. Ninguém mais tem como impedir o domínio que isso exerce sobre você. Vou voltar lá e fazer isso agora – gaba-se. Mas o rapaz também está cansado. Exaurido, assim como Mairwen. Aproxima-se dela e pressiona as costas da mão amiga contra seu coração.

– Talvez sejamos obrigados a fazer isso – comenta Rhun.

– Não hoje – murmura Mairwen, puxando os dois para perto de novo.

Desta vez, Rhun se dá ao trabalho de tirar as botas e deita na cama ao lado de Mair, esticando o braço para a menina se aninhar nele. Arthur fica indeciso.

– Vocês acham que sou capaz de segurar vocês dois, se resolverem dar ouvidos à floresta?

– Não vou te abandonar – diz Rhun, em sua própria versão da promessa que Arthur lhe fez há pouco.

Mairwen tapa o rosto com as cobertas.

– A voz fica mais fraca quando vocês estão tagarelando. Cheguem mais perto.

Por baixo de sua armadura, Arthur só quer ser amado por aquelas duas pessoas. Só que algo lhe diz que esse futuro é tão impossível agora quanto antes.

– Venha logo, Arthur – murmura Mairwen.

Ele se espicha ao lado de Rhun, ficando entre os dois e o restante do mundo.

O LUAR SE ARRASTA PELOS GALHOS NEGROS E RETORCIDOS LÁ DO alto, refletido nas camadas de fungos, nas faixas de líquen escarlate.

Os três estão tentando encontrar os amigos: Arthur e Rhun, enlameados e encharcados, seguem uma mulher-pássaro que gritou para eles, cantarolando versos criados com o nome de Mairwen, até que concordaram em ir atrás dela. Mairwen está ofegante, com um misto inebriante de excitação e medo, no encalço de um demônio que lhe sorri, com dentes afiados, a toca com ternura e dá risada, risada, risada.

– Pronto, pronto! – crocita o demônio, estendendo os braços. – Eu falei, Mairwen Grace, que ia encontrar o seu santo.

A mulher-pássaro abre as asas para mudar de direção, fugindo para salvar a própria vida, e Arthur para de repente. Encosta a mão em uma árvore próxima, com os ombros encolhidos, por causa do ferimento na coxa que o obriga a avançar devagar.

– Mair – diz Arthur, mas Rhun só enxerga o demônio. E posiciona a flecha que preparou no arco.

Bem na hora em que Arthur e Mairwen se esbarram e se abraçam, aliviados, o demônio ataca, e Rhun atira. Sua flecha é certeira, como sempre, e atinge o demônio no ombro, atravessando seu casaco de couro preto.

– Rhun! – grita Mairwen.

O demônio solta um rugido, arranca a flecha e é atingido por outra em seguida.

Arthur percebe a aflição na voz de Mairwen. Ouve seu medo: ela não teme apenas por Rhun, mas pelo demônio, e a raiva o faz empurrar a amiga para longe e pegar a única faca longa que lhe resta. E ir para o lado de Rhun, ajudá-lo a atacar o demônio.

A pele do demônio se rasga, em várias partes de seu corpo, e um sangue roxo sai aos borbotões, assim como cipós verdes, ramificações que se retorcem, folhas minúsculas e pétalas ainda menores.

O demônio não foi ferido pelas flechadas, apesar de estar berrando e rugindo, apesar de estar sangrando. O demônio acerta Rhun com sua própria flecha e derruba Arthur com um forte soco. Rhun empunha o machado, e o demônio segura seu pulso, torcendo tanto que quase quebra os ossos. O demônio dá um sorriso e faz uma dancinha.

– Aposto que você é gostoso, santo. Trará a vida de volta a essa floresta.

Arthur pula nas costas do demônio e enrosca os braços no pescoço dele. O demônio se vira, se debate, investindo contra Rhun.

– Agora pare – ordena Mairwen, puxando o braço do demônio.

O demônio se aproxima da menina.

– Andem, saiam daqui – diz Mair, para os amigos. – Não parem de correr.

– Não – urra o demônio.

Ele empurra Mairwen e fica novamente de frente para Rhun.

– Andem logo! – grita Mairwen.

Rhun está tão concentrado que mal consegue ouvir. A perda de sangue e os ferimentos não afetam o demônio, que fica encarando os dois rapazes com o rosto manchado de sangue. Tem chifres no meio do cabelo, espinhos crescem de seu peito, e seus olhos são impossíveis de tão negros: não refletem nenhuma vida, nenhuma luz.

– Não vamos abandonar você aqui – declara Arthur.

Mas Mairwen estica o braço por trás do demônio e bate em seu peito com a mão espalmada.

– Baeddan Sayer. Pare.

Alguma coisa muda no demônio, e ele pisca. Consciência, como um homem teria, e não um monstro, é a coisa que Rhun vê, e isso o apavora mais do que tudo, mesmo que não saiba por quê.

O demônio se sacode, feito um cachorro molhado.

– Mairwen, Mairwen, não consigo me controlar vou comê-los quero seus ossos quero me libertar!

Mair fica de frente para o demônio e dá um chute de leve em Rhun, para que ele se afaste.

– Eu sei. Eu sei. Tire-me daqui. Deixe-me ajudar você, Baeddan.

Rhun, de repente, consegue ouvir. O nome penetra em seu estado de alerta causado pelo embate. Seu primo, o santo, seu lindo primo que lhe ensinou a amar tudo. Ele vê isso no contorno do nariz aquilino do demônio, característico do clã Sayer, no formato dos ombros.

– Ai, meu Deus – murmura Rhun.

– Deus! – repete o demônio, desesperado.

Rhun torce o pulso dele até o demônio soltar a mão de Arthur.

– Não pode ser.

Arthur fala:

– É um truque. Só pode ser.

– Santo! – grita o demônio, e Rhun dá um pulo para trás.

O demônio ataca o santo com suas garras, rasgando a pele das costas de Rhun.

O rapaz fica com as pernas bambas e cai, assolado por um incêndio de dor. Arthur mal consegue segurá-lo, e Mairwen dá mais um tapa no peito do demônio, exigindo sua atenção.

– Podem ir! Vou ficar bem... Fiquei bem essas últimas três horas. Confiem em mim – diz Mair, dirigindo-se a Arthur.

– Maldição – resmunga Arthur.

Em seguida, ajuda Rhun a levantar e corre com ele, afastando-se de Mairwen.

Os dois batem em retirada, mancando e tropeçando, e a menina fala:

– Baeddan, mostre para mim o lugar mais bonito de sua floresta.

– Você consegue imaginar beleza em um lugar como esse? – sua voz é grave e rouca.

– Você é belo.

Os olhos de Baeddan refletem o luar, revelando estrelas: uma luz infinita, fria e distante. Mas, assim como as estrelas, faz Mairwen ter vontade de se aproximar.

Ele uiva, e Mair sente esse uivo sob a palma de suas mãos.

O demônio se movimenta tão rápido que a menina fica sem fôlego. Está a uns doze passos na frente, agachado, olhando feio para ela.

– Você está acabando comigo. A floresta sussurra uma coisa, você sussurra outra, e eu quero... eu quero ouvir você. Mas a floresta é o meu demônio. A floresta é tudo o que sou. É meus ossos e meu coração e... como posso ouvir você?

– Eu amo a Floresta do Demônio – confessa Mairwen. – Se ela é os seus ossos, eu amo seus ossos. Se é seu coração, eu... eu amo seu coração.

– Bruxa! – grita Baeddan.

Então corre ao encontro de Mair, a pega pela mão e a leva consigo. Os dois saem correndo pela floresta, e a floresta abre caminho. Árvores se inclinam para o lado, galhos se retorcem, formando um corredor em arco, raízes se encolhem e afundam na terra para eles passarem. As botas de Mairwen voam pelo chão, seu coração bate rápido, como as asas de um pardal, e o demônio que segura a sua mão dá risada, alegre.

Baeddan a leva até um bosque de árvores prateadas, a céu aberto, de galhos finos que se erguem a perder de vista. Não há folhas espalhadas no chão da floresta, não há raízes exageradas, não há vegetação rasteira. O bosque é vazio, com exceção dos estreitos cipós brancos, que se entrelaçam e retorcem entre as árvores, circulando seus troncos e caindo dos galhos mais baixos, cobrindo a terra com curvas e nós.

– Aqui? – pergunta Mairwen. Não é o que havia imaginado quando lhe pediu beleza, mas aquela aridez é inspiradora.

– Aqui tem espaço para mim – responde o demônio –, e as árvores ficam em silêncio.

Mairwen não consegue distinguir se o que está sentindo é pena ou amor.

E então o demônio – Baeddan Sayer – dá um sorriso malicioso.

– E também tem isso.

Ele abre os braços, fica parecendo uma cruz, e seu casaco se abre, revelando o peito forte e ensanguentado. O demônio inclina a cabeça para trás e, nas pontas de suas garras, brotam minúsculas flores de luz.

Mairwen solta um suspiro de assombro.

As luzes balançam no ar, piscando no ritmo do coração. Aparecem mais, por todos os lados. Mairwen vai se virando devagar, maravilhada. Quando dá a volta completa, Baeddan está bem na sua frente e segura suas mãos. Ergue uma das sobrancelhas, em um convite sedutor, vai para trás e começa a dançar com ela.

Não há música: há apenas o luar, os cipós e um vento suave que sacode as árvores desfolhadas. Só se ouvem os passos dos dois, e o roçar do pesado vestido azul da menina nas pernas do demônio.

E é tão belo quanto Mairwen esperava.

A mão de Baeddan está gelada, e aqueles espinhos horrorosos que saem de suas clavículas, em forma de gancho, ficam bem perto do rosto de Mair enquanto os dois dançam. Mair sente cheiro de sangue, terroso e espesso, como o chão depois de uma chuva de outono; o hálito, de frio granito; uma doçura sombria que ela quer sentir de novo. A parte da frente de seu corpo está mais fria do que a das costas, igual ao que aconteceu outro dia, quando ficou com um pé para dentro da floresta e o outro para fora. A menina chega mais perto do demônio, dançando com todo o cuidado, mas sentindo uma leveza com a qual não está acostumada. Como se, naquele momento, nada mais tivesse importância.

A SEGUNDA MANHÃ

Rhun é o primeiro a acordar, assim que o sol nasce. Mairwen dorme com a cabeça apoiada em seu ombro, um dos braços estendidos por cima de seu corpo e apoiados no externo de Arthur. Rhun abre os olhos, sentindo-se e aquecido e confortável, com os dois amigos que mais ama, um de cada lado. Os raios do sol se insinuam através da pequena janela quadrada, e a mão de Arthur está debaixo da sua: os três passaram a noite aninhados. Ele vira a cabeça. O rosto de Arthur está bem ali, e seus cílios dourados e finos roçam em suas bochechas. As narinas do amigo estão levemente abertas, porque ele respira fundo e acorda. Arthur abre os olhos e dá de cara com os de Rhun.

Aquela faísca que neles brilha é de raiva, como sempre. Mas Arthur não desvia o olhar desta vez nem finge que não se deu conta do quanto aquela situação é íntima. Ele se mantém imóvel.

– Você me prendeu aqui – sussurra Rhun, com a fala enrolada de sono.

Arthur ergue as sobrancelhas, vira a mão que está debaixo da de Rhun e a aperta. Os espinhos da pulseira de Rhun pinicam o pulso de Arthur.

– Não vou permitir que desapareça, Rhun Sayer. Nem que se transforme em um monstro. Nem que se transforme em uma pessoa amarga. Você é o melhor de todos e... Não, preste atenção: você é o melhor para *mim*. Eu não me importo com muita coisa, sabe disso. E eu me importo com você. E com Mairwen. Agora sei o que este vale é de verdade, sei quem eu sou e sei quem você é. E o que é importante. Eu sei. Não vou abrir mão disso e não vou abrir mão de você.

Rhun balança a cabeça. Segura a mão de Arthur e se esforça para não revelar demais o que há dentro de seu coração. Sua vida tinha chegado ao fim, e aí ele descobriu que tudo era mentira, com exceção desta verdade, que sempre foi verdadeira: Rhun ama Arthur Couch.

Deitada em seu ombro, Mairwen suspira, adormecida. Rhun e Arthur olham para a amiga. Sua pele está lívida e manchada, e seus olhos, fundos e roxos demais. Seus lábios estão exangues. Seu cabelo, sem vida e todo emaranhado. Rhun lembra o sonho que teve, mesmo a parte em que a lembrança não era sua: Mair dançando com o demônio da floresta, como se ali fosse o lugar dela.

– Nós também precisamos protegê-la – diz.

Então a abraça apertado e solta um gemido, pois sente uma pontada estranha quando o peito de Mairwen pressiona o seu corpo.

– O que foi? – pergunta Arthur, se debruçando sobre os dois.

Rhun muda de posição e, apesar de Mairwen ter ficado agarrada nele, a vira com cuidado. Enquanto a menina acorda, grogue e dando risada constrangida, o rapaz tira o lenço dela. Que está torcido atrás do pescoço, cruzado em cima do peito e amarrado na cintura de novo. Por baixo do tecido, a pele de Mair está manchada de sangue. O lenço está duro, por causa do sangue seco.

Uma fileira de delicados espinhos rasgam a pele de Mairwen, acompanhando a curva de suas clavículas.

Arthur bufa, por cima do ombro de Rhun. Que está assombrado, petrificado. Mairwen finalmente acorda por completo e se espreguiça. Então se encolhe, porque sua pele está repuxando, e leva uma das mãos até os espinhos. Que são minúsculos, de um marrom escuro, mas têm as pontas avermelhadas, como os espinhos das rosas.

– Os seus olhos – diz Arthur.

Rhun levanta a cabeça e também vê: os olhos de Mairwen estão mais negros, de fora a fora. Como se, enquanto ela ficou dormindo, pedaços de castanho tivessem sido arrancados e substituídos por cacos de escuridão.

– O que têm os meus olhos? – pergunta Mair, com uma calma forçada, calma demais, a calma de uma pessoa que está tudo, menos calma.

– Estão mais escuros – responde Rhun.

Mairwen se senta e quase bate a cabeça no teto baixo de sapê. Cerra os punhos em cima do colo.

– Quero ver. A sua mãe tem um espelho, não tem, Rhun?

– Você notou algo de diferente em nós? – pergunta Arthur, antes que Rhun possa balançar a cabeça, pois é tudo o que consegue fazer.

Rhun é tomado por uma onda de medo e se vira para Arthur, apesar de ter acabado de passar vários minutos olhando-o nos olhos. Mas Arthur está belo como sempre. Com exceção do pulso.

Os três levantam o braço que tem o amuleto amarrado: parece que as pulseiras se fundiram com a sua pele. Nos pulsos de Rhun e Arthur, a fusão é leve: a pele cresceu por cima dos fios de cabelo trançados com espinhos e o osso.

O pulso de Mairwen parece ter uma munhequeira de pele endurecida, com vários centímetros de largura, marrom e avermelhada, como a casca de uma árvore saudável. Suas unhas estão azuladas, mas a menina diz que não está com frio.

– Por que isto só está acontecendo com você? – pergunta Arthur, com um tom de ofendido.

– Eu é que sou a bruxa – sussurra ela. – O coração do nosso clã já meio que pertence à Árvore de Osso. Teoricamente, eu deveria ter deixado Rhun morrer depois de tê-lo ungido. Mas, em vez disso, entreguei a outra metade de meu coração para a floresta.

Rhun franze o cenho e segura os ombros de Mairwen, examinando seu rosto em busca de mais mudanças. Mexe em seu cabelo, pressionando os dedos levemente em seu couro cabeludo. Não encontra uma coroa de espinhos nem chifres, e desce a mão por seu pescoço. Os olhos arregalados e diferentes dela transmitem incerteza, coisa que Rhun nunca viu em Mairwen Grace. Ele a beija.

Mair paira as mãos em seu peito por um instante, depois as pousa sobre sua túnica. Rhun olha para ela e vê que Mairwen fechou os olhos.

– Você não tinha o direito de entregar seu coração, Mairwen Grace. Ele não era só seu – declara Arthur.

As nuvens se esparramam pelo vale, alto no céu, serenas e tranquilas. O dia cinzento realça o dourado dos campos. Mairwen no meio de Rhun e de Arthur, e os três saem da residência do clã Grace e se dirigem para a do clã Sayer, de mãos dadas.

Mair não está com medo, mas sente que deveria estar. Está animada, entusiasmada, até, porque o pacto que fez deve estar funcionando melhor do que imaginava. Talvez consiga fazê-lo durar, dentro dela, como Baeddan Sayer fez. Talvez esse pacto dure sete anos, sem exigir que ninguém morra. Porque Arthur tem razão: ela não poderia ter entregado o seu coração para a floresta. Ele não era só seu. Boa parte está ali, com Rhun, Arthur, Haf e sua mãe, até com Baeddan. Todas as pessoas que moram no coração de Mairwen lhe dão mais força, a prendem ao vale. Talvez haja uma maneira de fazer disso uma solução permanente: sempre que necessário, amarrar mais de uma pessoa à Árvore de Osso, para que nem uma precise morrer. Juntos, o coração dessas pessoas, seu amor, pode ter força suficiente, tornando desnecessário sacrificar uma vida.

Claro que Mairwen parece estar carregando o fardo mais pesado, mas ela aguenta. Nasceu para isso, nasceu para ser a bênção que une a vida e a morte. Santos e bruxas.

Ela ri sozinha, fazendo Arthur franzir o cenho e Rhun lhe lançar um olhar nervoso.

– A sua risada parece a de Baeddan – comenta Rhun.

Isso faz Mair parar tão rápido que ela engole ar e tropeça. Os dois rapazes a seguram pelos ombros, se aproximam, em uma atitude protetora. Mairwen diz:

– Eu me sinto bem, não estou louca, não estou confusa como ele.

O que não deixa de ser verdade.

Mair fecha os olhos, escoltada pelos amigos, numa bolha de sombra e solidariedade. Presta atenção aos ruídos. Seus dedos dos pés roçam a grama, o bater do coração faz a terra vibrar delicadamente. Uma brisa fresca remexe as pontas de seu cabelo, faz cócegas na ponta de seu nariz, lábios, ouvidos. Ela dá as mãos para Rhun e Arthur de novo e sente a batida de seu coração se alastrar entre eles.

Da terra, sobe um sussurro, não é bem um som, é mais uma sensação, uma descarga de adrenalina que percorre seu sangue. Não sussurra palavras. Aquece sua barriga e repuxa sua pele, principalmente em volta de sua espinha e de seus seios. Ela deseja essa coisa, que vem de seu ventre.

– Você está bem? – pergunta Rhun.

Mair inclina a cabeça para ele. Sim, Rhun Sayer serviria. Ela o devoraria e deixaria seus ossos no altar.

Mairwen solta um suspiro de assombro e se livra dos dois. Que começam a se aproximar dela, mas a menina sacode a cabeça.

– Parem, por favor – diz, com as mãos estendidas para o céu. Ah, o que não daria por um raio puro e quente de sol...

– É igual ao que aconteceu com Baeddan – comenta Arthur. – Não é? Esta amarração está tornando você mais parecida com ele. Parte da floresta.

– Algo assim – admite Mair, imóvel. Mas ainda pode dar certo. Ela aguenta. É capaz de sobreviver a isso.

– Maldição – Arthur corre até a amiga e a segura pelos ombros, obrigando-a a se aproximar. – Isso não pode acontecer. Não vou permitir.

– Você não pode impedir – sussurra Mair.

Arthur olha feio para Rhun, que fala:

– Vamos dar um jeito, Mairwen. Arthur tem razão. Não vamos permitir que você morra no meu lugar.

O outro rapaz aperta os lábios e afirma:

– Nenhum dos dois vai morrer. O que andam comendo e bebendo, o que andam sonhando, que os faz ficar tão dispostos a abrir mão de tudo por esse pacto? Vocês acham que não entendo o quanto é importante, a ponto de permitir que o pacto roube qualquer coisa deste vale? Acham que não me importo que bebês morram nem com a fome nem com pústulas sangrentas e cheias de pus? Eu entendo, mas não vou permitir que o pacto vença. *Nenhum* de nós vai morrer. Estão me entendendo? Ou será que preciso traduzir isso para a língua de vocês?

Arthur dá um beijo em Mairwen, e ela fica sem ar, por causa do calor abrupto que sente. O beijo do rapaz está diferente. Não transmite raiva, ainda que ele esteja com raiva, mas exige algo de Mair. Exige que a menina corresponda ao que ele sente. Arthur é como o fogo: seu beijo deveria queimar Mairwen, consumi-la. Mas, em vez disso, a faz ter vontade de viver também. Como se o rapaz fosse a poderosa luz do sol que Mair acabou de desejar e, quando o beijo termina, ela estivesse de novo parada na sombra.

A boca de Mair continua aberta, mas ela não faz ideia do que dizer. Os beijos de Arthur sempre foram um desafio, uma aposta, nunca algo que tem um fim em si.

Arthur dirige o olhar para Rhun, que vai para trás, sob efeito da força dos dois.

– Vocês fizeram isso – insiste Arthur. – Os dois tornaram isso possível, isso entre nós três... Achei que era só a floresta, o que quer que tenha acontecido na Árvore de Osso, mas foi algo mais inevitável, não foi?

Então Arthur segura Rhun pela parte da frente de seu gibão e dá um beijo nele também.

Mairwen cai na risada, deliciando-se. A menina bate uma única palma feroz, apoia o queixo nas duas mãos e fica observando. Arthur não faz ideia do que está fazendo, óbvio, e simplesmente gruda seus lábios nos de Rhun, em vez de recorrer ao que aprendeu quando beijou Mair. Ela fica tomada de afeto pelos dois. Seu sangue corre com mais facilidade, está menos espesso, e a dor aguda e latejante que sente nas clavículas parece mais com a de um hematoma, com a sensação de ranger os dentes, do que com dor de fato.

Os sussurros silenciam.

Rhun acaricia o cabelo de Arthur, meio sem jeito, e Arthur se afasta, mexendo o maxilar, com as bochechas rosadas. Ele morde o lábio uma única vez, e Rhun dá um sorriso.

Arthur bufa e vai logo se afastando dos amigos. Sacode a mão e debocha:

– Agora pensem bem *nisso*, seus dois imbecis suicidas.

– Arthur... – Rhun vai atrás do rapaz, mas Mairwen o segura pelo braço, fazendo uma roda com ele, toda alegre e saltitante.

– Fique comigo, Rhun – murmura, cantarolando. – Ele vai voltar. Você sabe que vai. Só precisa encontrar um jeito de digerir o que está sentindo e deixar a ferida criar uma casca de novo.

– Não quero que Arthur crie essa casca de novo.

Rhun fica procurando o amigo, que se afasta com rapidez, percorrendo os morros do pasto e indo em direção a Três Graces. Seu cabelo e sua pele dourados e seu casaco marrom-escuro se confundem com os campos outonais, e Mairwen gosta de pensar que, pela primeira vez, finalmente, o rapaz parece se encaixar ali no vale.

Ela diz:

– Você gosta da casca grossa de Arthur. Sei que gosta. Senão, não estaria tão apaixonado.

O sorriso que lentamente se esboça no rosto de Rhun é tão pleno de uma alegria e de uma admissão súbitas que, por um instante, Mairwen se esquece de todo o resto.

A RESIDÊNCIA DO CLÃ SAYER ESTÁ CHEIA DE FAMILIARES, COMO AS pulgas que aparecem com o calor, e fica mais cheia ainda depois que Rhun e Mairwen saem da estrada e entram no quintal onde ficam as cabras. Rhun ainda está pensando obsessivamente em Arthur.

Santa Branwen e Llew se levantam, latindo, e Mairwen dá uma risadinha. Rhun sente os latidos dos dois em seu peito e se apoia em um dos joelhos para abraçar os cães. Que vêm de encontro a ele com força, dando boas-vindas efusivas. Mas Rhun consegue manter o equilíbrio, coça o pescoço desgrenhado dos dois, que apoiam as pernas compridas em suas coxas. Ele sente um eco de dor rasgando sua perna, lembrança dos cães monstruosos de olhos vermelhos e de tê-los matado com as próprias mãos e com flechas. O rapaz fica arrepiado, ao se lembrar de Arthur, que esfaqueou o cão que atacava suas costas. Arthur, que o beijou, não só lá na floresta, mas também ali no vale, onde isso significa outra coisa. Que se inflama, querendo salvar todo mundo, mas principalmente Rhun. Isso é bom, e o rapaz não quer abrir mão disso.

Rhun pai assovia, exigindo que os cães se comportem, e os animais obedecem prontamente.

Rhun e Mairwen estão rodeados por integrantes do clã Sayer, principalmente homens e meninos, pois essa é uma característica da linhagem.

– Oi, filho – diz o pai, dando o mesmo sorriso espontâneo que Rhun tanto dava. – Mairwen Grace – completa o pai de Rhun, desconfiado, mas caloroso.

Por anos, o homem não se aproximou muito da menina, não por ela ser bruxa, mas por medo de que seria difícil demais perdê-la quando perdessem Rhun, na data de sua Lua do Abate. Agora que isso passou, Rhun pai não sabe muito bem como agir.

Mairwen leva a mão ao peito, por cima dos espinhos escondidos.

– Senhor Sayer – cumprimenta ela.

– Cadê Baeddan? – pergunta Rhun.

– Dormiu lá em cima conosco! – responde Elis Sayer, todo feliz, puxando a manga de Rhun.

Rhun pai ergue o queixo, sinalizando a edícula.

– Ainda estava dormindo quando o sol raiou. Está parecendo mais ele mesmo, sabe? Como se o fato de estar em casa o estivesse curando.

– Quero falar com ele – fala Mairwen.

– Talvez seja melhor deixá-lo dormir – murmura Rhun, dirigindo o olhar para o pescoço de Mairwen.

– Venham comer. Non ainda não guardou a comida, já que essa turma não sossega – diz Rhun pai.

– Pode ser – concorda Mair. Ela firma a expressão e se dirige à casa.

– Claro, pai. Estou morrendo de fome. Eu comeria um urso – responde Rhun, a última frase voltada para o irmão mais novo.

Elis torce o nariz diante de uma ideia tão boba. Rhun dá um sorriso contido e sai na frente. Uma fileira de primos do clã Sayer o segue, ficando atrás de Rhun e Mairwen. Nenhum dos dois quer passar pela porta, com receio da ira de Nona Sayer. Que está perto do borralho, enquanto Delia Sayer, tia de Rhun, limpa uma carcaça de galinha para pôr na panela. Sal, esposa de Brac, está batendo uma tigela grande de nata, sentada em uma das estranhas banquetas da residência do clã Sayer.

– Ah, você está aí! – diz Delia, tirando os cachos claros do rosto com as costas da mão. – Estávamos aqui discutindo quem poderia ter matado os santos que sobreviveram.

Nona solta um sussurro de frustração e bate a tampa da panela, que ferve ao fogo, soltando um aroma de comida.

Mair declara:

– As bruxas do clã Grace.

– Você só pode estar brincando – diz Nona, com os punhos cerrados na cintura.

Mas os demais ali presentes, em choque, demoram mais para esboçar reação.

– A senhora tem um espelho para emprestar? – pergunta Rhun, tentando evitar o conflito. Desde que Arthur o beijou, tem andado em uma corda bamba de esperança.

– Tenho – responde a mãe do rapaz. – Pense em outro culpado, Mairwen Grace. A sua mãe é bruxa, não demônio.

Mair adota uma postura que Rhun conhece muito bem: teimosa e desafiadora. Ela diz:

– Minha mãe sabia que a benção da unção que fazemos no santo amarraria Rhun à Lua do Abate, selando o seu destino. A unção cria um feitiço de amarração que atrai o santo de volta para a árvore, mesmo que ele sobreviva à noite de seu sacrifício, mesmo que ele vá embora do vale. Fazer isso tendo plena consciência é a mesma coisa que matar os santos. A uma hora dessas, eu estaria com as mãos sujas do sangue de Rhun, porque fui eu quem fez o feitiço. É esse o legado do clã Grace.

Nona fica olhando para Mairwen com uma expressão firme.

– Meu filho não morreu. Esse é o *seu* legado.

Mair abre a boca, mas não diz nada. Fica só olhando para Nona.

– O espelho está lá em cima, dentro do meu baú, menina. E pode pegar um xale mais bonito, se quiser.

Mair dá meia-volta e vai subindo as escadas.

A mãe de Rhun pede para que todos saiam dali, para ficar a sós com o filho. E então se vira para a panela, como se não tivesse nada dizer, afinal. Rhun fica olhando para os ombros da mãe. Observa como são largos e fortes, observa o pescoço comprido e os cachos negros que caem dele.

– Você ainda está amarrado à árvore, filho? O que ela disse é verdade?

– Sim – responde o rapaz. – Mas de um jeito diferente, por causa de Mairwen e tudo o mais.

De repente, Nona se vira muito rápido. Rhun jamais vira a mãe se movimentar tão depressa. Sua mandíbula, de dentes cerrados, é tão parecida com a dele, as pintinhas carmesins dos olhos de Nona brilham, iguaizinhas às do filho.

– Estou tão orgulhosa de você por ter posto fim a isso, Rhun Sayer. Você correu, lutou e mudou tudo. Não importa o que vai acontecer agora, o que o pacto vai se tornar. Não suportei a ideia de mudar de vida fora do vale, porque seria um risco muito grande, então simplesmente fugi. Mas você age de acordo com o que sabe que é certo, para todos, o tempo inteiro. Tenho tanto orgulho de você.

Rhun fica de pernas bambas e se senta. Solta um suspiro tenso.

– Mairwen e Arthur fizeram de mim quem sou, foram eles que mudaram tudo. Não eu.

– Não acredito. Os dois se embrenharam naquela floresta por sua causa: podem até ter começado a mudança, mas jamais teriam feito isso sem você.

– Vivi a minha vida inteira esperando ser santo. Não é um sacrifício tão grande assim, quando não temos expectativa de futuro. – Rhun dá de ombros e completa: – É por isso que não sou melhor do que ninguém. Não sou o melhor. Eu, na verdade, não abri mão de absolutamente nada.

– Rhun, você abre mão de si mesmo todos os dias, inúmeras vezes.

Sempre escolhe os outros em detrimento de si. Meu menino altruísta. Gostaria que tivesse sido mais egoísta. Espero que agora esteja aprendendo a ser.

– Talvez. Eu... eu amo Arthur.

"*E?*", perguntam as sobrancelhas de Nona.

– Mãe, eu quis dizer... que eu o amo como a senhora ama o papai, como eu amo Mairwen, como... Eu o beijei. Ele me beijou.

Nona aperta os lábios e fica olhando para o filho. O estômago de Rhun finalmente entende a confissão que ele acabou de fazer e fica revirado.

– Bem. – Nona solta um suspiro e senta no banco ao lado do filho. – Bem.

– É *só* amor, mãe – sussurra Rhun.

Ele cerra os punhos porque quer pegar na mão dela, dar um tapinha em seu ombro ou lhe dar um abraço.

– Nada é só amor – responde Nona, falando quase tão baixo quanto Rhun.

O SEGUNDO ANDAR DA RESIDÊNCIA DO CLÃ SAYER CONSISTE NUM único cômodo comprido, dividido em dois por painéis de madeira. Na parte da frente, fica o quarto de Nona e de Rhun pai. A luz cinzenta do sol se espicha através das grandes janelas, tingindo o quarto com frios tons pastéis. Mairwen se agacha no alto da escada, ouvindo a conversa dolorosa que Rhun está tendo com a mãe. O antigo amor natural que ela sentia por Rhun cresce de novo, enquanto Mair ouve Nona revelar o quanto está orgulhosa do filho, e arde como o sol quando o Rhun conta para mãe a respeito de Arthur. A menina fica pronta para descer correndo a escada e brigar com a mãe do amigo se ela sequer pensar em censurá-lo.

Só que Nona não faz isso, e Rhun acaba se calando. Mairwen

toca os espinhos em seu peito, pressionando-os até sentir dor. Ela o ama tanto, e ama Arthur também, e não vai permitir que nada de mal aconteça a nenhum dos dois, nem a Haf nem à sua família nem aos clãs Priddy e Pugh, muito menos a uma mulher como Nona Sayer, que nunca quer falar do passado, mas teve coragem de abrir mão dele e encontrar um futuro.

É isso que Mairwen precisa fazer: talhar um futuro para todos os que vivem em Três Graces.

Mair levanta, vai até o pequeno baú que fica ao lado da cama e o abre. O espelho está em uma prateleira estreita, entalhada na parede esquerda do baú. O cabo é feito de osso, amarelado com o tempo, e o espelho em si é engastado em prata com madrepérola.

Mairwen respira fundo para criar forças e vira o espelho.

A primeira coisa em que repara são as duras linhas das suas maçãs do rosto, que nunca foram tão saltadas. Seus olhos estão levemente fundos de cansaço, grandes como sempre. Os lábios bem desenhados estão rosados e, quando mostra os dentes, gosta do brilho que têm. Seu queixo parece mais delicado, por causa do cabelo desgrenhado e cortado de qualquer jeito. Ele cai em cachos espetados e camadas estranhas, uma verdadeira touceira.

E aquele negrume em seus olhos. Que forma uma espiral em um e espalha pontinhos pretos aleatórios no outro. Mairwen fica arrepiada, adorando, por mais que a assuste.

Ela aproxima o espelho e o inclina para examinar o couro cabeludo. Passa os dedos em busca de sinais de mais chifres ou espinhos prestes a brotar do crânio. Nada. Abaixa o espelho e desamarra a túnica, deixando as clavículas à mostra. A base dos pequenos espinhos tem sangue seco, porque ela não se limpou muito bem, e a pele está azulada.

Mair acompanha com os dedos a linha que os espinhos formam em seu peito. A pele está tão sensível... assim como a dos lábios. A menina fica com vontade de saber qual é a sensação de ter outra pessoa a tocando naquele ponto, com dedos ou lábios delicados.

Por um instante, Mairwen está perdida em uma floresta que cresce através das paredes da residência do clã Sayer, com cipós de um verde-escuro, galhos que se dobram, cheios de folhas roxas escuras e em tom de esmeralda. A floresta sussurra em seus ouvidos, fazendo cócegas na sua pele, de dentro para fora. Seu peito se expande, seus quadris gingam, e sua cabeça vai para trás, porque a floresta promete levá-la ao seu coração, sem parar.

O véu escorrega por suas tranças, por seus ombros e seus braços, à medida que ele o puxa delicadamente. Através da renda branca ela vê o brilho negro dos olhos dele, o brilho dos traços, sempre cambiantes – chifres, presas, pelo, pele macia, quatro pernas delicadas, pés descalços, mãos que agarram suas cintura, ramos de finos cipós verdes que se enroscam no braço dele, em seu pescoço, o cabelo comprido, do qual saem flores minúsculas, penas que se esparramam pelas costas, e asas, até, amplas como o céu noturno – e ela anseia ser levada para o interior de tudo, tornar-se um pedaço dele, quando o véu cair.

Solta um suspiro de assombro quando o véu finalmente cai e sorri para a criatura. E então um sussurro trazido pelo vento faz seu sangue ficar gelado. Ele se foi. Ela está sozinha, só que não...

Quem?

O que é isso? Quando é isso?

Mairwen encara a menina que está usando um longo véu branco, e a menina levanta a mão, aponta para Mair e diz...

Um passo na escada assusta Mairwen, fazendo-a despertar, e ela volta a ser apenas uma mulher jovem segurando um espelho, ajoelhada no quarto de outra pessoa, olhando para si mesma. Seus olhos agora estão mais pretos, e suas gengivas doem, como se seus dentes estivessem frouxos. Mair encolhe os lábios e vê seus caninos, que estão levemente mais compridos e afiados.

– Haf está aqui – diz Rhun. – Ela precisa mostrar uma coisa.

ADERYN GRACE ESTÁ PARADA NO MEIO DE SUA CHOUPANA, LEvantando as mãos para tirar um maço de mil-folhas secas. Uma lembrança persistente a pegou de surpresa no meio do caminho. Uma imagem que saiu de seu sonho – um sonho que ela teve nas últimas três noites.

Nesse sonho, está grudada na parede, rindo, enquanto um homem beija a lateral de seu pescoço. Ele tem cheiro de chuva e flores estivais, e Aderyn se abre, como se nada no mundo se encaixasse tão bem dentro dela quanto aquele homem. Quando ele se afasta, segurando suas duas mãos, Aderyn vê seu rosto, e ele é belo.

Mas, quando acorda, os traços do homem viram um borrão de afeto e uma lembrança longínqua. A bruxa do clã Grace não gosta de incerteza nem de lembranças embaralhadas. Jamais se embrenhou na floresta – por que então seus pensamentos seriam tão afetados quanto os da filha?

– Aderyn?

Hetty contorna a mesa da cozinha e cutuca a bruxa no ombro. Aderyn leva um susto e sai de seu estado contemplativo.

– Estou bem. É só que...

– O sonho. É a sua filha, reavivando as lembranças que você tem de Carey e do primeiro sacrifício, e todas as perguntas. Você sabe disso.

Aderyn se vira para Hetty e segura o rosto sardento dela com as duas mãos.

– Espero que você não fique magoada com isso.

– E como poderia ficar? Não guardo mágoa de nenhum momento da sua vida, muito menos do momento que lhe trouxe Mairwen.

A bruxa do clã Grace dá um sorriso triste, mas do fundo do coração, e puxa Hetty mais para perto, delicadamente. Vira a cabeça, para que os lábios de Hetty possam tocar seu pescoço. Ela substituirá a lembrança por um amor mais ardente.

– Senhoras...

A voz retumba pelas costelas de Aderyn, que se afasta de Hetty, cambaleando. A bruxa espreme os olhos, porque as lembranças sacodem seus ossos, sobressaltam seu coração, fazendo-o parar de bater. Lembranças relacionadas a sexo, flores roxas e a emoção de ter feito algo terrível e se safado.

– Addie, preciso de algo seu – diz a voz, vívida, que arrepia sua espinha, feito a carícia de um amante.

Hetty solta um grito.

Emoldurado pelo batente da porta da choupana, está o pai de Mairwen.

ARTHUR COUCH ESTÁ PARADO NO LIMITE DA FLORESTA DO Demônio.

A luz do dia passa pela copa das árvores, mesmo com o céu cinzento, refletindo na poeira e nos miasmas da floresta que pairam no ar. Algumas folhas douradas e marrons que ainda restam tremem com a leve brisa, como se as árvores estivessem acenando para o rapaz.

– Arthur Couch! – cantarola uma mulher-pássaro, voejando em sua direção. – Sentiu nossa falta?

– Olá, coisinha. Não, não senti.

A criatura o xinga e sai voando – ultrapassa Arthur e vai em direção à luz cinzenta do sol.

O rapaz se vira para observá-la. Outras duas mulheres-pássaro voam atrás dela. Dão risada e fazem piruetas. Uma voa bem alto e fica planando, feito um gavião. Bem acima no céu, bem adiante de Arthur, que está parado no limite da floresta.

O medo faz seu coração bater descompassado.

Se aquelas criaturas conseguem voar livremente por aí, o que mais pode acontecer? Em seguida, poderia aparecer uma coisa como aquele cervo com o qual depararam quando o pacto estava fraco. Há tantas coisas piores escondidas nas profundezas da floresta, e outras piores ainda, que Arthur talvez nem lembre.

Ele precisa fazer isso. E já, antes que a amarração dos três se rompa. Antes que Rhun ou Mairwen atendam ao chamado da Árvore de Osso.

Arthur levanta o machado com a mão esquerda e tateia em busca do iniciador de fogo que trouxe no bolso do casaco.

Quando era criança, jurou que se embrenharia na floresta e ofereceria seu coração ao demônio, para provar que era o melhor de todos. Acontece que o demônio jamais o quis. Mas não porque há algo de errado com Arthur. Tudo o que há de errado no vale em que vivem nasceu do próprio pacto original. As regras do sacrifício, que alguém decidiu serem importantes – que só poderia ser um rapaz e só o melhor deles –, foram passadas adiante como tradições, criando uma teia intrincada que determina o que significa ser o melhor entre os rapazes e cria barreiras que separam as pessoas. Esse modo de vida, esse sistema, quase sufocou Arthur e teria matado Rhun Sayer, a única pessoa de Três Graces que, definitivamente, não merece morrer. Um modo de vida nascido da mentira de que é possível ser tanto santo quanto sobrevivente.

Se reduzir tudo a cinzas é a única maneira de impedir que isso aconteça de novo, de fazer a história retroceder até o começo, é isso que Arthur vai fazer.

E, sendo assim, ele entra mais uma vez na Floresta do Demônio.

BAEDDAN SE AGACHA ENTRE DUAS ÁRVORES ALTAS E VERDEJANTES, logo atrás da residência do clã Sayer, e fica ouvindo o canto dos pássaros. Que não tem palavras, não tem anseios, não tem perigos. São apenas dois pássaros. Ele olha para a copa das árvores, tentando avistá-los. As folhas caem suavemente, pairando no ar sem vento da floresta. Atrás delas, os galhos se esparramam contra o céu cinza, com leves pinceladas de sol. É um dia silencioso, tranquilo. Baeddan consegue ouvir sua própria respiração, calma, e não ouve nenhuma batida de seu coração.

Tapa os ouvidos para se certificar e olha fixamente para cima, procurando lentamente pelos pássaros.

Ali! Um bater de asas, determinado demais para ser uma folha mexida pelo vento. Uma nesga cor de ferrugem.

Baeddan se aproxima, cantarolando, seguindo o pássaro. Ele se sente livre. Alguém ou alguma outra coisa tirou o fardo de suas costas.

Talvez eu finalmente esteja morto, pensa. Só que o cantar do pássaro é encantador demais, lembra demais seu lar.

Ele acordou, nesta manhã, em meio a um amontoado de meninos e cães, cercado por feno e móveis descartados, enrolado em lã com cheiro de mofo e com o rosto grudado em um cobertor de pelo. Meninos pequenos e primos mais novos do que ele, mas que parecem mais velhos, todos roncando juntos, de boca aberta, alguns esparramados, outros encolhidos. E isso fez Baeddan pensar nas raízes da Árvore de Osso, e que todos os dentes dos primos eram flores e que seus crânios logo apareceriam por baixo da pele morta e murcha, que o cabelo deles se emaranhava feito cipós.

Desvencilhou-se dos meninos e, desceu, cambaleando, a escada do celeiro e saiu pelos fundos. Teve certeza, sem sequer precisar pensar, de que ali havia uma porta que dava em uma trilha montanha acima, antes de o terreno fazer aquela curva na parte dos fundos, à direita, onde se junta ao terreno do clã Upjohn.

Pareceu-lhe um bom caminho a seguir.

O seu cantarolar estraga o canto dos pássaros. Mas então um corvo começa a crocitar, e Baeddan dá risada, tão alto quanto. Sente cheiro de fumaça e isso lhe dá uma fome, de algo... de qualquer coisa. Levanta as mãos em direção a uma árvore próxima, e seus dedos escorregam por baixo de um leque de líquen laranja-claro. Então para. Não. Ele não come esse tipo de coisa, não aqui. Não...

Baeddan fecha os olhos bem apertado. Sua fome vai embora, substituída pelo incômodo de sentir frio nos pés descalços.

– Baeddan – diz, em voz alta. Será que vai se acostumar com este nome?

"Onde está a bruxa Grace?", pergunta-se, olhando em volta à procura de algo branco. Não. Ela tem cabelo castanho desgrenhado, olhos castanho-escuros e...

Subitamente, o coração da floresta bate em seu peito.

Retumbante e abrupto.

"Santo."

"Santo."

Ele caminha no ritmo dessas batidas, descendo a montanha. A voz da Floresta do Demônio sussurra, caótica, exercendo uma atração sobre ele e sobre outras pessoas... Baeddan sente que essa voz se expande de repente, sua necessidade se dirige para fora da floresta, maior do que antes. Vindo em direção a ele.

Ele não consegue entender, mas a sombra que existe dentro de si cresce.

Como se chama mesmo?

Solta um suspiro entredentes e pensa que deveria voltar para – para a residência do clã Sayer. Baeddan Sayer. Sim, ele deveria encontrar...

Pássaros voam apressados no céu. Riem e dão gargalhadas. Não os pássaros, ou melhor, não apenas pássaros, mas...

Não, ele deveria ir para *aquele* lado.

E é isso que faz, seguindo seu instinto. Desce um declive de coníferas. Seus pés escorregam nas folhas mortas, e ele vai mais devagar, avançando menos. Isso requer silêncio, a perseguição, ficar no encalço, desviar, ouvir, prestar atenção...

"Santo", diz a floresta, em uma voz sombria, autoritária e pesada, que esse jovem demônio nunca ouviu.

"Traga-me o santo."

HAF ESTÁ ESPERANDO NA COZINHA DO CLÃ SAYER, TORCENDO AS mãos. Por um segundo, Mair enxerga a menina de véu em vez de Haf, mas pisca e sua amiga volta a aparecer. Mairwen se apoia em Rhun, que a segura pelo braço.

Mair se sente tão estranha, e a lembrança da menina de véu paira em seus pensamentos. Não era uma lembrança da própria Mairwen nem de Rhun nem de Arthur, mas uma lembrança da floresta. Será que seria uma lembrança da primeira Grace e do antigo deus?

– O que aconteceu com o antigo deus da floresta? – pergunta ela.

– Mairwen?

Mair leva um susto e sai de seus pensamentos: concentra-se em Haf, enquanto Rhun a senta perto da mesa e coloca um prato de pão quente na frente dela.

– Sim – responde, levantando o pão.

Rhun senta ao seu lado, e Haf, do outro. Os dois se aproximam de Mairwen, em um tom de cumplicidade. Haf murmura "veja" e estende a mão dourada, de palma para cima. Há uma mancha de sangue na pele delicada entre seu dedão e o indicador, em volta de uma picada.

– Entrou uma farpa ontem à noite, quando eu estava andando no escuro. Limpei, fiz um curativo e fui dormir. Quando acordei, estava assim.

– O pacto deveria fazer esse tipo de coisa cicatrizar da noite para o dia – comenta Rhun.

Mairwen fica olhando. Perto do fogo, Nona remexe os carvões debaixo de seu caldeirão e enfileira batatas nas bordas. Sal voltou a bater sua tigela de nata, e Delia está recheando o frango que limpou, na outra ponta da mesa. Todas em silêncio, todas prestando atenção na conversa.

– Eu falei que era uma amarração temporária – diz Mairwen, com a voz normal, levemente preocupada.

Sal dirige o olhar para Mairwen, depois para Delia, depois torna a olhar para Mairwen.

– Mas já?

– Você está se sentindo bem? – pergunta Rhun, para Mair, empurrando o prato mais perto da mão dela. – Coma.

Nona intervém:

– Durará o tempo que tiver que durar. E então ficaremos abandonados à nossa própria sorte.

– A menos que façamos um novo pacto – diz Rhun olhando para Mairwen, não para a mãe.

– Se a minha amarração não é capaz de selar o pacto, se o meu coração não é capaz de satisfazê-lo, então o único jeito é a morte – fala Mair. – Não podemos simplesmente arrastar alguém até a floresta e obrigar a pessoa a morrer.

Rhun segura a mão dela e diz:

– As coisas não são tão simples assim. Se eu tivesse conhecimento da verdade, talvez tivesse me oferecido do mesmo jeito. Se tivesse sido criado dessa maneira, sabendo o que isso significa para todos os demais. Sem a mentira.

– Rhun... – sussurra Haf.

O rapaz olha para ela e prossegue:

– Bree não estaria viva se não fosse pelo pacto. E, quando eu era pequeno, houve um surto de varicela que atacava à noite e sumia no dia seguinte. Quantos não teriam morrido se não fosse assim? E a filha de Rhos está viva neste exato momento: até encostei no narizinho dela. O pacto continua igual, como sempre foi: uma vida em troca de tudo. Será que não vale a pena?

– Tem gente dizendo que sim – responde Haf. – Que o santo é o santo e pronto, e você precisa... que nós deveríamos... enfiar você lá na floresta de novo.

– E é exatamente por isso que é errado – diz Nona, batendo a mão espalmada no borralho. – Qualquer cidadão que tente fazer uma coisa dessas não merece a vida do meu filho.

Mairwen balança a cabeça, e Haf também. Sal se encosta na ponta da mesa.

– É isso mesmo, Rhun.

A tia Delia está com os olhos cheios de lágrimas, mas balança a cabeça.

– É melhor você ficar aqui por um tempo, Rhun – diz Haf. – Longe das vistas de todos. E cadê Arthur? Ele não é santo, não propriamente. Mas, pelo jeito que o pai dele fala e outras pessoas também... eles podem...

– Não posso me esconder – declara Rhun. – Vou encontrar Arthur. O pacto durará mais um tempinho, e então nós vamos...

Mair levanta e fala:

– Vou até o palacete, dar uma olhada nos registros de Sy Vaughn. Pode haver algumas explicações. Quero descobrir o que os ancestrais do lorde achavam que tinha acontecido com o antigo deus.

– Vou com você – diz Haf, e Mair concorda a cabeça.

– Rhun, encontre Arthur. E Baeddan também, se conseguir. Vão caçar, incentive todos que encontrarem a viver normalmente e digam que está tudo bem. Que Três Graces corresponde à vida do pacto e, sendo assim, as pessoas precisam viver.

Rhun segura Mair pela cintura e lhe dá um beijo.

O véu escorrega pelas suas tranças, pelos seus ombros e seus braços, à medida que ele

Mair aperta os lábios contra os de Rhun com força, sente a ardência dos espinhos em suas clavículas e, quando seus dentes roçam em seu lábio superior, tem a sensação de que estão ficando mais afiados.

– Tome cuidado – sussurra ela.

Assim que se afasta do rapaz, a menina solta um suspiro de assombro: seu sangue dá um tranco de repente, espesso e gelado. Mair treme e deixa que Rhun a abrace. Ela consegue sentir a floresta tentando agarrá-la, lá da montanha. É algo desesperador e *forte*! As sombras ultrapassam o limite das árvores, sobem os pastos, indo em direção à casa de sua mãe. De olhos fechados, com o rosto encostado no ombro de Rhun, Mairwen vê uma revoada de pássaros tomando conta do vale e um vento que vem da Floresta do Demônio, vindo em sua direção.

O DEMÔNIO ATRAVESSA O QUINTAL CAMBALEANDO E SE ATIRA contra a porta, com tanta força que a sacode, e um novo machucado surge em seu ombro. Está perdendo a visão, tudo está ficando borrado. Sente dor por todo o corpo, e a ordem é tudo, tudo, tudo o que ouve: "fome, tanta fome traga o santo encontre o santo o santo santo".

Cada passo que dá faz a grama murchar debaixo dos seus pés. Cada árvore na qual encosta estremece e fica preta, com uma marca no formato de sua mão.

O demônio está morrendo e levando tudo consigo.

Ele se joga contra a porta mais uma vez e ruge. Bate na porta e a arranha, e ela acaba cedendo.

Lá dentro está agradável, o borralho está aceso. O demônio uiva para uma mulher e uma menina, um borrão formado por saias e olhos arregalados, e as duas se abraçam, gritando:

– John! John!

A floresta também grita "John! John!".

– John! – berra o demônio.

Por um instante, sua visão se torna nítida, seus pensamentos se tornam nítidos. Baeddan sabe por que está ali.

Empurra as mulheres e entra correndo no segundo grande cômodo daquela residência: um homem espera por ele, ainda se vestindo, o cabelo claro solto, de uma mão só. O outro braço termina no pulso, com uma cicatriz rosada e reluzente.

John Upjohn mal consegue respirar.

A pele do demônio é amarelada e cor de creme. Os chifres caíram do cabelo e da cabeça, e até seus espinhos estão morrendo: faltam dois, que deixaram duas feridas, e permitem ver de relance o osso negro por baixo. Ele está tremendo. Está fraco. Seus olhos estão fundos, e os lábios secos e rachados, e o demônio os abre, deixando dentes afiados à mostra.

John se aproxima, com os olhos fixos no peito do demônio, onde os vinte e poucos ossos restantes de sua mão estão costurados com cipós e tendões, na pele dele. Ossos dos dedos e ossos da mão, falanges estranhas e ossos do pulso, que parecem pedregulhos.

O demônio dá um pulo para a frente, para se apossar de seu prêmio.

A FLORESTA ESTÁ SILENCIOSA, MAS NÃO CALADA.

A luz fica difusa através das copas desfolhadas. Clara o bastante, mas irritante, enquanto Arthur prossegue, indo direto para o norte, o mais direto que pode, em direção à Árvore de Osso. Ele se imagina pegando machados e pás e, com uma fileira de homens, abrindo caminho no meio daquilo tudo. Marcando a trilha com tinta vermelha, um alerta para que ninguém se desvie do caminho.

Ao contrário de quando esteve ali há duas noites, Arthur mantém uma postura forte e confiante ao andar no meio das árvores. Sem se abaixar, sem espiar, desconfiado, através das sombras. Quando chega a um regato, o reconhece, de uma vaga lembrança, e pula sobre ele, satisfeito por saber que ainda está na direção certa. Quando uma dúzia de mulheres-pássaro soltam gritos estridentes e o atacam, o rapaz apenas as espanta, estapeando o ar delicadamente.

– Eu me chamo Arthur Couch, e vocês me conhecem – declara, com os dentes cerrados. – Deixem-me em paz. Vocês não têm direito ao meu sangue.

Quando três criaturas de osso mortas-vivas ficam no seu caminho, uma com crânio de corvo; outra, de bode; e a última, de raposa, Arthur dá seu sorriso mais feroz, brandindo a faca.

As criaturas dão risada, saem da frente e começam a segui-lo, junto com as mulheres-pássaro.

Não transcorrem nem quinze minutos até Arthur ter toda uma trupe de mortos-vivos e meninos de osso no seu encalço, todos batendo os dentes e dando risada. Um cervo com cascos de cabra e presas vem atrás deles, assim como meia dúzia de lobos negros de olhos vermelhos e dentes afiados como lâminas. Sombras esvoaçam, mais contornos do que formas, quase invisíveis naquela luz difusa.

Seu estômago ronca, e Arthur se arrepende de não ter comido nada. Apesar de passar por maçãs reluzentes e amoras vibrantes, não se arrisca.

O canto do vento assume um badalar mais esquelético, e Arthur tem certeza de que está perto da Árvore de Osso. Que geme e crepita mesmo sem vento, esparramando-se cada vez mais e se infiltrando na terra debaixo da floresta.

O rapaz entra no bosque, deixando a trupe sinistra reunida nas beiradas.

Tudo é cinza, parece a superfície da lua, mas é por causa da jaula de árvores negras que os cerca. A Árvore de Osso se assoma, mais alta do que tudo, com galhos que despencam do alto e cicatrizes de um cinza escuro. Espalhadas pela terra batida, há uma centena de folhas escarlates. E algumas gotas de sangue, que escureceu até ficar marrom ou em um tom escuro de roxo.

Arthur inclina o tronco para a frente, cospe sangue no chão e então se esforça ao máximo para rugir. Está perdendo a batalha. Está fraco, mas não vai permitir…

Pisca para afugentar a lembrança – de que adianta tê-la agora? Ele tem uma missão a cumprir: Arthur se aproxima, cautelosamente, da Árvore de Osso.

O altar está à sua espera, gelado, claro e vazio, sem seus cipós negros nem restos mortais pavorosos. Raízes grossas e tão pálidas que dão nojo, como se fossem vermes enormes brotando da terra, abraçam o altar e se ramificam pela própria Árvore de Osso.

E, é claro, há os ossos. Arthur cerra os punhos, furioso com aquela brutal prova de séculos de sacrifícios mortais. Vinte e cinco crânios, olhando para ele e sorrindo, amarrados uns aos outros, formando uma espiral até chegar à face branca e áspera da árvore. Escápulas e costelas se espalham, como se fossem asas abertas para trás e para cima, e fileiras de ossos compridos, fêmures e ossos de braços, estão alinhados, formando uma tenebrosa cota de malha.

Arthur olha para cima e se encolhe com o brilho da luz: tudo está claro demais, com um branco prateado demais. Pelo menos o cataclismo que ele planejou dará uma aquecida naquilo tudo.

Arthur se dirige ao altar. Tira dele cipós velhos e trapos que restaram dos gibões, das calças e das túnicas dos santos que vieram antes de Baeddan. É algo tenebroso de pensar, mas sente satisfação de saber que dará àquelas pessoas uma enorme pira funerária.

O rapaz faz um bom monte de folhas, gravetos e lascas de casca de árvore seca, apoiados em volta e em cima do altar, pronto para ser aceso, quando um som chama a sua atenção.

Arthur se vira e olha para os limites do bosque da Árvore de Osso, em busca do que causou aquele ruído.

Nada.

O silêncio o cerca: até os mortos-vivos e os monstros escondidos entre as sombras se calaram. Essa calmaria o deixa profundamente incomodado. Ele puxa a faca. Não pode ser Baeddan. O demônio nunca foi de ficar em silêncio. Mas quem mais poderia ser? O que mais?

Arthur acalma sua respiração, com muito esforço, e pega o iniciador de fogo.

Um galho se parte.

Ele quase deixa o aro de metal cair no chão.

Ouve um gemido: é a Árvore de Osso.

Boquiaberto de tanto susto, o rapaz olha para cima, para os esqueletos e as caveiras que o encaram, para os galhos brancos mais altos, marcados por profundas fissuras de velhice. Aquilo ali por acaso é um ponto colorido? Violeta.

Uma flor. Cai lentamente e pousa no alto da pira que Arthur montou. As pétalas parecem aveludadas, em forma de lágrima. E, uma por uma, murcham até secar.

Outras caem. Três ali, um punhado acolá, estremecem, pairam e caem, caem sem parar em volta dele.

A Árvore de Osso treme, e ramos verdes-claros brotam das rachaduras da casca.

– O que está acontecendo? – pergunta Arthur, em voz alta.

– Voltei para casa – diz uma criatura atrás dele, com a voz grave e plena de satisfação.

A ÚLTIMA VEZ QUE MAIRWEN SUBIU POR AQUELA TRILHA ÍNGREME na montanha, estava desesperada e ansiosa, correndo e se segurando em fios de esperança porque um dos cavalos no pasto estava doente e Rhos Priddy entrou em trabalho de parto antes da hora. A menina percorre o mesmo caminho agora, com Haf logo atrás, desbravando os lugares onde a vegetação tomou conta, agarrando-se a rochas e raízes emaranhadas para continuar avançando, subindo cada vez mais. Só que agora é mais forte do que antes, está imbuída de um poder que lhe diz onde segurar, como pisar. Consegue pôr o braço para trás e puxar Haf, ajudando quando a amiga precisa.

– Mairwen, você não está com medo.

Surpresa, ela para de avançar. Haf está levemente ofegante. O cansaço deixa seus lábios com um belo tom rosado e ilumina seus olhos. Longos fios de seu cabelo liso e negro estão grudados em seu pescoço moreno.

Mair estende o braço e mostra para Haf a munhequeira de floresta que cresce em seu pulso, subindo em direção ao cotovelo. E que sua pele rosada e avermelhada está se tornando violeta.

– Isso é poder. Uma manifestação daquilo que estou me tornando.

– Que seria?

– Parte da floresta, acho. Como Baeddan era, antes de nós o termos tirado de lá.

– É porque você é bruxa?

– E filha de santo. E eu ungi a mim mesma – confessa Mair, baixando sutilmente os olhos.

Rindo, meio sem ar, Haf segura a mão da amiga e fala:

– Eu sempre quis ser bruxa também. Porque você é, e você é tão...

– Estranha!

– Mas não liga para isso.

– Acho que você seria uma bruxa maravilhosa. Se não estivesse tão feliz com Ifan, e isso não fosse fazer Arthur chorar, eu te convenceria a ser minha parceira-bruxa, como Hetty é para a minha mãe.

– E elas...?

– Sim.

Haf se encolhe toda e diz:

– Bem... – Em seguida, aperta a mão da amiga.

– Pronto – diz Mair, sorrindo e mostrando os dentes afiados – Esta é a primeira lição: prestar atenção.

O silêncio se prolonga. Mairwen balança a cabeça e continua subindo o morro, ainda de mãos dadas com Haf. Mair presta atenção aos ruídos dos pedregulhos que escorregam e caem sob o pé das duas, ao vento que passa no meio das árvores e do mato logo adiante, onde as montanhas se sobressaem, além do limite das árvores. Presta atenção na respiração de Haf ficando mais ofegante, por causa do esforço físico e da expectativa, presta atenção aos seus próprios grunhidos sutis de cansaço, e ao sangue que pulsa nos seus ouvidos. Presta atenção na voz da floresta, que chama por ela. Chama por ela, mas Mairwen não a ouve com seus ouvidos. Ouve com seu coração. A voz se soltou, depois ficou em silêncio de novo, como se tivesse pegado algo e guardado de volta no lugar.

– Prestar atenção ao quê? – reclama Haf, por fim, exasperada.

– Apenas preste atenção! – Mair acelera um pouco o passo. – A tudo. Preste atenção. A minha mãe costumava me levar a algum lugar e me deixar lá por uma hora. E, quando voltava, me pedia para contar tudo o que eu tinha ouvido e tudo o que eu tinha pensado a respeito do que ouvi.

Essa lembrança é amarga, agora que Aderyn fez sua confissão. Mair pensa que, se tivesse apreendido melhor essa lição, teria descoberto a verdade há muito tempo.

– Qual é a segunda lição? – pergunta Haf.

– A minha mãe diria que é aprender a macerar ervas e fazer unguentos. Ou a ter paciência. Mas acho que é ser capaz de ver o meio-termo entre o dia e a noite. Aprender a encontrar o meio-termo de tudo. Esse é o segredo do feitiço. Vida, morte, e a bênção que une essas duas coisas. A bruxa que une essas duas coisas.

– Sentir-se à vontade nesse meio-termo – diz Haf, pensativa.

Ela passa os braços pela cintura de Mairwen.

Mair balança a cabeça, abraçando a amiga.

– Acho que ser bruxa também é fazer escolhas. Quando somos capazes de enxergar o meio-termo entre o dia e a noite, somos capazes de ver uma gradação entre o bem e o mal, então podemos agir em situações nas quais as outras pessoas não conseguem ou se recusam a agir, sabe? Mudar certas coisas.

– Eu sempre admirei o fato de você não se encaixar em lugar nenhum e de ter criado seu próprio lugar.

– Você também, Haf. Ninguém é capaz de dizer quem você é, a não ser você. Não importa o que os outros queiram que nós sejamos. Nós é que escolhemos. Nós é que decidimos.

Haf para de avançar. Fica observando Mairwen com atenção por um instante, e então balança a cabeça.

– Pode até ser. Acho que tenho sorte, porque *quero* ser o que os outros querem que eu seja. Para você, as coisas são mais difíceis.

– Eu dificulto as coisas.

– Arthur é um bruxo?

Mair bufa.

– Ele já viveu entre os dois mundos – sugere Haf. – Em princípio, achei que Arthur tinha sorte, por poder ser as duas coisas, mas ele odiou.

– Arthur se esforça tanto para não ser indefinível! Adoro isso. Arthur adoraria que ninguém enxergasse o quanto de meio-termo ele tem. Como pode enxergar gradações entre a luz e a escuridão se está determinado a ficar apenas na escuridão?

– Talvez ele não soubesse o que queria ser quando foi obrigado a ser algo tão cedo.

– Mas todos nós somos vestidos de acordo com o corpo em que nascemos e somos treinados para nos comportar de certa maneira – argumenta Mairwen.

Haf suspira.

– O problema de Arthur – continua Mairwen –, é que ele acredita que ser rapaz tem mais valor do que ser menina. Como se o fato de o melhor entre os rapazes ser sacrificado significasse que os rapazes são melhores do que as meninas. E não é por isso.

– Por quê?

– Porque o pacto foi feito assim e ponto. Acho que qualquer coração serve para selá-lo, mas não daria uma boa história se fosse assim. Para fazer as pessoas acreditarem em algo a ponto de fazer mal a outras pessoas, o pacto tinha que ser específico, tinha que criar regras às quais o vilarejo pudesse atribuir um significado. Pudesse imbuir de valor. Acredite em mim: as pessoas não gostam de magia que não faz sentido, que não é fácil de acreditar. Foi fácil de acreditar que um rapaz forte, habilidoso e nobre poderia ser digno de ser sacrificado, ainda mais se tivesse chances de sobreviver.

– Você quer mudar a história.

– Temos que fazer isso.

– Isso também fará mal às pessoas – murmura Haf, mas não discute.

Por um instante, Mairwen presta atenção ao som do vento novamente, à voz longínqua da floresta, e em seu coração, que bate suavemente. Sabe que Haf tem razão, – ao menos em parte. Não foi ter nome de menina nem os vestidos que causaram sofrimento a Arthur. Não, ele foi feliz quando eram crianças. Mair recorda a risada de Lyn Couch. O que o fez sofrer foi a mudança nas regras. Ser obrigado a deixar de ser menina e passar a ser menino, como se fosse uma questão de uma coisa ou outra, como se qualquer outra escolha fosse uma anomalia. Arthur era tão pequeno quando seu mundo ruiu que não é de se espantar que ele tenha se apegado tanto às regras depois disso. Seu mundo mudou, e ele não queria mudar com o mundo. Até que desobedeceu a outra regra, até que entrou na floresta e testemunhou as mentiras com seus próprios olhos. Arthur precisava mudar para sobreviver. Assim como Três Graces. As regras do pacto mudaram, e todos precisam encontrar uma maneira de mudar, juntos. Para melhor. Mair dá um sorriso.

– Todos nós aqui de Três Graces precisamos aprender bruxaria.

– Começando por mim – diz Haf.

Mairwen lhe dá um beijo no rosto, sentindo o perfume maravilhoso daquele óleo adocicado que Haf passa nas pontas do cabelo para que não fiquem ressecadas no inverno.

– Vamos.

As duas finalmente alcançam o quintal plano de pedra e cascalho, onde nenhuma árvore cresce. Ainda restam resquícios da fogueira feita na noite da Lua do Abate, quando Mairwen era a bruxa do clã Grace, ungiu o santo e o beijou, sem saber ao que o estava sentenciando.

Mair passa pela fogueira em silêncio, abre o portão de ferro. Quando chega à pesada porta da casa, levanta a mão para bater nela, mas percebe que está entreaberta.

– Ai – diz Haf, preocupada.

Mair empurra porta com ombro.

– Olá? Lorde Vaughn? – Sua voz ecoa levemente pelo corredor mal iluminado. Ela segue o eco. – Vaughn?

Ninguém responde, quase não há ruídos. Não há fogo crepitando. Nenhum som a não ser o dos pés de Haf na soleira. Os pés descalços de Mairwen não emitem ruído algum.

As meninas adentram o palacete, passam pelas paredes caiadas alvíssimas e pelos painéis de madeira escura, atravessam a biblioteca e a cozinha, a sala de estar e uma sala de música estreita, cheia de instrumentos empoeirados. Vasculham todas as peças que encontram e até levantam tapeçarias, buscando indícios de cômodos escondidos. Nem sinal de Vaughn.

AO DESCER O MORRO EM DIREÇÃO A TRÊS GRACES, OS PENSAMENtos de Rhun se alternam entre a expectativa prazerosa de ver Arthur novamente e o medo de não estar à altura das expectativas de sua mãe. "Você age de acordo com o que sabe que é certo." Nona tem orgulho do filho, e Rhun quer que a mãe continue tendo, mas não sabe mais o que é certo ou não. Haf Lewis disse que os cidadãos de Três Graces estão decepcionados – e com razão – porque, em vez de cumprir seu dever, Rhun permitiu que Mairwen e Arthur mudassem o pacto, selando-o de outro modo, perecível. Eles também têm razão. Rhun escolheu viver, sim, para dar uma chance à amarração de Mairwen.

Agora, lembra-se de algo que aconteceu na floresta, quando Arthur tentou se entregar ao demônio para salvá-lo, e ele só conseguiu sentir uma necessidade desesperadora de sobreviver. De que *ambos* conseguissem sair vivos da floresta. Juntos. Rhun tinha esquecido esse momento, assim como esqueceu o que é digno de ser salvo.

O rapaz quer viver, mas não quer que Três Graces sofra as consequências.

Como está se movimentando sem fazer barulho, Rhun assusta Judith e Ben Heir, que estão pastoreando as ovelhas, levando o rebanho para um pasto mais alto. Estão de mãos dadas. Judith se espicha para sussurrar algo, e faz cócegas na orelha de Ben até ele sorrir. Na noite anterior, quando o clã Sayer estava reunido à mesa, sua prima Delia, que soube pela cunhada, lhe contou que Judith está grávida. É a próxima geração de crianças que serão oferecidas para a floresta em sacrifício.

Rhun para e diz:

– Parabéns ao casal.

É difícil saber se ele está sendo sincero. Judith se encosta no marido, que segura seus ombros.

– Obrigada, Rhun – diz ela, sorrindo.

– Não quero que meu filho corra perigo – completa Ben, não tão feliz, mas lançando um olhar que Rhun sabe exatamente como interpretar.

– Eu também não quero, Ben. Por acaso viram Arthur?

– Não – responde Judith. Que fica em dúvida se diz mais alguma coisa ou não.

Ben completa:

– Como podemos simplesmente permitir que tudo isso desmorone?

– Estamos tentando impedir isso. Eu, Arthur, Mairwen e Haf Lewis. E todo mundo que quiser pode se juntar a nós. Mair e Haf estão lá no palacete de Vaughn neste exato momento, à procura de respostas. Preciso de Arthur. Para...

O rapaz dá de ombros.

– Pássaros estranhos saíram voando da floresta hoje de manhã – diz Ben. – E está nublado há horas.

– Precisamos de chuva – argumenta Judith, para o marido.

– Nós normalmente temos a quantidade perfeita de chuva. Agora já não sei. E se houver enchente?

– O que acha que nós deveríamos fazer? – pergunta Rhun.

O homem mais magro do que ele passa a mão no cabelo curto e castanho. Encolhe-se. Sacode a cabeça e responde:

– Não sei bem.

– É difícil. Sei o que algumas pessoas andam dizendo. – Rhun começa a ir adiante, pensando nas palavras de sua mãe. "Qualquer cidadão que tente fazer uma coisa dessas não merece a vida do meu filho."

– Eu só quero que meu filho viva. Ou minha filha – insiste Ben.

Rhun vira para trás.

– Você quer que eu ou algum outro rapaz morra, para que os seus sobrevivam, Ben. Eu entendo. Até ele completar mais ou menos quinze anos e, talvez, chegar sua hora. Só que você sabe que não existe chance de ele sair vivo da floresta. Se o seu filho for o santo. – Rhun se aproxima e olha Ben nos olhos. – Sinto muito.

– Sem o pacto, ele pode morrer antes mesmo de nascer – sussurra Judith, com a mão na barriga levemente saliente.

– Eu sei.

– E o que vamos fazer a esse respeito, então? – Ben abraça a mulher bem forte.

A pulseira amarrada no pulso de Rhun fica apertada de repente. Ele sente frio e levanta a manga. O cabelo trançado com cipós se contrai e esfarela, transformando-se em cinzas.

A pulseira sumiu. Rhun abre a mão e fecha o punho em seguida, concentrando-se na força do braço. Nenhum sinal de magia.

De olhos arregalados, avista a floresta. Nem sequer lhe ocorreu que a voz ficara em silêncio por um bom tempo, adormecida, mais baixa ou simplesmente sem interesse de atraí-lo de volta para a Árvore de Osso.

Mas não é esse o problema. A amarração que os três fizeram não está enfraquecendo lentamente, nem se desfazendo.

Algo simplesmente a rompeu.

NOS APOSENTOS DE VAUGHN, MAIRWEN E HAF ENCONTRAM UMA cama do tamanho do quarto de Mair. Seus postes são feitos com troncos de árvores maciços, de madeira escura e polida. O colchão é grosso, de penas e não de palha, e tem cheiro de pinho e de alguma fragrância terrosa que Mair não consegue dar outro nome a não ser "outono". Haf passa o dedo na beirada de uma almofada estreita de seda e mexe na franja que decora a cortina, de um tom escuro de azul.

Mairwen tinha a intenção de examinar uma pequena pilha de cartas que estava em cima de uma mesa, no canto do quarto, e uma caixa laqueada que viu ao lado dessas cartas, mas para de se movimentar nessa direção quando chega ao pé da cama. No chão, há uma pedra cinza comprida, encaixada no meio de outras lajes menores e, quando ela se abaixa, e encosta nela, está levemente quente.

Igualzinha à pedra do borralho que há em sua casa e igualzinha ao altar da Árvore de Osso.

– Mair – sussurra Haf, apesar de não haver mais ninguém ali.

Mair sente um arrepio percorrer sua espinha e olha para a amiga. Que está apontando para a lareira fria e para uma pequena pintura oval, encostada nela. É o retrato de uma menininha.

Mairwen vai correndo até o quadro e o levanta com cautela. A tinta é velha e está rachada nas bordas, ao longo da fina moldura dourada. Mas o olhar da menina é tão intenso que parece que ela está se olhando no espelho. Olhos castanhos arredondados, um sorriso rosado, de lábios finos, a pele rosada e manchada e um cabelo castanho escuro com mechas avermelhadas pelo sol.

É Mair. Quando tinha cinco ou seis anos.

Antes que possa dizer qualquer coisa, sente um beliscão no pulso.

E então, soltando um grito, cai de joelhos, porque sente seu corpo ser tomado pelo fogo e por um uma sensação gelada como a escuridão da noite, tudo ao mesmo tempo: sente o calor no sangue e o frio nos ossos.

Deixa cair o retrato. Haf corre e se agacha ao seu lado, segurando-a pelos ombros, gritando seu nome.

Mairwen está com a boca tão seca que sua garganta se fecha. Ela tosse, desesperada, sentindo que algo a sufoca, rasgando seu estômago. Ela treme e sente o gosto, tanto amargo quanto doce, de sangue e de açúcar. Cospe uma flor. Uma minúscula flor roxa.

Das feridas abertas de Baeddan, brotam flores roxas, que murcham e morrem, e suas cinzas negras caem ao redor dos pés descalços dele.

– Eu permiti que o último deles fosse embora e veja só no que me tornei.

– Mairwen, está piorando? – pergunta Haf.

– Não – responde Mairwen, com a garganta ardendo.

Em seguida, cospe mais uma minúscula flor roxa. Está com as mãos abertas diante de si, espalmadas no chão de pedra: uma normal e rosada, os nós dos dedos brancos de tanta tensão; a outra, azulada e manchada, mas a munhequeira está se esfarelando, se desfazendo em minúsculas cascas marrons. O cabelo trançado se contrai, beliscando sua pele.

De repente, o peito de Mair começa a pegar fogo. Ela se ajoelha com dificuldade e arranca a túnica, rasgando o linho na ponta de um espinho. O espinho cai, fazendo um ruído impressionante, e Mair morde o lábio.

A floresta está se retirando do seu corpo! Rápida e desesperada, ignorando a necessidade que seu corpo tem de fazer uma transição mais lenta.

– Está doendo – choraminga. – Ajude-me a levantar.

– Deite na cama, Mair. Eu vou...

– Não! Eu tenho que ir até a Árvore de Osso. Eu tenho que... Alguma coisa está muito errada!

Mairwen se apoia em Haf e fica de pé, pisando no retrato. Seu calcanhar parte ao meio, e ela tropeça, mas a Haf está ali para ampará-la. Juntas, as duas saem correndo do palacete.

ARTHUR SE VIRA TÃO RÁPIDO QUE BATE AS COSTAS NO ALTAR.

Um homem surge da floresta, vestido de maneira simples, usando calças e uma túnica fina, com o colarinho desamarrado e os punhos abertos. Não usa botas nem meias, e seus pés descalços são estranhamente alvos, difusos como o luar, assim como o rosto. Tem um sorriso largo e curvo, feito uma foice. Seu cabelo é desgrenhado, de todos os tons de casca de árvore e de terra: amarronzados e cinzas, negros e avermelhados, encaracolados, formando uma touceira de cachos revoltos. Parece que um olho se arregala e o outro se espreme de forma independente. Um é escuro, e o outro, claro, e é só por isso que Arthur consegue dar um nome ao homem.

– Lorde Vaughn? – pergunta ele, espremendo os olhos.

O homem ergue os braços, e diversas mulheres-pássaro pousam nas suas mãos espalmadas.

– Lorde, pelo menos – responde o homem, afetuoso.

As flores continuam chovendo delicadamente sobre os dois, e Vaughn inclina o rosto e olha para a Árvore de Osso.

– Ah, aí está o meu coração – diz.

A cabeça de Arthur está girando. Ele se senta na beirada do altar.

Vaughn entra no bosque, indo ao encontro de Arthur, mas olhando para a Árvore de Osso. Duas mulheres-pássaro agarram seu braço, e outra pousa em seu cabelo. Atrás dele, se arrastam um punhado de criaturas de osso, o corvo e duas raposas, com os olhos arregalados fixos em Vaughn, com uma expressão que Arthur só pode interpretar como assombro. Por todo o bosque, as árvores se movimentam e estremecem, mesmo sem vento, e as sombras se voltam para dentro. Arthur ouve um bater de dentes e um farfalhar de penas, passos e o crepitar dos galhos gelados.

E Arthur vê aquelas mesmas florzinhas roxas que caem da árvore brotando por onde Vaughn pisa. Elas empurram seus caules contra a terra rachada, em meio às raízes enormes, debaixo de pedras lisas. E se erguem, se enroscam, desabrochando botões roxos.

Arthur pressiona o corpo contra a beirada do altar e também segura firme nele. Sua postura vai ficando tensa à medida que, lentamente, vai entendendo o que está acontecendo e entrando em pânico.

– Você é o demônio – afirma, quando Vaughn passa por perto dele.

O lorde está mais alto, e seu caminhar não é humano, como se suas... Sim, suas pernas se dobram de um jeito estranho, parecem que têm uma junta a mais, como as fortes pernas traseiras de um cavalo por baixo daquelas calças, mas seus pés se abrem e deles brotam tufos de pelo, e garras quase iguais às de um gato-do-mato.

Vaughn dá risada. Sua voz é oca, ecoa em si mesma. E, bem no fundo desta risada, Arthur jura ter ouvido um badalar de sinos.

Brotam espinhos da testa e das têmporas do lorde, que crescem e se curvam, em ganchos, até formar uma coroa em sua cabeça. Os espinhos se dividem ao meio e se esparramam, feito chifres, mas flores brotam, murcham e morrem, então brotam de novo, caindo pelos seus cabelos e pelo seu rosto.

O antigo deus da floresta, pensa Arthur, e é a voz de Mairwen que lhe sussurra essas palavras. Em seguida, Arthur pensa: *estou fadado a morrer*.

Se conseguir acender a fogueira, talvez consiga escapar. Vaughn parece estar tão encantado pela Árvore de Osso, pelos seus próprios movimentos e pela própria risada, que o rapaz pode ter uma chance. Arthur leva lentamente a mão ao bolso, para pegar o iniciador de fogo. Tem uma única chance de criar as faíscas. Já pegou os trapos e o mato seco, graças a Deus. Uma faísca e um sopro e talvez...

Arthur se vira e raspa o anel de aço contra o altar. Voam faíscas. Ele se abaixa, protegendo o fogo incipiente com as mãos, e sopra delicadamente.

Uma mão grande e retorcida bate nas faíscas. A fumaça se enrosca nos dedos do demônio. Arthur pega a faca e gira o corpo, já atacando.

A lâmina abre um corte no peito de Vaughn, atravessando a túnica e atingindo a pele. O sangue bate no rosto de Arthur, e o lorde o segura pela garganta.

Vaughn levanta Arthur do chão, e o segura bem alto, só pelo pescoço. O rapaz arranha o pulso do demônio, se debate. Suas botas chutam com força, mas parece que ele está chutando um enorme carvalho. O rapaz cerra os dentes, tenta respirar o melhor que pode, mantendo-se erguido com a força dos braços.

Vaughn contempla o esforço de Arthur. Um sangue espesso, vermelho e amarronzado, escorre lentamente, melado, pelo seu peito. Parece seiva. Seus olhos estão pretos de fora a fora, com pontos marrons e brancos, sua boca tem um tom vivo de vermelho, um vermelho devastador, e os dentes são afiados. Enquanto Arthur observa, de olhos arregalados, a pele de Vaughn continua a se transformar. Escurece em faixas que descem dos olhos, cinzas e roxas, como se todas as suas veias tivessem explodido e se esparramado por baixo da pele – ou como a morte. Ele está morrendo e apodrecendo diante dos olhos de Arthur.

– Por que – Vaughn, a criatura, pergunta, com a língua grossa –, a sua mãe não levou você com ela?

Arthur bufa, cuspindo saliva, e vê estrelas. Pontos pretos surgem no seu campo de visão. O sangue ruge em seus ouvidos. Ele dá vários chutes, se contorce, mas não consegue respirar ar suficiente para... para...

E, quando se dá conta, está voando de costas, atirado com facilidade em cima do altar. Cai no emaranhado de raízes da Árvore de Osso, batendo com força. Seu corpo se contrai, e ele não consegue respirar.

E, no próximo instante, está engolindo ar, ofegante, e tossindo, com as mãos nas raízes, se virando para tentar se arrastar para cima.

A Árvore de Osso estremece e, debaixo dele, a terra treme. Ou talvez seja Arthur tremendo, respirando com dificuldade.

O zumbido nos ouvidos se torna algo mais baixo e estridente, e ele ouve risadinhas por todos os lados.

Arthur ergue os olhos vermelhos, e vê Vaughn perto do tronco da Árvore de Osso, inclinando-se para encostar o rosto na casca áspera. Uma de suas mãos esqueléticas segura o crânio mais baixo, enrosca os dedos ao redor da mandíbula inferior, como se estivesse segurando o grito de um esqueleto.

Suas costas ficaram mais largas, rasgaram a túnica, e o lorde está mais alto e tornou a ficar branco e reluzente. Seu cabelo está se parecendo com pelos, lisos e negros, e ele vira para trás e olha para Arthur.

– Ainda está vivo. Oras.

– Eu não... – falar dói, mas Arthur obriga as palavras a saírem de sua garganta machucada. – E desde quando... a minha... mãe... é da sua... conta?

– Eu não consigo entender como ela pôde abandonar a própria prole. Eu quase destruí a mim mesmo pela minha, e sua mãe simplesmente... foi embora.

– Eu jamais teria ido embora! – grita Arthur.

O demônio, seja lá o que for, se agacha, equilibrando-se com facilidade em suas pernas de gato-do-mato, e fica observando Arthur.

– Sim. Você é parecido demais comigo. Eu também sempre acreditei nisso.

Arthur sacode a cabeça.

– Não. Não sou, não.

– Poderoso demais para viver no lugar onde criou raízes. Querendo mais, mas incapaz de abrir mão do que tem.

– Não. – Arthur fica de joelhos e sacode a cabeça de novo. – Não sou, não.

Uma mariposa bate as asas no seu rosto, e uma centopeia do tamanho de uma cobra desliza pelas costas da mão de Arthur e sai correndo em direção à árvore.

As flores continuam a cair.

O que foi que o demônio disse? Arthur fecha bem os olhos. “Eu quase destruí a mim mesmo pela minha.”

– Que prole? – indaga Arthur. Ele tosse, e seu corpo estremece de tanto que a garganta dói.

– Isso não é da sua conta, Arthur Couch. Já vou chegar do seu lado, para quebrar seu pescoço como se deve.

Arthur começa a se arrastar para longe, levanta cautelosamente, mas se desequilibra e vai para trás, cambaleando.

– E então você o quê? Queria mais e por isso fez um pacto com as bruxas do clã Grace, para poder sair de sua floresta?

– Sim, exatamente! Sentir o gostinho da liberdade, poder deixar essas raízes, mas as raízes precisavam mudar, tinham que ter um deus substituto.

– Os demônios que você entregou para ela não foram substitutos à sua altura.

– Não os demônios, não os santos em si, mas a vida e a morte deles. O ciclo, percebe? Vida e morte. É isso que eu sou, o que sempre fui, no coração da minha floresta. Eu me libertei ao dar ao coração um canal diferente.

Arthur agora consegue enxergar o que o demônio está fazendo: está acariciando a Árvore de Osso, convencendo-a lentamente a se abrir, para que haja uma fenda na pesada casca branca.

– Você vai voltar lá para dentro?

– Estou plantando uma nova semente, Arthur Couch.

– Que semente?

E aí Vaughn dá mais um sorriso e diz:

– Lá vem ela.

Gritos e gargalhadas ecoam atrás de Arthur, e ele se vira.

Alguma coisa se aproxima, arrastando outra coisa.

Arthur fica de pé e se segura no altar para ganhar forças.

É o demônio – Baeddan.

Arthur se aproxima, mas Baeddan não o vê. Seu casaco preto esfarrapado fica preso e se rasga em um arbusto espinhento, mas continua avançando, arrastando o seu prêmio violentamente.

– Baeddan? – chama Arthur.

O demônio ergue os olhos e dá um sorriso.

– Eu peguei o santo, e eu peguei o santo! Ele se fundirá com a Árvore de Osso, Arthur Couch, agora e para sempre, e eu serei livre! Ah, como estou com fome.

Arthur é tomado pelo pânico e corre ao encontro de Baeddan.

– Rhun? – Ele dá um suspiro de assombro e para de repente no limite do bosque.

– Ha, ha, ha! – E então o riso de Baeddan se deteriora em uma gargalhada rouca e demoníaca.

Era um corpo que Baeddan estava arrastando. Arthur sente um

rugido nos ouvidos à medida que se aproxima. Baeddan segura o santo pelo cabelo e levanta a cabeça dele.

John Upjohn.

A violência do gesto de Baeddan faz o homem entreabrir os olhos, e sua mandíbula parece frouxa. Seus braços estão dependurados, e sua única mão está sangrando, em carne viva, de tanto arrastar no chão. O peito está coberto de terra e de folhas, e a parte da frente de seu gibão está rasgada.

– Ele já está morto – diz Arthur, baixinho.

Baeddan dá uma risada de deboche e arrasta Upjohn pelo cabelo. Mechas loiras se soltam, e Arthur dá um pulo para a frente, empurrando Baeddan com o ombro.

– Solte-o. Saia de cima dele! – berra Arthur.

Mas Baeddan uiva, mexe o braço e dá um tapa em Arthur com as costas da mão.

A dor faz sua visão escurecer, e começa a sair sangue da boca de Arthur, porque ele mordeu a própria bochecha. O rapaz pisca para se livrar dos pontinhos pretos e se arrasta até Baeddan de novo.

– Pare, Baeddan.

Arthur segura o peito nu e cheio de cicatrizes de Baeddan e bate nele com força.

Baeddan solta um grunhido.

Arthur se abaixa perto de John Upjohn, encolhendo-se todo para que a onda de tristeza que sente não transpareça em sua expressão, mas essa onda se esparrama, saindo em sua respiração ofegante e entrecortada. Ele cospe sangue nas folhas. O antigo santo está imóvel. Morto. Um arranhão de garras atravessa seu olho esquerdo e desce pelo nariz.

– Morto? – sussurra Baeddan.

– Morto – responde Arthur, como se estivesse pronunciando um palavrão.

– Bem, então... – diz Vaughn, atrás dos dois, depois de ter assistido ao embate no coração do bosque. – Acho, Arthur Couch, que você será útil, afinal de contas.

– O PACTO FOI ROMPIDO – DIZ RHUN, PARA JUDITH E BEN, QUE estão olhando fixamente para os resquícios em brasa de sua pulseira.

Ele não quer esconder esse fato. Fica imaginando se Arthur já se deu conta disso, se Mairwen está sentindo, se os três tornarão a se encontrar.

– O que vamos fazer? – pergunta Ben, mais uma vez.

E, de repente, ao ver o casal ali, sob a poderosa luz do sol, prateada por causa das nuvens, Rhun entende: "nós" está certo.

Todos foram cúmplices do segredo, mesmo que não soubessem. Sendo assim, todos devem ter cumplicidade em igual medida quando se trata da solução. Não meia dúzia de pessoas tomando decisões por todos, não as bruxas do clã Grace nem mesmo apenas ele e Arthur. Todo mundo que se beneficia ou sofre com o pacto deve participar da decisão. Rhun sente seu rosto ficar vermelho, em uma sensação de triunfo, e diz:

– Nós vamos consertar o pacto juntos. Todos nós de Três Graces.

– Como? – pergunta Judith.

Rhun Sayer dá um sorriso e responde:

– Todos nós vamos nos tornar santos, Judith! Venham comigo até o vilarejo. – Dito isso, ele segue em frente, e essa revelação se abre, como se fossem asas em suas costas.

Quando chega às primeiras casas, diminui o passo, e grita:

– Povo de Três Graces, aqui quem fala é Rhun Sayer! Vocês me nomearam seu santo, e em nome dessa honra, peço que me escutem!

Venham para o centro agora, para a fogueira. Tragam casacos e botas. Tragam alguma arma, se quiserem! Mas venham. Aqui quem fala é Rhun Sayer, o seu vigésimo oitavo santo, e estou pedindo isso para vocês!

Rhun prossegue, percorrendo três das ruas laterais, gritando sua mensagem sem parar. Ele chama as pessoas que vê pelo nome, apelando para o poder de seus clãs e de sua história.

– Aqui quem fala é Rhun Sayer! – berra, na praça em espiral. Finca os pés no chão e usa as mãos em concha para amplificar sua voz. – Ouçam!

As pessoas vão se reunindo. Algumas chegam lentamente, mas outras chegam rápido, como se tivessem esperado a vida inteira por aquele chamado. Rhun não pode deixar de perceber que os primeiros a aparecerem são crianças e jovens, os corredores, com seus primos e amigos. Rhun os cumprimenta balançando a cabeça. Está ofegante, por causa do esforço físico, e também com o peito estufado de excitação. Não está com medo nem feliz, não está satisfeito nem entrando em pânico. Está, final e verdadeiramente, pronto, como nunca, porque agora não há mais nada a esconder.

Rhun Sayer deseja viver. Mas, mais do que isso, deseja ser visto por todos. Não quer que enxerguem o seu destino nem o que ele prometeu, nem certa bondade fantasiosa que o torna o melhor de todos. Não. Quer que as pessoas enxerguem as respostas para todos os segredos que guarda em seu coração: ele as ama tanto e ama tanto aquele vale que precisa transformar todos em santos. Cada uma daquelas pessoas. Rhun mudou, e todos precisam mudar com ele. Tomar a decisão. Ninguém ouvirá mentiras, ninguém permanecerá na inocência. Todos tomarão a decisão juntos.

Rhun vê sua mãe chegar, depois o pai. Vê o pai de Arthur e Cat Dee, Beth Pugh e seu irmão Ifan. Membros do clã Sayer vêm em massa. Todos os jovens que queriam ser santos no lugar dele.

E é aí, só aí, que Rhun dá um sorriso.

Alguns cidadãos também sorriem, porque sempre sorriem para Rhun Sayer. É instintivo.

– Obrigado – diz o rapaz. – Obrigado por deixarem o trabalho ou o medo de lado para me ouvir. Vocês sabem o que o pacto sob o qual vivemos durante duzentos anos verdadeiramente é. Todos os santos morreram, nenhum sobreviveu antes de John Upjohn e eu. Tentamos selar o pacto, eu, Mairwen e Arthur. Conseguimos, mas não durou muito. – Ele mostra o braço sem nada. – O amuleto se rompeu. O pacto acabou. Porque não o selamos com morte. Não há equilíbrio na vida que nos deram. Como podemos esperar viver como vivemos sem sacrifício?

Rhun ri, um riso baixinho e desesperado, de sua antiga ignorância. Sacode a cabeça e examina o grupo inquieto formado por amigos e vizinhos, por sua família. Todos estão se olhando e olhando para ele. Em silêncio. Como se não estivessem dispostos a discutir, mas também não conseguissem concordar completamente.

– Vamos morrer! – grita alguém, lá do fundo.

– Sempre morremos – retruca Beth Pugh.

Gethin Couch se acotovela com a multidão até chegar bem na frente.

– Então é você que vai morrer, Rhun Sayer? Ou é o meu filho? Como vamos refazer este pacto?

– Não sei – responde Rhun. – Mas precisamos fazer isso, todos nós. Todos os que vão se beneficiar precisam concordar com o preço. Todos precisam carregar o fardo juntos. – O rapaz abre as mãos e completa: – Venham comigo para a floresta, todos.

Gritos de protesto e sussurros de medo ecoam, com alguns "sim" promissores.

Rhun balança a cabeça de novo, olhando todos que consegue nos olhos.

– Tenham coragem – fala. – Façam o seu melhor! Mãe, pai, todos vocês do clã Sayer, sei que isso corre nas suas veias. E você, Braith Bowen, você é forte e quer que sua família continue a salvo. Você, Beth, e todas vocês, mulheres, que conhecem muito bem a sensação do fogo. Irmãos e irmãs que não conseguem imaginar outra maneira, permitam que eu lhes mostre.

– Você não é nosso líder, Rhun Sayer – grita Evan Prichard. – Você é jovem. Santo, com certeza, mas é imprudente. Foi você e seus amigos que mudaram tudo. Estava funcionando! Por que nós iríamos querer que algo mudasse?

– Estava funcionando às custas de minha vida – responde Rhun.

– Você sabia disso. Competiu porque é uma honra!

Alguns concordam, mas Rhun vê em outros o quanto querem que ele dissuada Evan Prichard, o quanto querem que ele esteja enganado. As pessoas podem sentir, só não conseguem se convencer.

Rhun insiste:

– Mentiram para mim. Eu achava que tinha chance de sobreviver. Baeddan Sayer não entrou na floresta para encarar a morte certa. E John Upjohn queria viver desesperadamente! Carey Morgan estava prestes a ser pai! E quem há de dizer que teriam atingido a santidade se soubessem? Por acaso você, Per Argall, teria ficado do meu lado e respondido à pergunta sobre o que o torna o melhor se soubesse da verdade?

O jovem espreme os olhos, cerra os punhos, mas não desvia o olhar.

– Não sei, Rhun – admite, com a voz baixa e triste.

– Nenhum de nós pode ter certeza – continua Rhun. – Mas tínhamos o direito de tomar uma decisão de verdade. De sermos corajosos de verdade, de saber! Sem essa verdade, toda alegria que tivermos neste vale será construída sobre uma fundação defeituosa! Um segredo que nos mata.

Ninguém vai embora. E todos ficam olhando para Rhun, esperando sua próxima colocação, como se ele fosse um pedaço de Deus.

Rhun sente o peso da responsabilidade. Sempre sentiu. Assim sendo, respira fundo e declara:

– Todos nós temos um lado bom. Só precisamos optar por deixá-lo guiar nossos passos. Nosso lado bom sabe o que eu sei: precisamos fazer isso juntos. Deixem que eu lhes mostre a Floresta do Demônio.

Bem nessa hora, uma mulher grita:

– O demônio pegou John!

É Lace Upjohn, que chora e arrasta a filha.

– O quê?

Rhun vai na direção de Lace, e a multidão abre caminho para ele passar.

– Aquele demônio, Baeddan Sayer, que vocês trouxeram da floresta, arrombou a porta da minha casa e saiu arrastando o meu filho! O que você vai fazer a esse respeito, Rhun? – pergunta a mulher, com uma voz tensa, em tom de acusação.

O rapaz reconhece a culpa. Cerra os dentes e diz:

– Vou entrar na floresta e impedi-lo. Vou lutar pela vida de John e pela vida de todos.

– Talvez devesse deixar o demônio levá-lo – sugere Gethin Couch.

E, a julgar pelo número de pessoas que balançaram a cabeça, ele não é o único a pensar assim.

– Como você tem coragem de dizer uma coisa dessas? – grita Lace.

– Você deu adeus a ele – dispara Gethin, chegando bem perto do rosto dela.

– Não estou disposto a permitir que isso aconteça, Gethin – intervém Rhun.

– Mas tem gente que está. Esse é o pacto, como você disse, e precisamos dele.

Braith Bowen grita:

– E seria capaz de dormir tranquilo esta noite, seu desgraçado sem coração?

Evan Prichard também grita:

– Eu durmo bem todas as noites, a não ser na Lua do Abate, sabendo que enviamos um rapaz para morrer na floresta. É a mesma coisa.

Muitas pessoas respondem ao mesmo tempo. Vira uma balbúrdia. Lace Upjohn seca as lágrimas do rosto, rouba a faca do cinto de Gethin Couch e sai andando, em direção ao norte.

– Eu vou para a Árvore de Osso! – grita Rhun, o mais alto que pode. – Venham comigo se quiserem estar entre os melhores! Se quiserem fazer por merecer a vida que temos.

A pequenina Bree Lewis declara:

– Minha irmã iria com você. Eu também vou.

Per e Dar Argall dão um passo à frente, segurando os respectivos machados.

– Mostre o caminho, Rhun.

Rhun pai vem da lateral, trazendo o arco e flecha.

O rapaz pega a arma que o pai lhe trouxe, desencadeando uma enxurrada de voluntários. Não todos, nem de longe, mas Rhun não tem tempo para convencer os mais resistentes. Contenta-se com essas pessoas, a maioria jovens, homens e mulheres, que não viveram tanto tempo sem nada por que lutar e não fazem ideia do que é arriscar-se a perder tudo. Alguns dos pais, alguns filhos, a maioria do clã Sayer. Ben Heir, ainda que tenha feito Judith jurar que ia ficar ali, em segurança.

Quando Rhun se dirige à Floresta do Demônio, está na companhia de todos os cidadãos de Três Graces que um dia tiveram capacidade de ter coragem.

GALHOS E FOLHAS BATEM NO ROSTO DE MAIRWEN À MEDIDA QUE ela vai descendo a montanha correndo, mal pousando os pés no chão. Haf está bem para trás, mas continua seguindo a amiga. Mair não tem forças para diminuir o passo e esperar por Haf, ainda mais que a floresta quase sumiu de seu sangue, que está zonza de abstinência, que seu coração dói como se tivesse se partido ao meio.

Ela voa pelos campos das ovelhas, cortando caminho pela frente e pela esquerda, em direção à floresta. Seus pulmões ardem, mas suas pernas são fortes, e seus braços socam o ar diante dela, como se quisessem ajudá-la a ir mais rápido. O vento açoita sua cabeça, e minúsculas pétalas de flores esvoaçam atrás, despedaçadas, caindo de seu cabelo.

Ao correr em volta dos fundos da choupana do clã Grace, olha para a chaminé: sem fumaça. Ela faz a volta, já prestes a se dirigir ao pasto dos cavalos, mas tem alguém encolhido no quintal, bem do lado da porta entreaberta.

Apesar da necessidade que sente de ir até a Floresta do Demônio, Mairwen diminui o passo, ressabiada, com uma sensação de pavor inexorável.

Ela toma a decisão sem sequer se dar conta e vai, apressada, até sua casa. Passa correndo pelo portão e corta a mão em um arbusto mal podado de groselha. É Hetty ajoelhada na frente da porta, com os braços acima da cabeça, com o tronco inclinado para a frente. Seus dedos compridos estão enfiados em seu cabelo brilhoso, abrindo e fechando, sem parar.

– Hetty? – chama Mairwen, ofegando muito.

A mulher mais velha levanta a cabeça: lágrimas escorrem pelo seu rosto sardento, e há sangue seco no canto da sua boca.

– Mair, sinto muito, muito mesmo. Não consegui impedi-lo. Sua mãe...

Mairwen inspira pela boca, com os dentes cerrados, e entra correndo na choupana. A porta bate com força na parede e se fecha em seguida.

Na penumbra, tudo parece normal, de início. A mesa da cozinha, os bancos, todos os maços de ervas secas pendurados nas vigas. Suas botas, no mesmo lugar onde as deixou no dia anterior – no dia anterior? – antes de ir para cidade, participar da comemoração, jogadas ao lado da escada que leva ao seu quarto.

Só que não há fogo no borralho, e há cinzas e pedaços de carvão negro saindo dele, como se o fogo tivesse explodido, com um grande estrondo.

E, deitada em cima da pedra, está sua mãe.

Ou o que restou da última bruxa do clã Grace.

Aderyn está com os olhos fechados, os lábios levemente entreabertos, como se estivesse tendo sonhos agradáveis. Suas mãos relaxadas, nas laterais do corpo, de palmas para cima, e as saias dobradas na altura da panturrilha. Parece que Aderyn apenas deitou para tirar um cochilo.

Mas seu peito é um amontoado de sangue escuro e violetas que florescem. Ou algo parecido com violetas, se é que essas minúsculas flores roxas podem brotar de grossos cipós entrelaçados. As flores saem direto do seu coração, irrompem através de suas costelas e se acumulam perto seu esterno, entre seus seios.

Mair cai de joelhos ao lado da mãe, respirando com dificuldade. Paira as mãos acima do rosto de Aderyn, depois das flores, e encosta um dedo na ponta de uma das pétalas. E então leva a mão à boca, para segurar o choro.

Os lábios de Aderyn estremecem, e ela respira.

– Mãe! – grita Mairwen, segurando uma de suas mãos geladas.

– Mairwen – sussurra sua mãe.

– Quem fez isso com a senhora? O que foi que aconteceu? O que posso fazer para ajudar?

– Estou morrendo, meu passarinho.

Aderyn fala tão baixo que Mair é obrigada a se debruçar sobre ela.

– Não. Deve haver algum feitiço, algo que eu possa dizer, para expulsar essas flores. A floresta está... ela está saindo de dentro de mim. E precisa sair de dentro da senhora também.

Aderyn franze o cenho e sussurra:

– É assim que todas as bruxas do clã Grace morrem. As flores que existem no nosso coração explodem, e nós nos tornamos flores.

Mairwen faz careta.

– Mas a senhora não foi chamada pela floresta. Ainda não! A senhora não...

árvores tremem, e o luar se aglutina em corpos e rostos, que se libertam das árvores, lançando luz sobre elas, como se fossem véus transparentes. Nove mulheres, com flores brotando do peito. Ficam paradas diante de suas respectivas árvores. Todas, menos uma, que

Afugentando essa lembrança, Mairwen tenta se convencer: "Ainda não!".

– A floresta veio até mim. Não precisou me chamar – responde Aderyn, apenas. Sua voz está muito baixa, muito fraca.

– Não!

As lágrimas caem dos olhos de Mairwen e pingam nas clavículas de sua mãe. Uma delas atinge uma folha escura em formato de coração. Os cipós estremecem, se contraem, e Aderyn grita.

Mairwen segura um dos cipós e ordena "murche", com toda a insistência que há em seu coração. O cipó se retorce e se contrai, mas Aderyn choraminga.

– Pare, pare, meu passarinho, e apenas ouça: ele voltou para o coração da floresta.

– O quê? Quem?

A menina seca as lágrimas e cerra os dentes. O sangue lateja em suas veias. Precisa fazer alguma coisa, ter um ataque de raiva, sair correndo ou encontrar a Árvore de Osso e exigir que ela lhe obedeça.

– Vaughn. Seu...

A mãe de Mairwen fica sem voz, e ela se encolhe toda, como se estivesse confusa.

– O quê? O lorde Vaughn? Ele não estava no palacete. Ele foi embora? Foi ele que fez isso com a senhora?

– Sim.

– Por quê? – grita Mairwen.

– Eu me lembro dele. Na época em que você era pequena e antes de você nascer. Sonhei com o lorde nas últimas três noites, sonhos estranhos... como se fossem lembranças, e eu... eu lembro.

– Eu também. Todo mundo lembra – sussurra Mair. – Eu me lembro do... do pai do lorde também, porque ele gostava de mim.

– Não era o pai dele. Vaughn não tem pai. Ele não é homem, meu... meu passarinho. Ele é a floresta e as flores... as pedras e a argila... todas as feras.

O rugido que Mairwen sente nos ouvidos é de suspeita, uma suposição absurda, uma terrível descarga de verdade que ela não quer ouvir.

– O antigo deus – murmura.

– Seu pai.

– Não. – Mairwen se afasta da mãe. – Não, *não*. Meu pai era santo! Carey Morgan, e seus ossos estão na... na Árvore de Osso. Eu encostei meu dedo no osso de seu rosto branco como a lua e olhei em seus olhos vazios!

Mair se lembra disso com absoluta clareza.

– Sou filha de bruxa e de santo!

Mairwen encara a menina usando o longo véu branco, e a menina levanta a mão, aponta para Mair e diz:

– Não – sussurra Mairwen.

a menina levanta a mão, aponta para Mair e diz:

– Você não pertence ao nosso clã.

TUDO ESTÁ EM SILÊNCIO.

Ela está cercada por árvores prateadas, com cipós brancos entrelaçados, e luar. Seus pés roçam na terra cheia de pedregulhos, sem sinal de grama ou de folhas mortas. E, através dos galhos, as estrelas piscam no céu noturno, de um pretume inacreditável. Não consegue ver a lua. Deve estar bem baixa. Só faltam duas horas para o amanhecer.

Encosta-se no ombro de Baeddan, enquanto os dois se movimentam e rodopiam lentamente, dançando sob as luzinhas que balançavam.

– Estão acordando – sussurra Baeddan.

Então solta sua mão e solta sua cintura.

– Quem?

Mairwen olha em volta. Está tão cansada e tão em paz que poderia fechar os olhos e dormir encostada na árvore mais próxima, nos braços de Baeddan, ouvindo o bater descompassado de seu coração e suas estranhas canções. Talvez, em sonho, as palavras dele façam sentido.

Baeddan se afasta, constrangido, como se não soubesse para onde olhar.

– Fique olhando, Mairwen Grace. São tão lindas...

Parada no meio do bosque, Mairwen espera sozinha.

Filamentos de luz pingam das estrelas, iluminando as rachaduras da casca da árvore, e todos os cipós estremecem, carregados de flores roxas que se tornam brancas e prateadas, depois cinzentas como as cinzas do fogão. E então caem no chão, silenciosas.

As árvores estremecem, e toda a luz se aglutina em corpos e rostos, que se libertam das árvores, acumulando luz, que se transforma em véus transparentes. Nove mulheres com flores brotando do peito. Elas permanecem diante de suas respectivas árvores. Todas, menos uma, que se aproxima de Mairwen.

Mair segura a respiração, mas não foge.

A menina chega mais perto e, através do véu branco e comprido, Mairwen vê seus olhos castanho-escuros, sua pele branca arroxeada, seus lábios entreabertos e seu cabelo também escuro, caindo em cachos volumosos em torno de seu rosto e de seus ombros.

– Olá – diz Mairwen, com o coração e o estômago palpitando, porque sabe quem são essas mulheres. Bruxas do clã Grace. Sua avó e a mãe de sua avó, e assim sucessivamente, até chegar às primeiras do clã. Aquela ali é a mais nova, a primeira das Grace.

A menina, Grace, levanta a mão por baixo do véu e aponta para Mairwen. Seus lábios se movimentam e, por todos os lados, o vento transmite sua voz, um sussurro de vento.

– Você não pertence ao nosso clã.

Mairwen sacode a cabeça, discordando.

– Eu sou uma bruxa do clã Grace. Minha mãe é Aderyn Grace, filha de Cloua.

– As bruxas do clã Grace não entram na floresta antes da hora de ficar para sempre.

– Eu entrei porque meu pai era Carey Morgan, um santo, e seus ossos estão aqui.

As outras mulheres de véu murmuram, perguntando umas às outras:

"Um santo?"

"Isso é tudo?"

"Será que essa pode ser a resposta?"

"Por que o hálito dela faz as árvores se curvarem, e seu sangue acumula vento?"

Mas a primeira bruxa do clã Grace sacode a cabeça. Seu véu esvoaça com esse movimento.

– Não. Todos os santos estão na Árvore de Osso, mas seu coração não está aqui para ser sacrificado. Filha da floresta.

– Meu... meu sangue não acumula vento – diz Mairwen.

– O demônio lhe obedece – fala a primeira Grace, olhando para fora do bosque, onde Baeddan Sayer está agachado, segurando a própria cabeça, embalando a si mesmo, como se fosse um bebê.

– Mas... – Mairwen está com a boca seca. – Minha mãe é bruxa, e meu pai, santo.

A primeira Grace aperta os lábios. Não aparenta ser mais velha do que Mairwen, deve ter dezesseis anos, senão menos. Mair tem vontade de perguntar sobre o demônio, o antigo deus da floresta. Ela o amava mesmo? Por que achava que ele era belo? Mairwen sempre acreditou que as piores coisas são cheias de beleza e, talvez, esta primeira Grace saiba o porquê. Mas, quando Mair abre a boca, a primeira Grace diz:

– Pare.

Mairwen escuta, porque assim decide, não porque se sente compelida.

O vento uiva, as árvores tremem, e os longos véus de luz esvoaçam. Baeddan geme.

Antes que Mairwen se dê conta do que está acontecendo, Baeddan está atrás dela, segurando os seus ombros. Ele se debruça e joga sua cabeça para o lado, empurrando-a com seu rosto. E então morde a base do seu pescoço.

Mairwen dá um grito. Primeiro de surpresa, depois de dor.

– Baeddan!

– Sinto muito, muito, muito mesmo – sussurra ele, encostando os dentes afiados em sua pele de novo. – Ah, Mairwen Grace, olhe!

A primeira Grace está com os olhos fixos no seu ferimento, e Mairwen tenta ver, espichando o pescoço. Um sangue quente escorre de suas clavículas.

– Cresçam para mim – sussurra a primeira Grace.

As estrelinhas que flutuam no ar começam a cair, feito chuva.

Um incômodo surge no peito de Mairwen, deslizando como um verme, em direção ao ferimento em seu ombro. Ela se debate de novo, sem ar. Seus olhos estão arregalados, mas Mair só consegue enxergar um sangue escuro, quase negro à luz do luar.

O verme chega à mordida e remexe nas beiradas da pele rasgada. Mairwen fecha os olhos e sente uma descarga de energia, uma faísca.

Baeddan dá risada e fala:

– Olhe!

Ela olha, bem na hora em que a flor roxa se ergue de sua pele, se enrosca em seu pescoço e vai subindo até chegar ao rosto. Seus olhos ardem de tanto esforço para se concentrar, e então tem a sensação de que a flor beija seu rosto e se afasta, vai caindo até chegar ao chão, então preteja e morre.

– Olhe! – grita Baeddan novamente.

Em seguida, ele solta Mairwen e sai dançando. Arranha o próprio peito e, quando o sangue roxo jorra, flores brotam, enroscando-se em si mesmas e reluzindo um tom vivo de roxo. Essas flores também se despedaçam e morrem, pousando no chão feito cinzas.

– A floresta está dentro de você – diz a primeira Grace.

Mairwen encosta na mancha de sangue e olha para os dedos. Vermelho, como o sangue deveria ser, mas é tão escuro…

– Você pode acabar com tudo ou refazer o pacto.

– Quê? – suspira Mairwen, ainda olhando para o sangue que brilha em seus dedos.

– Você é tanto bruxa quanto deus, Mairwen Grace. Tanto menina quanto floresta. Ou poderia ser, se você se permitisse.

Braços a prendem pelas costas. É Baeddan, que se encosta nela, como se precisasse de consolo. Aninha o nariz na marca da mordida, a beija de leve e lambe parte do sangue. Mairwen fica arrepiada, mas se sente mais forte tendo seu abraço do que sozinha com a primeira Grace.

– Conte o que foi que aconteceu – diz Mairwen. – Conte a verdade.

A primeira Grace dá um sorriso sinistro.

– Eu me apaixonei pela floresta. E a floresta retribuiu o meu amor. E então trocamos nossos corações. O meu está aqui, maior e mais forte do que seria se tivesse ficado na caverna diminuta de meu corpo. E eu sou apenas morte. O coração dele está lá fora, livre. E ele é apenas vida. Os santos nos unem, mantêm o feitiço vivo, mantêm a própria floresta meio viva na ausência de seu deus. Como o santo vive e também morre, os santos sempre são vivos e sempre são mortos.

Baeddan dá risada.

– O que aconteceu com o antigo deus da floresta? – pergunta Mairwen.

– Ele está vivo. Anda entre vocês. Aventura-se bem longe de sua árvore. Mas sempre volta para o abate.

Mairwen segura os pulsos de Baeddan, enfiando as unhas nele. Que solta um suspiro de prazer e a abraça mais apertado. Mas Mairwen tenta ver a lua e lembra que está baixa, tão, tão baixa.

– O antigo deus foi embora da floresta.

– Acho, bela Mairwen – diz a primeira Grace –, que ele também deve ser seu pai.

Mair está entrando em pânico: sua respiração está muito rasa e muito rápida, e ela arranha Baeddan, como o próprio Baeddan se arranha. Não é possível. Sua mãe teria lhe contado ou, no mínimo, não teria mentido.

– Minha mãe...

– Esqueceu. – Grace dá de ombros. Seu véu mal estremece. – Ou esqueceu boa parte do que aconteceu. Nosso feitiço garante isso, que o velho deus seja esquecido.

– E eu posso mudar isso? Posso mudar o pacto? Pôr fim a ele ou desfazê-lo, por ser quem... o que... eu sou?

– Se você permitir que ele a mude primeiro, sim. Mas não vai lembrar que eu lhe disse isso. Falamos demais dele.

Mairwen se afasta da primeira Grace, arrastando Baeddan, para que ele também se afaste. Com os olhos brilhando, fixos em Grace, Mairwen diz:

– Baeddan, leve-me até a Árvore de Osso.

QUANDO MAIRWEN ABRE OS OLHOS, ELA SE LEMBRA.

De cada passo que deu dentro da Floresta do Demônio, de cada corte e de cada árvore em que subiu. Lembra-se das mulheres-pássaro e de fazer um trato com elas para que a levassem até Arthur. Lembra que Baeddan a encontrou primeiro e a beijou e o momento em que o reconheceu. Lembra-se da boneca de sorbus e de ter brigado com Baeddan, de ter gritado com ele. Lembra a fome de Baeddan, as canções loucas, a boa vontade com que atravessou o brejo com ela. Lembra as maçãs vermelhas e brilhantes que ele lhe deu para comer e as árvores com rostos e garras, lobos semimortos e ferozes e criaturas de osso apodrecidas e pegadas na lama e quando viu que Rhun também estava na floresta e que Baeddan ficou desesperado para comê-lo. Ela se lembra de Arthur e Rhun brigando para ver quem iria morrer, quem deveria sair correndo. Da desolação dos dois, causada pelo tanto que um queria que o outro vivesse.

Ela se lembra de ter dançado com Baeddan naquele bosque perfeito, do sofrimento dele, de sua agonia, e de quando as bruxas do clã Grace se ergueram de suas tumbas.

Ela lembra o que a primeira Grace disse e que saiu do bosque em busca da Árvore de Osso, onde tinha certeza de que poderia mudar o pacto e mantê-lo vivo dentro de si. Ela se lembra de ter contado os crânios pendurados na árvore e de ter encontrado o de Carey Morgan. Quando encostou no seu osso malar, estava se despedindo, porque não era sangue do seu sangue, afinal de contas.

Mairwen se lembra de ter subido no altar com Rhun e Arthur,

jurando que isso libertaria Baeddan também e que todos poderiam voltar para casa. "Eu posso mudar o pacto!", disse ela. Os três deram as mãos, amarraram amuletos trançados nos pulsos e gritaram: "Somos os santos de Três Graces", no instante em que o sol raiou.

Ela se lembra de Sy Vaughn rindo e a ajudando a colher mil-folhas quando ela era pequena. Dois olhos castanho-escuros.

E agora um deles é de outra cor. Mas, apenas desde a Lua do Abate de John Upjohn. Ficou cinza quando o pacto foi quebrado. Quando ele perdeu o controle de si mesmo.

Todas essas lembranças se acumulam em sua mente, embaçadas e pavorosas.

Sua mãe mal está respirando, e Mairwen se aproxima e respira por ela. Então dá um beijo em seus lábios e fica de pé.

Como suas pernas estão bambas, Mair se apoia na mesa da cozinha. Suas vísceras se apertam e se contorcem. Ela tosse, e essa tosse se transforma em ânsia, e ela começa a vomitar, com o tronco inclinado para a frente e tremendo. Mairwen cospe mais uma flor e pedaços de casca de árvore, grandes e molhados. Sofre outro espasmo e não consegue respirar de tanto que vomita.

Ela cospe o pequeno osso do pulso, parecido com um pedregulho, que fazia parte de sua pulseira de amarração.

Sua cabeça gira, e ela começa a suar frio. Sente calor no rosto e frio nas mãos.

Mairwen se senta.

Acabou. Sua magia se foi. O amuleto, os pedaços da floresta que amarrou em si mesma: se foram.

ARTHUR CORRE.

Está cercado não apenas por criaturas de osso e mulheres-

-pássaro, por lobos e árvores, mas também por dois demônios. Baeddan dá um pulo na sua direção, alegremente, e um soco no seu peito. Ele sente algo se partir ao cair para trás, direto nos enormes braços do antigo deus.

Arthur se debate, mas punhos mais fortes do que o aço seguram suas pernas e seus braços, e ele é carregado até o altar. Solta um suspiro de pavor e não consegue acreditar que aquele será seu fim – amarrado à floresta, transformado como Baeddan, com o coração partido e a mente despedaçada, sem Mairwen e sem Rhun. *Meu Deus*, pensa. *O que será que Rhun vai fazer quando descobrir?*

– Não, por favor – sussurra.

E então ataca com todo o seu corpo, arqueia as costas, se debate, mas não consegue um centímetro de liberdade.

O demônio e o antigo deus da floresta o apertam contra o altar, espalhando os resquícios da fogueira que o rapaz fez. Vaughn espalma a grande mão no peito de Arthur, e cipós explodem da terra, subindo pelo altar de pedra feito cobras, enroscando sem parar nos braços de Arthur e no pescoço ferido dele também. Eles furam sua pele, costurando seus pulsos.

Arthur grita. As flores e os cipós formam uma teia, e o antigo deus se abaixa e encosta os lábios de um vermelho vivo na testa de Arthur.

– Será que virão lhe ajudar, Arthur Couch? – sussurra o antigo deus.

A FLORESTA SE RECUSA A PERMITIR QUE RHUN E SUA TROPA ENtrem nela com facilidade.

Ele e seu pai vão na frente dos demais cidadãos, que formam uma flecha. Empurram galhos hostis, cortando, de quando em quando, cipós que se enroscam em seus pés, e todos se encolhem para se proteger do vento gelado e constante. Avançam, mas lentamente. Alguns desistem, sua coragem se esvai quando veem um reluzir de dentes dentro do oco de uma árvore ou ouvem um grito que ninguém mais ouviu.

Mulheres-pássaro sobrevoam o grupo, bicando os olhos das pessoas, dando risada e cantarolando o nome de Rhun e "Tarde demais! Tarde demais!" e "O deus está em casa!" e "Já tem um santo em cima do altar, Rhun Sayer, Rhun-Rhun-Rhun! O que é que você vai fazer?".

– Soltem-no! – grita Rhun, dirigindo-se às mulheres-pássaro, imaginando John Upjohn amarrado, manchando o altar de sangue. – Não vão ficar com o coração dele!

E as mulheres-pássaro dão risada, voejando em volta de Bree Lewis e Per Argall, que as afugentam com uma faca e um machado, respectivamente.

No alto das árvores, roedores tremelicam e debocham, piscando seus olhos vermelhos, pingando de putrefação, e Rhun ouve aranhas fugindo, o bater de asas apodrecidas. Seu coração bate acelerado, e ele reza para não encontrarem nenhum lobo.

Encontram, é claro.

Um deles ataca Braith Bowen, que geme de dor, e seu primo Dirk desfere um golpe de machado no animal. Três outros atacam, e Rhun faz o que pode para organizar a defesa, mas é uma balbúrdia de lâminas e gritos. Até que, finalmente, todos os quatro lobos caem mortos. Bevan Heir levou uma mordida na perna e não consegue prosseguir. Muitos estão sangrando, de feridas menos desesperadoras. Perdem três pessoas, que ajudam Bevan a voltar mancando para casa.

Rhun está cansado, muito mais do que ficou na vez anterior, depois de ter passado apenas uma hora na floresta. Não consegue imaginar por que sua resistência está tão péssima, já que a Árvore de Osso está com Upjohn, já que Baeddan também deve estar perdido por lá, preso pelo coração da floresta.

Uma mulher de véu aparece, ladeada por outras duas, e elas sacodem a cabeça, espalmando as mãos para impedir que Rhun avance.

– Estamos nos dirigindo à Árvore de Osso – diz Rhun. – Para pôr fim nisso.

As mulheres o deixam passar, mas espicham as mãos e fazem carícias geladas no rosto e nas mãos de cada uma das pessoas que o seguem.

QUANDO MAIRWEN GRACE TINHA DEZ ANOS, ELA CRIOU UM FEITIÇO para acordar o fantasma de seu pai. Consistia em um apito de metal que a irmã dele lhe emprestou e tranças do próprio cabelo de Mair, misturado com grama que ela arrancou das sombras da Floresta do Demônio, trançadas com a fita vermelha estreita que Rhun Sayer queria amarrar na árvore Mão da Bruxa, mas acabou amarrando no cabelo de Mairwen.

Mair mordia o lábio enquanto arrastava Haf Lewis com ela, descendo o morro do pasto em direção à Floresta do Demônio, imaginando se o amuleto já tinha força suficiente ou se deveria adicionar algumas gotas do seu sangue na fita do talismã. Já tinha vida, morte, e benção unindo as duas coisas, mas ela queria uma grande magia, talvez grande demais para um amuleto feito por uma bruxinha.

– Estamos tão perto – murmurou Haf, com os dedos gelados de pavor, enroscados nos de Mair.

– Claro que estamos. – Mairwen torceu o narizinho para amiga. – Ele morreu lá dentro, é por isso que tenho que chegar o mais perto possível.

Haf parou e fincou os pés na terra e na grama verde no pé do morro do pasto.

– Acho que aqui já está bem perto.

– Não está, não. Mas pode ficar aí se quiser. Só vou me aproximar mais um pouquinho.

As altas árvores negras da Floresta do Demônio balançavam delicadamente na agradável brisa de verão. Mairwen se ajoelhou na faixa entre a luz do sol e as sombras e colocou o amuleto no colo.

Haf correu até alcançá-la e se ajoelhou atrás de Mair, encaixando os joelhos salientes e amarronzados nas solas dos pés da amiga, pressionando sua bunda. Mair se virou e deu um sorriso de agradecimento. Sentia-se melhor, parecia-se mais correto ter a conexão da amiga com o vale e com o sol – Haf estava sempre radiante, afinal de contas, e era cheia de vida. Mairwen resolveu que, talvez, ela mesma pudesse ser o amuleto: a Floresta do Demônio era a morte, Haf era a vida, e Mair, o fio que ligava as duas coisas.

Mas não disse isso em voz alta para Haf.

Mair levantou o amuleto, pousado em suas mãos em concha, encostou os lábios no apito e sobrou delicadamente.

O instrumento cantou uma doce canção, de uma nota apenas.

Mairwen soprou mais forte, com todo o ar de seus pulmões, repetidas vezes, em um ritmo regular. Entre cada nota, sussurrava o nome do pai:

– *Carey Morgan. Carey Morgan. Carey Morgan.*

Não teve nenhuma sensação de calor ou de mudança, nada que significasse que o feitiço funcionara, mas a magia é assim mesmo, sua mãe sempre dizia. Ou ela tem resultado ou não tem. As bruxas precisam acreditar em seu poder e em seus feitiços.

Haf encostou a testa nas costas de Mairwen, passou as mãos pela cintura da amiga e chegou mais perto. Quando Mairwen sussurrava o nome do pai, Haf também sussurrava.

A Floresta do Demônio estremeceu. Folhas negras caídas voaram pelo chão, vários metros adentro.

Pensamentos esparsos invadiam sua concentração: talvez devesse ter usado aquele amuleto à noite, já que os fantasmas preferem a noite, não é? Ela deveria entrar na floresta, ajoelhar-se nas sombras e não fora dela. Ou quem sabe a fita com o encantamento estava muito amarrada aos seus sentimentos por Rhun Sayer para servir de amarração ali? Ah, mas a menina queria tanto ver o pai, perguntar para ele onde seus ossos descansavam, para descobrir um modo de recolhê-los.

Um galho estalou nas profundezas da floresta, assustando Mairwen, fazendo-a perder a concentração. O apito parou de soar. Ela ficou observando, de olhos arregalados, a sombras que se sobrepunham, as mudanças na luz lá dentro, até onde sua vista alcançava.

Haf tremeu, e seus dedos pressionaram as laterais do corpo de Mairwen.

Mair respirou tranquilamente, mas suas mãos também estavam tremendo.

Um vulto apareceu ao longe, apenas uma sombra com olhos reluzentes. Forte, como um santo. Mair levantou de supetão.

– Pai ! – gritou ela.

Haf foi para trás, agarrada na saia de Mair.

– Mairwen – sussurrou ela.

O vulto se agachou. A menina viu os dentes do vulto reluzirem, porque ele sorriu ou fez careta ou uivou. Uma mão com garras encostou na árvore ao lado.

O coraçãozinho de Mairwen batia cada vez mais rápido, e ela também mostrou os dentes. Estava com medo, mas também se recusava a ter medo. Aquilo não era a mesma coisa que os esquilos de olhos vermelhos ou coelhos malformados. Não era a mesma coisa que os passarinhos que voejam entre os galhos negros, sussurrando canções com palavras humanas em vez de trinados e pios.

Ela sabia que aquele não era o fantasma de seu pai.

O seu feitiço invocara o demônio.

Mairwen deu um passo para trás, depois mais um.

– Vamos, Haf – sussurrou, andando de costas, sem tirar os olhos dos olhos do demônio, até se distanciar do limite da floresta a ponto de ele virar um borrão no meio das árvores.

SEIS ANOS DEPOIS, MAIRWEN NÃO PENSA DUAS VEZES ANTES DE CRUzar o limite novamente. Apesar de, desta vez, estar sozinha, sem amuletos para protegê-la nem sequer para tranquilizá-la.

A floresta está em silêncio, se recusa a sussurrar para ela, a ignora, como se Mair fosse tão insignificante que não precisasse se dar a esse trabalho.

Mairwen aperta os dentes.

Ela não é nada. É uma bruxa e filha de um... de um...

Meio-termo. Ela não é deusa nem menina. Não é somente santa nem somente bruxa.

Mairwen corre. Seus pés descalços se movimentam com facilidade, e ela se esgueira pelas árvores, apenas uma menina de vestido cinza esfarrapado.

Sua respiração é firme, seu olhar está focado à frente. Seu coração não bate descompassado.

Em pouco tempo, Mair pula o regato, avança no meio das touceiras de frutos do bosque, salta nas pedras e chega ao banhado. Ela conhece o caminho, porque lembra tudo. Vai direto até o coração da floresta.

Continua correndo sem parar, hábil e determinada, como um cervo.

A Árvore de Osso se assoma no bosque, e Mair entra nele sem fazer barulho, com o coração acelerado, um zumbido nos ouvidos. Exatamente como na lembrança.

E o chão está tomado de minúsculas flores roxas. Violetas que desabrocharam.

Baeddan está apoiado no altar e, em cima dele, tem uma pessoa estendida, presa por cipós e flores, pingando sangue do pulso e do tornozelo. Ela se aproxima do altar, sentindo um nó na garganta de medo. Mechas de um cabelo loiro ensanguentado aparecem no meio dos cipós, e Mair tem certeza.

Antes que consiga correr até ele, vê John Upjohn esparramado bem na sua frente, obviamente morto. As lágrimas ardem nos seus olhos, mas Mairwen se recusa a permitir que elas caiam. Não.

– Arthur – chama ela, desviando de John. – Arthur, você está me ouvindo?

Baeddan levanta a cabeça e diz:

– Vá embora, vá embora, bruxa Grace! – resmunga ele.

Tarde demais.

– Mairwen! – grita uma voz afetuosa, de puro deleite. – Você veio!

Ele está ali: andando em volta da base da Árvore de Osso. Sy Vaughn, com seu cabelo avermelhado e cacheado emoldurando o rosto, alegre e jovial. Ele sorri, e sua pele brilha, como se estivesse bronzeado. Seus olhos também brilham. Está com um casaco marrom e verde, de couro e veludo fino, com gola de pele. Suas botas pretas foram engraxadas. É o perfeito exemplo de homem em excelentes condições de saúde e financeiras.

Mas, à medida que vai descendo de uma raiz torta e comprida e se aproximando de Mairwen, Vaughn se transforma. Seus olhos vão ficando negros, e espinhos brotam do rosto. Seus dentes crescem, e os lábios se tornam de um vermelho-sangue. Os ombros ficam mais largos; as pernas, mais compridas, e as roupas se tornam apertadas, transformando-se em asas de couro, faixas de pelo e um limo verde espesso, que desce por seus quadris e suas coxas. Chifres surgem em sua cabeça, se bifurcando sem parar, depois se partem e caem, nas folhas escarlates do outono. Seu cabelo floresce, e as mãos se transformam em garras. Penas surgem na barriga rígida, macias e felpudas, como as de um filhote de coruja.

Mairwen fica observando, extasiada.

Ele bate os cascos pesados, arredondados como os de um cavalo, contornando o altar, então abre os braços: penas brotam e caem. Seu nariz cresce até virar uma tromba, presas saem de sua boca e se retorcem até se transformarem em cipós que serpenteiam para trás, por cima dois ombros. De sua testa, brota líquen, de um laranja escuro.

E então ele começa a inchar e a ficar com um tom feio de roxo. Um sangue claro sai do seu nariz, e seus olhos ficam brancos. Sua pele descasca. Mas, em vez de deixar músculos e ossos à mostra, ele volta a ser perfeito: Sy Vaughn, de cabelo avermelhado e pele cor de manteiga.

– Viu só, meu amor? – diz.

A transformação começa de novo. Mas, desta vez, a pele endurece, tornando-se granito cinzento, idêntico ao da pedra do altar, e clareia até ficar branca e cheia de ranhuras como a casca da Árvore de Osso. Seus olhos estão perfeitamente roxos, como as violetas.

– O senhor é o deus da floresta – sussurra Mair.

– Você é minha filha.

A menina faz questão de ignorar o comentário, com o coração palpitando de medo.

– Por que voltou para a floresta agora? Por que o senhor feriu minha mãe?

– A magia vem me cutucando há anos. Estava na hora de voltar para casa e rever o pacto com as minhas próprias mãos. Aderyn... – Ele solta um suspiro, que faz um ruído de pedra raspando em pedra. – Minha querida Aderyn estava finalmente se lembrando de mim, porque todos os seus feitiços estavam perdendo a força, e eu gostaria de poder permitir que ela... sinto falta dela, minha bruxa... Mas precisava de seu sangue.

– Para quê?

Vaughn abre o braço na direção do altar, onde está Arthur.

– Para ungir um novo santo.

Mairwen se aproxima de Arthur, entrelaça as mãos e as pousa em cima do peito.

– É tarde demais? – pergunta.

– Para ele? Este rapaz tomará o lugar de Baeddan, e você falará com ele de novo.

– Isso não é... Não faça isso. – Mair olha Vaughn nos olhos, que agora estão pretos e castanhos, e faz questão de não desviar o olhar ao dizer: – Por favor.

Vaughn dá risada: um ronco sombrio e agradável, que faz vibrar o chão debaixo dos pés descalços de Mair. À sua volta, a gargalhada ecoa em mil risadas e gritinhos. A coluna de Mairwen enrijece, porque ela não tinha se dado conta de que estavam cercados por habitantes da floresta.

– Isso já funcionou, uma única vez, para salvar a vida de um santo. Mas não posso permitir que funcione novamente.

Ela franze o cenho e, de repente, se dá conta de algo, que deixa escapar:

– O senhor sabia que permitir que John sobrevivesse romperia o pacto. Que isso enfraqueceria a magia e... e você mesmo.

– Foi a única coisa que você me pediu na vida – ele fala com uma voz suave, que sai meio estranha por causa das presas que apertam seus lábios rosados. Vaughn não para de mudar, de se transformar, de morrer e voltar à vida.

Mairwen fica só observando, perplexa.

O antigo deus da floresta completa:

– Valeu a pena, por você.

Mair pisca, e as lágrimas escorrem pelo seu rosto, em linha reta.

– Eu não sabia que a queria até você chegar ao mundo – diz ele. – Não tive outros filhos antes. Quando você nasceu, contudo, fui visitar Addie e a segurei no colo. Era a primeira vez, desde que tinha ido embora da floresta, que criei uma vida, que semeei uma vida de novo. Eu fazia isso. Aqui na floresta, eu era parte do todo. Vida e morte, estrelas e podridão...

– Batidas do coração e raízes – sussurra Mairwen, junto com ele, tremendo.

Seu pai dá um sorriso e fala:

– Eu olhei para você e fiquei ansiando pelo dia em que teria idade para entender, para me *enxergar*.

Mairwen não tem palavras para denominar o sentimento que cresce dentro dela: que é leve e delicado, mas promete mais, como a aurora ou um pão que cresce. Mairwen deseja esse sentimento, deseja viver dentro de seus limites, mesmo sabendo que não é real ou não é forte o bastante para durar. Só que Arthur está morrendo. Sua mãe está morrendo. Aquela criatura – deus, pai, tudo o que ele é – não pode ficar com os dois.

– O senhor tirou a minha magia – declara, por fim. – Que estava me transformando, mas pegou tudo de volta quando veio para cá.

– Eu teria morrido se não tivesse voltado e feito o coração da floresta renascer. O pacto garante a minha liberdade e foi completamente rompido. Você o rompeu.

– Poderia vê-lo com bons olhos se o senhor tivesse se revelado quando eu estava com espinhos nos meus ossos e flores no meu sangue.

Vaughn sorri.

– Você pode recuperar isso. Coma uma flor deste coração e retome o seu poder, filha.

Ela olha para Arthur, para as minúsculas flores roxas que desabrocham no seu peito, para as linhas de sangue que pingam pelas laterais do altar de pedra. Para Baeddan, tremendo, cuja pele afunda no crânio. Ele também está morrendo.

– Eu a conheço muito bem, Mairwen. Sei que quer isso – diz o deus da floresta, ávido, estendendo-lhe a mão. – Você é tudo o que eu sonhava. Corajosa, ousada e poderosa, minha filha.

Mairwen olha para as flores que se enroscam nos dedos dos pés dele. Há um rastro estreito de flores atrás de Vaughn, que sobe pelas raízes da Árvore de Osso, pintando sua casca branca de verde e violeta.

Vaughn diz:

– Você está amarrada a este lugar porque meu sangue a torna parte dele, Mairwen. Sangue do clã Grace e sangue da própria floresta! Ah. – Ele dá risada e completa: – Podemos ter tudo isso, todo esse poder. Eu e você, sermos uma família.

A mão que Vaughn mantém estendida para Mair, com aqueles dedos retorcidos de madeira e uma faísca de alegria descontrolada, lhe causa um desejo irreprimível de apertá-la.

– Filha – insiste ele.

A menina quer que o deus esteja sendo honesto. Que queira conquistá-la pelo que ela é e por causa das possibilidades expressas em suas palavras, não para ter poder.

Mairwen desliza seus dedos pelos dedos do deus, abrindo os dedões na palma de sua mão. Fica olhando para as linhas que se formam em sua pele de casca de árvore e encosta a mão de Vaughn em seu rosto. Pressiona as bochechas contra ela, vira o rosto e dá um beijo na ponta do dedão do deus. Que tem cheiro de raízes mofadas.

– Eu e você, Mairwen – provoca o deus. – Ninguém em Três Graces ficará contra nós, se estivermos unidos.

– Não – murmura ela, baixinho.

A sua família é formada por Rhun, por Arthur e Haf, por sua mãe, sim, e até por aquele demônio que a tenta. Seus dedos dos pés estão gelados, encostados no chão da floresta. Ela sente uma energia vital passando através da terra das raízes.

– Não! – Vaughn parece estar sinceramente surpreso.

– Mairwen já tem família – grita Rhun Sayer, da beirada do bosque.

OS OMBROS DE RHUN SOBEM E DESCEM ENQUANTO ELE FICA PARA-do no limite do bosque da Árvore de Osso para recuperar suas forças. Ouviu o suficiente da conversa entre Mair e o demônio para saber que ele é o antigo deus, e que o antigo deus é tanto Vaughn quanto o verdadeiro pai de Mair. Seu pai: lhe oferecendo todo o poder da floresta, pelo qual ela sempre ansiou.

Por algum motivo, Rhun não fica surpreso. *Não*, pensa, enquanto observa Mairwen encostar na mão do pai e refletir sobre a proposta, *fiquei surpreso, sim*. Só não está preocupado. Terá que lidar com tais revelações, mas em seu coração não restam dúvidas do que Mairwen irá fazer. Provavelmente, Rhun confia mais nela do que a própria Mairwen confia em si mesma naquele exato momento.

– Mair já tem família – declara, confiante, revelando sua presença no bosque.

Mairwen se vira para Rhun. Baeddan uiva e levanta com dificuldade.

O demônio – o deus – dá um sorriso irônico.

– Seja bem-vindo, Rhun. E sejam bem-vindos todos os que vieram atrás de você. Bree, Per, Rhun pai! Nona: não me surpreende. Braith, e até você, Cat Dee! Deve ser bem determinada, para ter conseguido chegar aqui com essas suas pernas velhas e cansadas. Bem-vindos ao coração da minha floresta. Ah, é você, Lace?

Todos conseguem reconhecer Sy Vaughn, apesar dos espinhos e das flores que se retorcem, formando uma coroa em meio aos cachos, apesar dos dentes afiados e dos olhos negros. Sua postura é nobre, como estão acostumados, e a voz só está levemente mais rouca.

Todos se lembram dele agora: nunca houve um lorde Vaughn anterior, apenas este, jovem e belo, durante duzentos anos.

– Rhun – diz Mair, mas Lace Upjohn entra no bosque e vai mancando até o corpo do filho.

– Ai, John, não – sussurra ela, com as mãos trêmulas. – Foi você que fez isso, Mairwen Grace.

Mair se afasta dela, abalada.

Cat Dee diz:

– Não. Foi ele. Aquela criatura.

Os habitantes do vilarejo que vieram com Rhun vão se aproximando, ressabiados, ficando sob os galhos brancos e esparramados da Árvore de Osso.

É Vaughn que se aproxima de Lace e se abaixa.

– Sinto muito, muito mesmo, Lace. Vamos comemorar o fato de ele poder ter desfrutado de mais três anos de vida, com você.

Lace ergue os olhos cheios de lágrimas, segurando a mão gelada do filho entre as suas.

– O que o senhor é?

– Sou a floresta, cara dama. Sou o deus da floresta, e também o seu lorde, que você conhece a vida inteira.

– Eu lembro – murmura Lace.

A mulher fica piscando para Vaughn e não parece ter medo.

Rhun diz:

– Estamos aqui para fazer um novo pacto ou encerrar este para sempre, Vaughn. Todos nós.

O demônio dirige seu olhar para ele, ficando de pé com as pernas compridas. Bree Lewis e Ginny Argall se aproximam de Lace e se abaixam, ajudando-a a abraçar John.

– Bem, Rhun Sayer, o que o faz pensar que está em condições de negociar comigo?

– Não vamos mais lhe dar santos. Estamos todos aqui para decidir o que fazer juntos.

O demônio sorri e dá risada, um som parecido, a um só tempo, com o dos trovões e dos sinos. Rhun cerra os dentes.

– Arthur já está em cima do altar – declara Mairwen, baixinho. Mas suas palavras chegam aos ouvidos de Rhun, que levanta a cabeça.

Há um corpo em cima do altar, sim, preso por cipós e sangrando também.

– Não – diz ele e corre até lá.

Só que Baeddan o derruba, com um golpe forte de braço. Rhun cai no chão, e a queda expulsa o ar de seus pulmões, mas ele levanta o mais rápido que pode. Seu primo se aproxima, o segura pelos braços. E canta:

– Você não consegue passar por mim, santo-santo-santo. Só assim posso ser livre-livre-livre.

– Solte-me, Baeddan. Sabe que isso está errado. Arthur não é santo. Ele não é igual nós.

Rhun não acredita nisso. Ele acredita que o coração de Arthur é muito valoroso, mas insiste mesmo assim, diz o que precisa dizer para conseguir chegar ao altar.

Os olhos de seu primo voltaram a ficar mais negros do que o lodo do rio, vazios e tranquilos. A pele de Baeddan afundou no crânio. Ele respira rápido, soltando um ar seco, com cheiro de mofo.

Ao longe, Rhun ouve Mairwen dizer alguma coisa, e o demônio responder, mas espalma as mãos no peito de Baeddan. E o empurra, soltando todo o seu peso em cima do primo.

– Deixe-me passar.

– Não posso, primo. Irmão.

Baeddan sacode a cabeça e começa a empurrar Rhun para trás, com a força de uma montanha. Mostra os dentes afiados de duro granito. Espinhos negros rompem na pele fina e rachada do maxilar, como se fazer aquele esforço o estivesse transformando de novo.

– Eu amo Arthur – declara Rhun.

– Eu sei. Isso não... Não consigo resistir... a floresta... Está dentro de mim. Estou dentro dela. Sou uma chama dentro de um lampião, e o vidro prende meu próprio coração, santo. Eu sou... eu sou raízes e minhocas. Elas se arrastam dentro de meu estômago e fazem cócegas, Rhun Sayer. Fazem cócegas. – Baeddan dá uma risadinha e aperta os braços de Rhun, machucando-o. – Meus pulmões são folhas secas. Meu coração... meu coração são pétalas de flores.

Nos limites do bosque aparecem espíritos – fantasmas de véus brancos. Gritos ecoam, porque uma centena de mulheres-pássaro voam pelo bosque, batendo as asas e falando palavrões, seguidas por criaturas de osso, que vêm correndo, arranham os habitantes do vilarejo com seus dedos duros e gritam histericamente. Lobos em putrefação uivam, os dentes caem de sua boca, e todos os habitantes de Três Graces se reúnem, chutam e desferem golpes de machado e de vassoura, tentando se defender.

– *Parem!* – berra Sy Vaughn, de braços abertos, e as flores em seu cabelo pegam fogo.

Os monstros minúsculos e os pequenos demônios saem correndo, e Rhun ignora tudo, respirando fundo e normalmente, olhando para o primo.

Rhun para de resistir. Relaxa.

– Tudo bem, Baeddan. Eu entendo.

E ele entende mesmo. Sabe o que precisa fazer para salvar Arthur.

Baeddan baixa os ombros.

– Que bom, que bom. Lamento por Arthur. O coração dele vai durar. Vai durar, e ele vai se lembrar de você por... por um tempo. Eu estarei na Árvore de Osso, observando tudo com olhos vazios e sorrindo um sorriso com meus ossos descarnados.

Baeddan solta uma gargalhada da própria piada terrível. Em seguida, larga Rhun.

Que segura o cabo da faca escondida em sua bota. Nada ao seu redor importa, a não ser continuar olhando nos olhos negros e inquietos do primo enquanto levanta rapidamente e desliza a lâmina bem fundo e depressa no pescoço de Baeddan.

– VIRAM SÓ? – DIZ O ANTIGO DEUS, DEPOIS QUE MAIR CONTA para todos que Arthur está em cima do altar, e Baeddan segura Rhun. – Viram só, já temos um santo sacrificado, e vou me encarregar da transformação. Vocês ganharam mais sete anos e só precisam voltar à sua vida normal.

– Não vou sair daqui sem Arthur – declara Mairwen, dirigindo-se a Vaughn. Então olha para todas as pessoas de Três Graces que tiveram coragem de acompanhar Rhun. Tem orgulho delas. – Não podemos abandoná-lo aqui, para morrer, para se transformar no que Baeddan se transformou.

– É a única maneira de devolver a vida à floresta, Mairwen. Veja todas essas pobres criaturas, nem vivas nem mortas, como Baeddan. Prefere que a floresta apodreça e morra?

Haf sai correndo do meio das árvores.

– Mair ! Tem... – Ela dobra o corpo, ofegante, apoiando as mãos nos joelhos. – Eu vi sua mãe! Eu vi Hetty.

Mairwen cerra os dentes.

– Você não pode impedir o sacrifício, Mairwen – declara Vaughn.

De algum modo, ele retardou seu constante ciclo de transformação, se fixou como o jovial Vaughn, com leves pinceladas de natureza selvagem: espinhos, chifres, flores. Mair entende que ele não quer assustar as pessoas. Parece o deus de um conto maravilhoso: belo e estranho, mas não monstruoso.

– Vou impedir o senhor.

– Não neste estado – retruca Vaughn, com um sorriso. – Só se comer uma flor deste coração e retomar seu poder.

Mair sacode a cabeça.

Braith Bowen fala, cerrando os punhos nas laterais do corpo:

– Lorde Vaughn, eu... nós viemos para cá com Rhun porque queremos saber a verdade. Queremos fazer parte das decisões.

– Sim, precisamos saber! – concorda Bree Lewis, ao lado do corpo de John Upjohn. Está se segurando no braço de Lace.

– Permita que nós todos negociemos com o senhor – exige Nona Sayer. Perto dela, Alis Sayer, Delia Sayer, seu marido e uma dúzia de homens e meninos do clã Sayer.

O demônio gira os ombros, e deles saem penas, que descem formando enormes asas.

– Sim – fala, com sua boca tomada por presas tortas –, negociem comigo. O que podem oferecer em troca de paz e prosperidade para o vale? Já que não querem dar um de seus corações...

Mairwen se abaixa, encosta as mãos na terra.

– Floresta – sussurra. – Preciso que acorde de novo, no meu sangue.

"Filha da floresta. Mairwen Grace."

Os fantasmas de todas as bruxas do clã Grace aparecem em volta do limite do bosque. Mairwen inspira pela boca, silenciosamente, no mesmo instante em que uma das mulheres-pássaro grita, e os habitantes da floresta pulam e atiram pedras nos fantasmas, tentam rasgar as saias e as botas daqueles homens e mulheres cujo lugar não é ali, na Floresta do Demônio.

– Parem! – ordena Vaughn. Os *goblins*, os monstros de osso e as mulheres-pássaro vão embora na mesma hora, apressados, e tornam a se esconder em meio às sombras.

– Olá, Grace – diz ele, virando-se para a mais nova das meninas, que sorri debaixo do véu.

– *Meu coração* – diz a primeira Grace. – *Já faz muito tempo que não vem me visitar.*

– Eu não podia voltar para cá depois que o feitiço foi feito, meu amor.

– Até parece que a ama – retruca Mairwen. – O senhor se aproveitou dela para conseguir sua liberdade.

– Eu a amo *e* me aproveitei dela, passarinho. A maioria das coisas neste mundo não são uma coisa só.

Mair solta um suspiro de assombro ao entender o que ele quer dizer. Fica de pé e vai até a primeira Grace.

– Devolva o meu poder.

– *Tome* – murmura Grace, mal mexendo os lábios.

Um ruído gutural distrai Mair, e ela se vira para Rhun, bem na hora em que ele corta a garganta de Baeddan.

Poeira e partículas de luz saem da ferida. Nada de sangue.

Aquela ferida arde nas entranhas de Mair, como se fosse ela que tivesse levado a facada.

– Não – fala Mair, correndo para perto do demônio moribundo.

Cipós saem do corpo de Baeddan Sayer, estraçalhando-o. E, de seus lábios, sai fumaça. Fumaça também se ergue dos cantos de seus olhos, como se fossem lágrimas de ponta-cabeça. Ele mostra os dentes afiados, que começam a cair, rodopiando, até bater no chão. Baeddan continua rindo, joga a cabeça para trás e segura nos ombros de Rhun novamente. Rhun abraça o primo, amando-o e com medo.

Os dois caem juntos no chão. O ar fica com cheiro de fogo e metal pungente, e Baeddan desmorona nas mãos de Rhun, se transforma em brasas e cinzas, em terra e galhos cheios de espinhos, espinhos tortos e até em flores, murchas e sem cor.

Os cipós de cima do altar se retorcem e se contraem, e mais três flores desabrocham.

As lágrimas caem dos olhos de Rhun.

Mairwen também chora. Ajoelha-se ao lado de Rhun e afunda as mãos nas flores, nos ossos frágeis, em busca do emaranhado de espinhos que antes era o coração de Baeddan. Ela arranca a faca da mão de Rhun. Desliza no próprio peito e a atira no chão. Em seguida, pressiona o coração contra a longa e ardente linha de sangue. O coração se desfaz, e Mairwen lambe as cinzas que ficaram na palma de sua mão.

Espinhos e arbustos explodem, saindo da terra, cercando-a em um ninho violento.

Rhun se afasta dos espinhos cambaleando, sussurrando o nome de Mairwen, e corre até o altar.

A maioria dos habitantes vai para trás, com passos trôpegos, mas alguns acompanham Rhun, e as mulheres do clã Sayer cercam Vaughn, brandindo flechas como espadas, e Nona tem um machado em cada mão. As mulheres-espírito se aproximam. A primeira Grace sorri para Vaughn, e seu sorriso cresce ao ver que as penas das asas dele se encolhem e viram cinzas. O ciclo de vida e morte do deus reinicia mais uma vez.

Dentro de seu casulo de espinhos, Mairwen treme e grita por causa do seu sangue que se arrasta, pesado e pegajoso, à medida que cipós e flores tentam se libertar, se emaranham em seu estômago e quebram seus ossos. Suas clavículas ardem, porque os espinhos crescem novamente, todos de uma vez só, e suas unhas escurecem.

Perto do altar, Rhun começa a cerrar os cipós, arrancando-os o melhor que pode. Haf o ajuda, assim como seu pai e Braith. Conseguem ver o pescoço de Arthur, depois a boca, que está aberta, com flores saindo dela.

– Não pode ser tarde demais – sussurra Rhun, acariciando o rosto de Arthur, seus lábios. – Acorde, Arthur! Baeddan morreu. Você não pode morrer também.

Ele beija a testa de Arthur, enquanto os demais continuam a arrancar os cipós. Jorra sangue quando cortam os cipós que prendem seus pulsos, arrancando-os de sua pele.

Arthur corcoveia, com as costas arqueadas. Abre a boca e solta um grito silencioso.

Mairwen, ainda presa dentro do ninho de arbustos, segura um cipó, cortando a palma da mão. Onde seu sangue cai, desabrocham flores, em pequenos buquês brancos, como os das mil-folhas. Ela consegue abrir um vão no espinheiro e sai lá de dentro.

– Estou aqui, Arthur está tudo bem – fala Rhun. – Não vou permitir que a floresta fique com o seu coração. Ele é *meu*.

– Solte o santo que está em cima do altar – ordena Mairwen, dirigindo-se à Árvore de Osso.

Vaughn diz:

– Você não é capaz de me derrotar, filha. Você só tem o poder da vida, não o da morte. É preciso ter os dois. Precisa permitir que ele o transforme completamente. É aí que reside o verdadeiro poder: na transformação.

– Basta impedir o senhor – responde a menina.

A floresta esparrama da sua boca, queima seus olhos até ficarem negros como um carvão e seus lábios racharem. Mil-folhas desabrocham e caem, e o seu cabelo também é um espinheiro, enrolando-se em torno de si mesmo, enquanto ramos verdes e tenros brotam e se enroscam nos espinhos.

Arthur Couch se senta, tossindo sangue e pétalas. Ele cospe e cai do altar, despencando em cima do peito de Rhun. Não consegue ver direito, mas ouve uivos e sinos ecoando ao redor. Seu corpo está fraco: Rhun o segura para que continue de pé. Cada batida de seu coração vibra em seus ossos.

A Árvore de Osso crepita e estremece, ficando tomada de folhas escarlates: é o sinal de que chegou a hora da Lua do Abate.

– Pronto – diz Mairwen, com a língua cheia de flores. – O pacto foi rompido novamente. A árvore precisa de um coração, e o senhor não vai ganhar o de nenhuma pessoa que está aqui.

– Então o que cultivarem murchará, a chuva deixará de cair, e os bebês morrerão – declara o antigo deus.

Saem pelos de seu rosto, chifres de sua cabeça. Suas costas se curvam, e ele fica de quatro, com delicadas pernas de veado, completamente transformado.

– Esta é a árvore do meu coração. Todos vão sofrer sem mim! Por terem me aprisionado aqui novamente – diz Vaughn, à medida que os pelos caem em tufos, e os chifres de veado se transformam em galhos desfolhados, enquanto ele apodrece e se resume a ossos recobertos por novas flores mais uma vez, e ele fica em pé, com duas pernas: um urso, um homem, uma criatura feita de líquen, lama e argila, um homem belo novamente, com suas asas de couro, como as de um morcego, e a boca cheia de molares pesados. – Façam uma proposta – diz, através das pedras. – Filha, eles vão odiar você se não fizer isso, se os filhos deles morrerem. Se todos morrerem de fome. Não será bem-vinda em nosso vale e não será bem-vinda aqui, onde mora seu coração.

Mairwen fica observando, já exausta, sentindo dor e mal conseguindo se manter de pé por causa das chamas da magia que ardem em suas veias, fazendo-as inchar, sobrecarregando seu coração.

– Você é bruxa, Mairwen ! – grita Haf Lewis. – Aja como bruxa!

Ela olha para Haf, que está com o rosto manchado de lágrimas, e olha para a primeira Grace, que está sorrindo. Então olha para Rhun Sayer e para Arthur Couch, abraçados, encostados no altar. Arthur cruza o olhar com ela, e Mair vê que, em volta dos três primeiros dedos da mão direita de Arthur, está o iniciador de fogo.

Mair disse para Haf que ser bruxa é estar no meio-termo: ver os dois lados, todos os lados, ver o que os outros não conseguem ver e usar esse poder para tomar decisões. Para mudar o mundo.

"Você só tem o poder da vida, não o da morte. É preciso ter os dois. Precisa permitir que ele o transforme completamente. É aí que reside o verdadeiro poder: na transformação."

– Arthur – diz Mairwen –, faça o que veio fazer aqui.

O antigo deus grita, meio furioso, meio rindo. A floresta se estreita, agarrando as pessoas. Criaturas de osso atacam, e as mulheres-pássaro gritam.

Mairwen não perde tempo. Vai correndo até a Árvore de Osso, sobe por suas raízes até o oco escuro que seu pai convenceu a árvore a abrir. Mergulha naquele útero gelado e pegajoso, se vira e olha para Arthur.

Que está apoiado em Rhun. Que, por sua vez, está lutando com os monstros, tentando mantê-los a distância. Arthur levanta o iniciador de fogo. Seus lábios pronunciam o nome de Mairwen, sem emitir som.

– Eu te amo – diz ela, mas ninguém consegue ouvir. – Amo os dois e todos vocês. Contem com meu coração, que ficarei bem. Agora, faça o que tem que fazer.

As narinas de Arthur se expandem: ele respira fundo, furioso, e provoca uma faísca.

O ALTAR SE INCENDEIA. OS CIPÓS, PARTIDOS E SECOS, SOMADOS ao sangue e as pétalas de flores murchas, ardem em chamas, e o antigo deus dá risada.

Ele dá risada porque um incêndio não é capaz de feri-lo. A Árvore de Osso renascerá depois de morrer.

Mas a primeira Grace, a sua Grace, aparece diante dele e sorri.

– *Sua filha está no coração da árvore*.

O antigo deus olha, e lá está Mairwen, comprimida contra a madeira úmida do interior do tronco, arranhando o seu coração com suas garras, deixando as flores que saem da sua boca se retorcerem na casca branca e esfarelada da árvore.

Arthur pega um galho em chamas, cutuca Rhun e sobe na árvore, aproximando-se de Mairwen, levando o fogo consigo. E então ateia fogo nas raízes.

Rhun exclama:

– Não!

Mas Arthur responde:

– Confie em mim. Confie *nela*.

Então Rhun levanta um cipó grosso que serpenteia, pegando fogo, e o enrola na base da Árvore de Osso. Haf Lewis ajuda, e sua irmã mais nova também. Os demais lutam contra as criaturas desesperadas da floresta, contra as criaturas de osso, meio vivas, meio mortas. Contra os pássaros e roedores monstruosos, contra as árvores que se inclinam e se sacodem.

– Isso será o fim de todos – alerta o antigo deus, ainda pensando que pode impedi-los e também sem temer a morte e o inevitável renascer. – Mairwen, irei com você. Vamos renascer juntos.

– Não – sussurra ela, pensando na mãe. Mairwen Grace *arranca* seu próprio coração, e o antigo deus tropeça. E cai de joelhos.

– Mairwen.

– Pai – ela apenas sussurra, mas ele consegue ouvir. Lá no fundo de seus músculos, além de seus ossos, ele ouve a voz dela.

Enquanto a Árvore de Osso arde em chamas, Mairwen fecha os olhos e pressiona as palmas das mãos contra a ferida inflamada no peito, contra as ruínas do coração espinhento de Baeddan, o coração moribundo da floresta, a chave do pacto. E o faz crescer.

Flores brotam da boca do antigo deus. Suas mãos crescem, atravessando as raízes e a terra, prendendo-o no chão.

O fogo arde em volta do deus e de sua filha, tomando conta dos dois, lançando uma teia de sombras no rosto de Mairwen.

O antigo deus tosse, morrendo de novo, e Mairwen diz:

– Tudo será meu agora. Meu coração, minha floresta.

Ela trança galhos de arbusto espinhosos para fechar o oco da Árvore de Osso e fica sozinha na escuridão.

Só que jamais estará sozinha de verdade, porque seu coração pertence a mais de uma pessoa.

QUANDO MAIRWEN, ARTHUR E RHUN SUBIRAM NO ALTAR JUNtos, nos últimos instantes de sua Lua do Abate, amarraram pulseiras com ossos ainda sangrando nos pulsos uns dos outros e se deram as mãos. Gritaram as palavras do feitiço, segurando firme, de olhos fechados, com a cabeça para trás. "Nós somos os santos de Três Graces!"

Tiveram a sensação de que estavam se afogando, de tanta dor e desespero. A sensação de que estavam acordando do pior dos pesadelos. A sensação de estarem queimando, e a sensação de que seu coração batia tão rápido que até cantarolava.

Quando a Árvore de Osso é consumida pelas chamas, têm a mesma sensação.

SÓ RESTA O FOGO. SEM EQUILÍBRIO, SEM PAZ, SÓ A DESTRUIÇÃO ARdente, indo para todos os lados, para fora, para baixo e até para cima, subindo, subindo em direção ao céu.

O vento rodopia, arrancando faíscas da Árvore de Osso, e focos de incêndio se espalham, queimando uma árvore aqui, outra acolá. Mulheres-pássaro chegam perto demais do fogo e voam pelos ares, em uma explosão de chamas.

Rhun abraça Arthur, e Haf Lewis encosta a mão nas costas de Arthur. Sua irmã mais nova segura sua mão, e Per Argall segura a dela, e assim sucessivamente, até que todos os habitantes de Três Graces que ainda se encontravam no bosque ficam conectados.

– Nós somos os santos de Três Graces – diz Rhun, baixo demais para que todos ouçam, ainda mais com a balbúrdia do incêndio. Mas essa é a sua prece, e a floresta a conhece.

Mairwen abre os olhos no epicentro da tempestade de fogo. Dói. Ela força a sua magia, imaginando se tem como morrer mais rápido. Mas não: precisa ficar com a árvore se quiser ser transformada. Se quiser tomar posse de todo o seu poder.

E é a isso que ela se apega: à transformação.

Na floresta, passar da vida para a morte e para a vida novamente é a faísca, a semente da magia.

Vida e morte, e Grace unindo as duas coisas.

Mairwen, unindo as duas coisas. Ambas. Ela *vai* sobreviver.

Mair cerra os dentes quando o fogo se apodera dela e fica sem conseguir respirar. Tenta engolir ar, tosse, não consegue parar de tossir. Seus músculos entram em espasmo, e ela se dobra ao meio, caindo, quebrando sua forma, perdendo a visão e a audição, todas as sensações, menos as causadas pelo fogo.

A ÁRVORE DE OSSO EXPLODE, ESPALHANDO FOGO E CINZAS, GAlhos em chamas e faixas de fumaça que se erguem em direção ao céu.

A explosão joga as pessoas para trás, em uma trajetória curva.

Fumaça e vento formam um redemoinho, e nove colunas de raios de lua prateados se erguem, cada vez mais alto, e se dissipam no céu negro do crepúsculo.

A lua ainda está por surgir.

O altar em si se partiu ao meio: em cima dele, há uma pilha de ossos, pelos e tendões, que desmorona lentamente. É tudo o que restou de Sy Vaughn, um espelho coberto de cinzas da Árvore de Osso destruída.

Entre o altar e a árvore, Rhun e Arthur levantam, amparando-se um no outro.

Atrás deles, o bosque só tem seres humanos, mais nada. Haf Lewis e sua irmã estão agarradas. Nona Sayer e seu marido se abraçam. Lace se debruça sobre o corpo do filho. Braith e Cat Dee, Ifan Pugh e Beth Pugh estão se olhando, de mãos dadas. Todos cobertos de cinzas, com o cabelo cheio de pétalas de flores.

Com exceção dos gemidos e murmúrios baixos das pessoas que, lentamente, começam a se movimentar, e o regato da floresta que torna a correr, quase não há ruídos. A Árvore de Osso está em brasa, partida em três.

– Mairwen! – O grito de Rhun sai rouco e vazio.

Arthur se vira, com os pulmões ardendo, como se tivesse engolido todo aquele fogo. Nenhum dos dois se preocupa com mais nada naquele momento, a não ser com ela. E começam a abrir caminho, afastando as cinzas e os pedaços de raiz ainda quentes, procurando. Haf se junta a eles, e as lágrimas escorrem pelo seu rosto, deixando marcas nas cinzas. Logo outros vêm ajudar.

Alguns minutos de buscas infrutíferas levam Rhun e Arthur a se reencontrar. Rhun está com uma expressão arrasada, à beira das lágrimas, e Arthur tem vontade de puxar a faca e arrancar a própria pele, só para distraí-lo. Mas apenas abraça Rhun e o puxa bem para perto. Rhun solta a cabeça contra a de Arthur, e seus ombros tremem.

Ninguém sabe o que Mairwen fez. Ninguém sabe se o feitiço voltou a funcionar, se há um novo pacto ou se o vale em que vivem agora é igual a qualquer outro vale.

– Qual será a história que vamos contar? – murmura Haf.

Arthur passa as pontas dos dedos muito de leve no braço de Rhun e diz:

– Olhe.

Cipós de um verde vivo estão subindo pelo que restou da Árvore de Osso, enroscando-se, retorcendo-se em espirais. Eles disparam, crescendo a uma velocidade anômala, cobrindo a casca enegrecida da árvore, arrancando-a. Não demora para que as três partes afastadas da árvore fiquem mais em tom de esmeralda do que enegrecidos, mais vivas do que parecendo carvão. Minúsculas mil-folhas brancas desabrocham.

Rhun segura a mão de Arthur. Arthur segura a mão de Haf, e vão abrindo caminho por cima das raízes que desmoronam e dos novos emaranhados de cipós.

Eles se ajudam a subir na enorme base da árvore, até o ponto em que os três pedaços rachados do tronco convergem. O tronco está praticamente vazio, a não ser pelas cinzas, pelas flores de mil-folhas, e por ossos estreitos e brilhantes como a lua.

TODAS AS DEMAIS MANHÃS

Todas as manhãs, assim que o sol nasce, Rhun Sayer e Arthur Couch esperam nos limites da Floresta do Demônio. Às vezes, Haf Lewis vai junto, levando uma cesta de pão.

Faz doze dias que a Árvore de Osso queimou. Nenhuma outra árvore pegou fogo. John Upjohn está enterrado no cemitério, debaixo do monumento aos santos. Restou muito pouco de Baeddan, mas Rhun recolheu alguns dentes e uma costela torta. Haf e Hetty os levaram para a choupana do clã Grace, onde o corpo de Aderyn Grace cresceu diretamente na pedra do borralho e, de seu peito, brotou uma pequena muda cinzenta, que chegou até o teto. Rhun e Arthur subiram no telhado e abriram um buraco no sapê para que a luz chegasse à pequena árvore.

Choveu, exatamente a quantidade necessária, e a bebê de Rhos Priddy não anda muito bem, mas continua viva. Terminaram a colheita, e uma dúzia de pessoas foi embora do vale, incluindo o pai de Arthur. Sem o pacto, disseram elas, por que continuar ali, onde não podem conquistar nada de grande? Arthur deu de ombros e levou seus parcos pertences do celeiro do clã Sayer para o palacete de Sy Vaughn. E, de propósito, levou um par de botas de Rhun consigo. Rhun ainda não está preparado para sair da casa da família. Antes precisa saber o que aconteceu. Quando o sol bate em uma faixa de folhas vermelhas caídas, ele pensa em Mairwen.

Já duas vezes ele e Haf subiram a montanha até o palacete, à noite, e ficaram sentados em volta da fogueira onde os santos eram nomeados, com três grandes velas acesas, só para ficar olhando o luar batendo nos galhos verdes claros e floridos da Árvore de Osso. Arthur sempre os obriga a entrar e a contar histórias para os poucos jovens que já estão morando com ele. Per Argall é um, Emma Howell, de sete anos, é outra, e diz que quer ser santa. Arthur fala para a menina que ela não pode, mas só porque não existem mais santos. Mesmo assim, vai ensinar para ela como arrancar a pele dos coelhos, a fazer fogo e tudo o que possa lhe ser útil para sobreviver sozinha na natureza.

Levou três dias para as queimaduras nas mãos de Rhun, Arthur e Haf cicatrizarem completamente. Demorou mais do que na época do pacto, mas ainda se perguntam se essa cicatrização tão rápida não é mágica. Ninguém no vale sabe nem lembra quanto tempo deveria demorar.

Arthur fica observando Rhun uma tarde, enquanto estão montando uma série de armadilhas para coelhos. Rhun começa a suar com a intensidade desse olhar e se encosta em uma árvore. Arthur tira o capuz de caçador e dá um beijo em Rhun.

Que fecha os olhos e aceita o beijo, deixando Arthur se virar sozinho. Depois de alguns instantes de pouca cooperação, os lábios de Arthur relaxam, e ele roça os lábios no rosto de Rhun também. E bate as pestanas, fazendo cócegas na pele dele.

Isso quebra a barreira que impedia Rhun de indagar o que Arthur estava fazendo sozinho, lá na Árvore de Osso.

– Fui para atear fogo nela – responde Arthur, sem se afastar.

Os dois estão a uma distância de um palmo apenas.

– Não deveria ter feito isso.

Arthur dá de ombros e toca os próprios lábios.

Rhun não consegue desistir do assunto, apesar de estar com os olhos fixos nos dedos e nos lábios de Arthur.

– Essa era uma decisão que todos deveríamos ter tomado juntos! Não importa o quanto aprendeu ou o quanto mudou. Se ia simplesmente tomar essa decisão sozinho, fazer a escolha sozinho, estaria tão errado quanto todos aqueles segredos e mentiras. Você não tem o direito de decidir pelos outros.

– Não havia muita *escolha*. O pacto era errado. Você sabe disso.

Rhun balança a cabeça, relutante. O arrependimento e a tristeza pesam nos seus ombros. Ele franze o cenho. Sente tanta falta de Mairwen... Ela sabia como xingar Arthur para fazê-lo entender que não pode mudar as pessoas assumindo o controle de tudo, mesmo quando tem razão.

Arthur respira fundo, pela boca, e declara:

– Quero Mairwen de volta.

– Mesmo ela sendo filha do demônio?

– Sempre tivemos conhecimento disso – responde Arthur, dando um sorriso sarcástico.

A maioria dos moradores de Três Graces não têm nada contra Rhun nem contra Arthur, ainda que algumas pessoas continuem a olhar torto para Arthur, mas provavelmente é porque ele está mais propenso ao deboche do que nunca.

Arthur acha que quando a primeira pessoa morrer de doença, os ex-santos passarão por algumas semanas difíceis. Rhun jura que vão conseguir superar. Rhun pai, Braith Bowen e Cat Dee planejam estocar mais comida ao longo do inverno e pedir que façam um registro mais detalhado dos animais e dos alimentos cultivados no vale, para o caso de precisarem, quando chegar a primavera, mandar alguém até a cidade comprar mantimentos, galinhas ou outra coisa. Vão dar um jeito.

Nesta manhã, duas semanas depois da Lua do Abate, quando o sol aparece, também aparece uma improvável de tão minúscula nesga de lua sorridente.

Rhun se agacha no limite da Floresta do Demônio, cobrindo a cabeça baixa com as mãos. A luz se espalha em Arthur, ao seu lado, deitado em um sono incerto.

Um pássaro canta ao romper da aurora, indeciso, naquele vento gelado. Como não há nenhuma nuvem no céu, a aurora se esparrama pelo vale: rosa e dourada a leste, com um tom suave de creme a oeste. As estrelas brilham uma última vez no vértice escuro. Rhun pressiona a cabeça com os dedos, liberando frações daquela dor suave que o acomete há mais ou menos uma hora.

Arthur não está dormindo, mas não quer abrir os olhos. Suas costas estão geladas, por ter ficado deitado por horas, esmagando a grama amarelada, assim como a ponta do nariz. Só suas mãos estão quentes, dobradas por baixo do casaco. Está cansado dessa vigília da aurora, impaciente porque quer que Mairwen dê provas de que está viva ou de que está morta. Se estiver morta, Arthur vai querer morrer também, mas Rhun precisará dele. Ficar sem saber deixa seu estômago constantemente embrulhado.

E então ele consegue sentir o gosto da luz em seus lábios. Rhun põe a mão na cintura de Arthur, e o calor desse toque atravessa sua camisa e abre seus olhos. Ele os espreme e senta com cuidado, levando consigo a mão de Rhun, segurando-a pelo pulso. Fica olhando para a cicatriz de queimadura de um cor-de-rosa vivo, que brilha, em uma linha perfeitamente paralela a uma das linhas na palma da mão de Rhun.

– Já passou tempo demais – murmura Arthur.

Rhun dobra os dedos em torno da mão dele, em um gesto protetor.

– Ela me disse que se casaria com você.

Arthur dá risada, achando graça do comentário.

– Ela nem sequer gosta de mim – diz.

Rhun fica só olhando, impressionado e silencioso com o quanto Arthur fica bonito quando se esquece de ser mal-humorado. A aurora realça o contorno pronunciado do seu maxilar e as camadas do cabelo espetado e se espalha nos cílios.

O olhar de cobiça no rosto de Rhun faz Arthur lembrar que os dois estão de mãos dadas, e sua risada se transforma em desconfiança.

– Quer dizer que ela disse que se casaria comigo caso você morresse.

– Não. Ela prometeu do mesmo jeito. Se eu sobrevivesse, poderia morar com vocês dois.

– Ai, meu Deus.

Arthur dá risada de novo, pensando no desastre que isso seria, mas gostando da ideia.

Rhun dá de ombros, tenso porque Arthur está segurando sua mão, acariciando a pele delicada. Ele treme. Ainda há certa magia ali e, talvez, haja por todo o vale.

De repente, o corpo de Arthur enrijece.

– Rhun – sussurra ele –, tem flores desabrochando na floresta.

ELA ANDA A ESMO.

Seu coração carrega um sorriso que ainda precisa ser transmitido para os lábios, porque seu corpo é novo, foi transformado, ela é menos menina do que ontem. Ou do que anteontem. Não sabe ao certo. Por onde pisa, as raízes da floresta se erguem para cutucá-la e acariciá-la, e os galhos se aproximam quando passa. Seu toque incentiva as folhas a continuarem verdes, apesar de o inverno estar se aproximando. Seu coração bate forte, bombeando sangue gelado, como os regatos da floresta que jamais veem a luz do dia.

Se ela parar e fechar os olhos, é capaz de sentir tudo: o vale inteiro. Seus pés a conectam através da terra; suas mãos, através das árvores nas quais toca. Ela sente o gosto na língua e ouve a silenciosa canção. Seu coração palpita, e essa batida ecoa pelo vale. Uma centena, não, mais de mil vidas cintilam com ela. Pessoas. Pequenos animais, batendo os dentes. Pássaros, cães, coelhos e raposas e alguns cervos brancos. Alguns famintos, outros adormecidos. Alguns caçando e outros abrem as asas para se proteger do vento gelado. Vivos. Todos vivos.

Ela não está presa entre a luz e a escuridão nem entre o vale e a floresta. Ela não é um fio de amarração de magia nem parte de um amuleto. Não é um entre três. É o centro de tudo.

O sol nasce, e ela se aproxima do limite da floresta. Demônio da floresta, bruxa, mulher jovem, de olhos que parecem uma noite estrelada e dentes como os dos gatos, com galhos cheios de espinhos e flores emaranhados no cabelo, deixando um rastro de pétalas brancas por onde passa.

Estão esperando por ela. Dois dos corações: um deles arde, o outro bate em perfeita sincronia.

Ela dá um sorriso, com os lábios entreabertos, revelando dentes afiados, mas não afiados demais.

Em vez de diminuir o passo, ela dá um pulo para a frente. Ela se atira nos dois, abraçando ambos ao mesmo tempo. Um deles reclama, porque alguma parte pontuda do corpo dela arranhou sua pele; e o outro geme, porque está segurando boa parte do seu peso. Nenhum dos dois a solta.

FIM

AGRADECIMENTOS

Obrigada a todos que já me ouviram falar do quanto duvido da magia, ao mesmo tempo em que anseio por ela, ou já discutiu comigo a respeito de bruxas, deuses da floresta e coisas do gênero. Este livro nasceu dessas conversas ao redor da fogueira.

Minha esposa, Natalie, segura a barra das minhas ansiedades relacionadas a gênero e bruxaria, seguida de perto por Robin Murphy, com quem eu grito, há vinte anos, um monte de besteiras existenciais de gênero no paganismo moderno. Sinto muito, só um pouquinho, e amo vocês duas.

Agradeço a:

Lydia Ash, por ter me posto em contato com fontes sobre limpeza de ossos, e Gretchen McNeil, pelas recomendações de terror que eu praticamente não usei.

Meu pai e meus irmãos, por não terem se encolhido de medo quando mandei mensagem fazendo perguntas muito específicas sobre costurar os ossos da mão de uma pessoa no peito de outra.

Laura Rennert, minha agente, que se recusa a desistir de mim e das coisas esquisitas que eu mando para ela.

Ruta Rimas, minha editora, que não apenas me ajudou a melhorar este livro, mas também identificou meus piores vícios de escrita e não deixou passar batido. Isso não tem preço. E obrigada aos heróis anônimos da McElderry Books, que preparam e revisam, diagramam, produzem e vendem o meu trabalho.

Recebi comentários incrivelmente úteis dos seguintes leitores: Miriam Weinberg, Jordan Brown, Laura Ruby e Justina Ireland. Fico devendo esta!

A todos os amigos que apoiaram a mim e à minha família nestes últimos dois anos tão difíceis, muito obrigada. Quando eu, algum dia, for velejar, todos podem ir comigo. Ou não.

SUA OPINIÃO É MUITO IMPORTANTE

Mande um e-mail para **opiniao@vreditoras.com.br**
com o título deste livro no campo “Assunto”.

1ª edição, maio 2020

FONTES Goudy Oldstyle Std 11,5/16,3pt; YanaR 22/26,4pt
PAPEL Lux Cream 60g/m²
IMPRESSÃO Lis gráfica
LOTE L48452